鉄筋コンクリート造建物の
等価線形化法に基づく
耐震性能評価型設計指針・同解説

AIJ Seismic Performance Evaluation Guidelines for
Reinforced Concrete Buildings
Based on the Capacity Spectrum Method

2023

日本建築学会

本書のご利用にあたって
　本書は，作成時点での最新の学術的知見をもとに，技術者の判断に資する
技術の考え方や可能性を示したものであり，法令等の補完や根拠を示すもの
ではありません．また，本書の数値は推奨値であり，それを満足しないこと
が直ちに建築物の安全性を脅かすものでもありません．ご利用に際しては，
本書が最新版であることをご確認ください．本会は，本書に起因する損害に
対しては一切の責任を有しません．

ご案内
　本書の著作権・出版権は(一社)日本建築学会にあります．本書より著書・
論文等への引用・転載にあたっては必ず本会の許諾を得てください．
Ⓡ〈学術著作権協会委託出版物〉
　本書の無断複写は，著作権法上での例外を除き禁じられています．本書を
複写される場合は，(一社)学術著作権協会(03-3475-5618)の許諾を受けてく
ださい．
　　　　　　　　　　　　　　　　　　一般社団法人　日本建築学会

序

　わが国においては，建築基準法が構造設計の規範としてあり，本会の各種規準・指針がそれを補完してきた，すなわち，1950 年に建築基準法が制定された当時には，建築基準法にはきわめて性能規定的規定，たとえば構造安全性については「安全であること」との記述があるのみで具体的な技術的規定は示されず，本会の「鉄筋コンクリート構造計算規準・同解説」に代表される各種規準が具体的な検証方法を提案してきた．その後，1980 年代から 1990 年代にかけて建築基準法施行令 80 条の 2 に基づく告示，あるいは基準法の解説書として本会の各種規準は整備された．特に 1981 年から施行されたいわゆる新耐震設計法に対応して，本会は，「建築耐震設計における保有耐力と変形性能」に代表される技術資料の整備に努めた．1995 年兵庫県南部地震において，新耐震設計法は人命を損なう建物の倒壊を防ぐ目的を立派に果たした．しかし，倒壊しないまでも損傷がひどく，修復費がかさんだ結果，建替えになった建物もあり，地震後の損傷状態を説明できる構造性能の規定化と対応する評価法が望まれるようになった．

　保有水平耐力計算は建物の変形能力に応じた必要強度を規定しているが，変形能力の確保を仕様に基づき規定し，陽には規定していない．これでは，地震時の建物の挙動すなわち建物の構造性能を表すことはできない．具体的には，地震時にどの程度建物が変形するか，損傷が生じるかを説明することができない．建物の性能を地震時の損傷に基づいて評価するためには，地震時の建物の応答変位を直接評価しうる方法が必要である．地震時の応答変位を直接求める方法としては，非線形地震応答解析がある．この方法は，採用する地震動の設定，建物や部材の履歴特性を含むモデル化など高度な工学的判断が必要となる．また，特定の地震動に対する応答を求めていることにも留意が必要となる．一方，設計用地震動が応答スペクトルで規定されていることを踏まえ，それを利用して応答変位を評価法することが考えられる．応答スペクトルを利用した方法では，地震動の周期特性や位相特性に影響されることなく，より一般的に応答変位を評価できると考えられる　非線形化に対しては，等価線形化法の活用が考えられる．例えば建築基準法の「限界耐力計算」は，このような考えに基づいて制定されている．

　設計者は，『限界耐力計算』を用いる場合は，モデル化を含めて建物の耐震性能を説明する責任がある．しかし，現状では，依然として部材や架構のモデル化，限界状態の設定など，設計者を支援する情報に欠けている．そこで本指針では，等価線形化法に基づく耐震性能評価方法を具体的に実施する方法を取りまとめた．

　本指針の適用条件および特徴は，以下のとおりである．

（1）　主要構造部材に通常用いられる強度の材料，部材形状の「鉄筋コンクリート」を用いた構造形式に適用する．

（2）　等価線形化手法を利用していることから，並進応答が支配的となる高さ 60 m 以下の建物に適用する．なお，平面的に偏心している建物の取扱いを明確にしている．

（3）　設計者が構造性能を説明する際の荷重と要求性能が記述されている．

（4）　安全率，余裕度，リダンダンシー，ロバストネスなどの考え方が記述されている．

（5）　RC 構造，RC 部材の性能（状態）が記述されている．

（6）　応答時の状態を評価するための応力解析方法の原則が記述されている．例えば，応力解析方法（モデル化，計算法），地震応答値の計算法などである．

（7）　応答時の状態を評価するための部材，断面性能の評価法の原則が記述されている．

　RC 材料の応力とひずみに基づく性能評価の原則，せん断耐力などの実験に基づく性能評価の原則など，構造物のモデル化は，本来，静的非線形荷重増分解析を実施する場合には，設計手法によらず共通する内容であり，今後，新しい知見が出た場合は，それらを用いることができる．

　目指すべき鉄筋コンクリート造の耐震設計規準・指針は，耐震性能に基づく耐震設計法，すなわち地震時の応答変位を陽に示し，地震動の大きさと応答時の損傷状態を設計者が説明できるものとして整備されることが望まれる．本会から刊行されている「鉄筋コンクリート構造計算規準・同解説」，「鉄筋コンクリート構造保有水平耐力計算規準・同解説」および本指針は，建築基準法施行令で定められる許容応力度計算，保有水平耐力計算，限界耐力計算との関連を有する一方で，3つの規準・指針の間で必ずしも整合性が取れていない状況にある．例えばコンクリート構造物として共通であるべき要求性能は少しずつ違う表現になっており，また，同じ構造的現象を検証・評価する検証・評価式が少しずつ異なっている．また，材料特性や応力計算に用いる構造モデルは，いずれの計算法においても共通である方が合理的である．鉄筋コンクリート造建物の構造計算に関わる指針等は，本会から他にも刊行されており，それらも含めて整理されるべきであり，場合によっては統廃合も考えられる．

　本指針が建築基準法に沿い，かつ性能評価型耐震設計指針の一部とみなされれば幸いである．

　2023 年 11 月

日本建築学会

本書作成関係委員
—— （五十音順・敬称略） ——

構造委員会

委 員 長　五十田　　博
幹　　事　楠　浩一　　永野正行　　山田　　哲
委　　員　（略）

鉄筋コンクリート構造運営委員会

主　　査　楠　浩一
幹　　事　伊藤　　央　　壁谷澤寿一　　真田靖士
委　　員　秋田知芳　　秋山裕紀　　飯塚正義　　石川裕次
　　　　　磯　雅人　　稲井栄一　　北嶋圭二　　北野敦則
　　　　　北山和宏　　楠原文雄　　河野　進　　小室　努
　　　　　坂下雅信　　迫田丈志　　杉本訓祥　　髙瀬裕也
　　　　　高橋典之　　谷　昌典　　中村孝也　　西村康志郎
　　　　　萩尾浩也　　花井伸明　　濱崎　仁　　日比野陽
　　　　　前田匡樹　　丸田　誠　　向井智久　　柳澤信行
　　　　　山野辺宏治　吉田　聡　　吉田　実

応答スペクトルによる耐震設計小委員会

主　　査　楠　浩一
幹　　事　向井智久
委　　員　稲井栄一　　加藤大介　　北山和宏　　楠原文雄
　　　　　倉本　洋　　坂下雅信　　真田靖士　　塩原　等
　　　　　勅使川原正臣　深井　悟　　毎田悠承　　前田匡樹

原案執筆担当 （2019 年版当時）

1 章　　応答スペクトルによる耐震性能評価指針案作成ワーキンググループ

2 章　　応答スペクトルによる耐震性能評価指針案作成ワーキンググループ

3 章　　応答スペクトルによる耐震性能評価指針案作成ワーキンググループ

4 章　　応答スペクトルによる耐震性能評価ワーキンググループ

5 章

5.1　　応答スペクトルによる耐震性能評価指針案作成ワーキンググループ
5.2　　応答スペクトルによる耐震性能評価指針案作成ワーキンググループ
5.3　　梁柱部材性能評価ワーキンググループ
　　　　壁部材性能評価ワーキンググループ
　　　　柱梁接合部性能評価ワーキンググループ

6 章

6.1　　応答スペクトルによる耐震性能評価指針案作成ワーキンググループ
6.2

6.2.1　　　応答スペクトルによる耐震性能評価ワーキンググループ
6.2.2

6.2.2.1　　梁柱部材性能評価ワーキンググループ
6.2.2.2　　梁柱部材性能評価ワーキンググループ
6.2.2.3　　壁部材性能評価ワーキンググループ
6.2.2.4　　柱梁接合部性能評価ワーキンググループ

7 章　　応答スペクトルによる耐震性能評価ワーキンググループ

8 章　　応答スペクトルによる耐震性能評価指針案作成ワーキンググループ

9 章

9.1　　応答スペクトルによる耐震性能評価ワーキンググループ
9.2　　応答スペクトルによる耐震性能評価ワーキンググループ
9.3　　応答スペクトルによる耐震性能評価ワーキンググループ

9.4

    9.4.1   梁柱部材性能評価ワーキンググループ

    9.4.2   梁柱部材性能評価ワーキンググループ

    9.4.3   壁部材性能評価ワーキンググループ

    9.4.4   柱梁接合部性能評価ワーキンググループ

  9.5   応答スペクトルによる耐震性能評価ワーキンググループ

付　　　録

  付 1.   応答スペクトルによる耐震性能評価指針設計例作成ワーキンググループ

  付 2.   応答スペクトルによる耐震性能評価ワーキンググループ

  付 3.   応答スペクトルによる耐震性能評価ワーキンググループ

鉄筋コンクリート造建物の等価線形化法に基づく

耐震性能評価型設計指針・同解説

目 次

		本文ページ	解説ページ
1章 総 則			
1.1	適 用 範 囲 ……………………………………………………	1 ……	23
1.2	用語の定義 ……………………………………………………	1 ……	24
1.3	記 号 ……………………………………………………	2 ……	25
1.4	準拠する規準・指針類 ………………………………………	5 ……	27
2章 耐震性能評価の基本			
2.1	基 本 原 則 …………………………………………………	6 ……	28
2.2	目標耐震性能の設定 …………………………………………	6 ……	32
2.2.1	耐損傷性に関する耐震性能 ………………………………	6 ……	32
2.2.2	安全性に関する耐震性能 …………………………………	6 ……	33
2.3	耐震性能評価手順 ……………………………………………	6 ……	33
3章 使 用 材 料			
3.1	コンクリート …………………………………………………	6 ……	35
3.1.1	コンクリートの種類・品質および材料 …………………	6 ……	35
3.1.2	コンクリートの定数 ………………………………………	7 ……	35
3.2	鉄 筋 ……………………………………………………	7 ……	37
3.2.1	鉄筋の種類 …………………………………………………	7 ……	37
3.2.2	鉄筋の定数 …………………………………………………	7 ……	38
3.3	鉄筋とコンクリートの相互作用（付着，定着特性） ……	7 ……	39
3.4	特殊な継手・定着 ……………………………………………	7 ……	39
4章 地 震 動			
4.1	基準地震動 ……………………………………………………	7 ……	41
4.2	性能評価・設計用応答スペクトル …………………………	7 ……	41
4.3	表層地盤による地震動増幅 …………………………………	8 ……	43
5章 限界状態と限界値の設定			
5.1	基 本 事 項 …………………………………………………	8 ……	45

5.2　架構の限界状態 ··· 8······ 45
　　5.3　部材の限界状態 ··· 8······ 47

6章　構 造 解 析
　　6.1　基 本 事 項 ··· 8······ 51
　　6.2　構造解析モデル ··· 9······ 51
　　　　6.2.1　架構のモデル化 ··· 9······ 51
　　　　6.2.2　部材のモデル化 ··· 9······ 54

7章　地震応答評価
　　7.1　一 般 事 項 ··· 12······138
　　7.2　静的非線形荷重増分解析 ··· 13······144
　　7.3　平面的不整形性が小さい建物に対する応答評価 ································ 13······147
　　　　7.3.1　等価1自由度系応答値 ··· 14······149
　　　　7.3.2　各層，各部材の応答値 ··· 15······154
　　7.4　平面的不整形性が大きい建物に対する応答評価法の補正 ····················· 15······155
　　　　7.4.1　等価1自由度系応答値 ··· 15······155
　　　　7.4.2　各層，各構面および各部材の応答値 ··· 15······158
　　7.5　建物―基礎―地盤の相互作用を考慮した応答評価 ······························· 15······158

8章　目標構造性能の確認
　　8.1　耐損傷性の確認 ··· 16······161
　　8.2　安全性の確認 ··· 16······161
　　8.3　その他の目標構造性能の確認 ··· 17······163

9章　保証設計と構造規定
　　9.1　一 般 事 項 ··· 17······164
　　9.2　保証設計用応力の算出 ··· 17······166
　　9.3　高次モード応答の考慮 ··· 17······168
　　　　9.3.1　平面的不整形性が小さい建物に対する高次モードによる応力割増 ············ 17······168
　　　　9.3.2　平面的不整形性が大きい建物に対する高次モードによる応力割増 ············ 18······171
　　9.4　部材の保証設計と構造規定 ··· 19······173
　　　　9.4.1　梁 部 材 ··· 19······173
　　　　9.4.2　柱 部 材 ··· 20······177
　　　　9.4.3　耐 震 壁 ··· 21······182
　　　　9.4.4　柱梁接合部 ··· 21······185

9.5　架構の保証設計 ……………………………………………………………………………… 22……196

付　　録

付 1.　設　計　例 …………………………………………………………………………………… 199
付 2.　設計目標を満足する復元力特性の簡易算定法 ……………………………………… 266
付 3.　等価粘性減衰と加速度低減率 F_h ……………………………………………………… 288

鉄筋コンクリート造建物の等価線形化法に基づく
耐震性能評価型設計指針

鉄筋コンクリート造建物の等価線形化法に基づく
耐震性能評価型設計指針

1章　総　　則

1.1　適用範囲

　本指針は，下記の条件を満足する鉄筋コンクリート造建物を対象として，想定する地震動レベルでの建物の変形を陽に計算し，その変形に対して安全であるような架構および部材の設計，ならびに建物の安全性の評価に適用する．なお，基礎構造に関しては，1.4節に示す関連基規準類による．

（1）　高さ60m以下の建物

（2）　使用材料および材料強度が3章に合致する建物

（3）　建物の地震応答は，一次モードが支配的で，かつ，ねじれモードが卓越しない建物．ただし，特別な調査研究により本指針と同等の構造性能が確認できる場合には，本指針の一部の適用を除外することができる．

1.2　用語の定義

　本指針で使用する特に重要な用語を以下のように定義する．

性能曲線：	建物の非線形応答を等価な一自由度系に縮約した代表加速度と代表変位の関係
要求曲線：	加速度応答スペクトル—変位応答スペクトル関係で，その算出においては非線形応答に応じた等価減衰を考慮してよい．
等価減衰：	非線形応答に応じた履歴減衰を等価な粘性減衰に置き換えたもの．
保証設計点：	保証設計を行う応答点
保証設計変形：	保証設計点での変形
耐損傷性：	建物の地震動に起因する損傷に対する性能
安全性：	建物の耐震安全性に対する性能
損傷限界状態点：	建物が設定した損傷限界状態に達する応答点
損傷限界時応答点：	損傷限界状態検証用に用いる地震力に対する建物の応答点
安全限界状態点：	建物が設定した安全限界状態に達する応答点
安全限界時応答点：	安全限界状態検証用に用いる地震力に対する建物の応答点
代表加速度：	性能曲線の縦軸で，縮約したモデルにおける地震動による応答加速度で，等価な一自由度系に縮約した際の，復元力を等価質量で除したもの．

— 2 —　鉄筋コンクリート造建物の等価線形化法に基づく耐震性能評価型設計指針

代表変位：　　　性能曲線の横軸で，縮約したモデルにおける地震動による応答変位.

加速度低減係数：　内部粘性減衰定数を考慮した要求曲線を用いた応答に対して，履歴減衰の影響を考慮して応答を低減する係数

等価質量比：　　　建物の全質量に対する各振動モードの等価質量の比

基礎部材：　　　基礎梁下端より下部の構造部材.

基礎構造：　　　基礎部材で構成された部分.

上部構造：　　　建物のうち，基礎構造より上に位置する部分.

保証設計：　　　想定した建物モデルでの降伏機構どおりに構造システムが挙動することを保証する設計のことをいう．構造解析の不確かさによる性能のばらつきを補うこともその目的に含む.

一体性：　　　各部材が個々の抵抗能力を十分発揮できるように接続されていること.

終局強度：　　　断面または部材の最大強度の総称.

信頼強度：　　　材料強度，算定式のばらつき等を考慮して終局強度の下限値として計算される断面または部材の強度，あるいは部材強度の下限値を求める場合に用いる材料の強度（鉄筋の場合，通常は規格降伏点）.

上限強度：　　　材料強度，算定式のばらつき，スラブ，直交壁，施工上の配筋等，強度上昇の要因を考慮して終局強度の上限値として計算される断面または部材の強度，あるいは部材強度の上限値を求める場合に用いる製品のばらつきを考慮して設定した材料の強度.

構造性能：　　　荷重・外力・外乱に対する構造物の耐損傷性，安全性.

動的効果：　　　一般的な設計手法である静的解析の結果に対して，実際の地震動による建物の応答が異なる現象.

1.3　記　　　号

A_d　：開口周囲の斜め筋の断面積

A_h　：開口周囲の横筋の断面積（下記の A_{h0} や梁主筋を含む）

A_v　：開口周囲の縦筋の断面積（下記の A_{v0} や柱主筋を含む）

A_{h0}　：開口補強の目的で通常の横筋とは別に配筋される横筋の断面積

A_{v0}　：開口補強の目的で通常の縦筋とは別に配筋される縦筋の断面積

A_{st}　：付着割裂面を横切る1組の横補強筋全断面積

a　：並列 T 形梁では側面から相隣る材の側面までの距離，単独 T 形材ではその片側のフランジ幅の2倍

a_c　：圧縮鉄筋の断面積

a_g　：柱の全主筋の断面積

a_t　：引張鉄筋の断面積

a_w　：1組のあばら筋または帯筋の断面積，1組の壁板のせん断補強筋の断面積

1章 総　　則　—3—

a_{wh} ：壁板の1組の横筋の断面積

a_{wv} ：壁板の1組の縦筋の断面積

B ：⊓形断面部材の有効幅

b ：⊓形断面をもつ材のウェブ幅，長方形梁または柱の幅

b_a ：⊓形断面部材の板部の協力幅（片側）

b_{ai} ：$\ell_i/2$ と $D/4$ の小さい方の数値

b_b ：梁幅

b_i ：梁両側面からこれに平行な柱側面までの長さ

b_j ：柱梁接合部の有効幅

C ：付着検定断面位置における鉄筋間のあき，または最小かぶり厚さの3倍のうちの小さい方の数値

D ：曲げ材の全せい，通し配筋される接合部材の全せい，柱（または梁）のせい

d ：曲げ材の圧縮縁から引張鉄筋重心までの距離（有効せい），柱の有効せい

d_b ：異形鉄筋の呼び名に用いた数値

d_c ：曲げ材の圧縮縁から圧縮鉄筋重心までの距離

d_t ：曲げ材の引張縁から引張鉄筋重心までの距離

F_c ：コンクリートの設計基準強度

f_b ：付着割裂の基準となる強度

g_1 ：柱断面の引張側鉄筋重心と圧縮側鉄筋重心との距離の全せい D に対する比

H_c ：接合部上下の柱の高さの平均

h ：階高，当該層の壁部材の高さ

Σh ：連層耐震壁の当該層から最上層までの高さ

Σh_w ：当該層開口上下部材の部材せいの和

h' ：柱の内法高さ

h_0 ：壁部材の開口部の高さ（複数開口の場合は個別の開口高さ）

h_{0p} ：壁部材の開口部の高さ（複数開口の場合は鉛直断面への投影高さの和）

j ：曲げ材の応力中心距離

K ：付着割裂の基準となる強度を割り増すための係数

L ：曲げ材の内法長さ

L_b ：柱梁接合部の左右の梁の長さの平均

l ：骨組または連続梁のスパン長さ，柱中心間の距離，柱（または梁）を含む壁部材の全せい

l' ：梁の内法スパン長さ，壁板の内法長さ

l_a ：曲げ補強鉄筋の定着起点から定着に有効な部分の投影長さ

l_{ab} ：必要定着長さ

l_e ：壁板の有効長さ

l_d ：鉄筋の付着長さ

l_{dh} ：フック付き（折曲げ）定着鉄筋の投影定着長さ（鉄筋の仕口面からフック開始点までの直線長さ＋フック内法半径＋鉄筋径）

l_{w0} ：等価な1開口が壁部材の中央にあるとしたときの開口端部から壁部材端部までの水平距離

l_{w1} ：実際の開口位置における開口端部から壁部材端部までの水平距離の最小値

l_0 ：単純梁のスパン長さ，開口部の長さ（複数開口の場合は個別の開口長さ）

l_{0p} ：開口部の長さ（複数開口の場合は水平断面への投影長さの和）

$\sum l_w$ ：開口横部材の部材せいの和

M ：設計する梁または柱の曲げモーメント

M_{cr} ：梁または柱のひび割れ曲げモーメント

M_y ：梁の降伏曲げモーメント

$\sum_B M_y$ ：梁の両端の降伏曲げモーメントの絶対値の和

$\sum_C M_y$ ：柱頭および柱脚の降伏曲げモーメントの絶対値の和

M_u ：梁または柱の終局曲げモーメント

N ：柱の軸方向力，付着割裂面における鉄筋本数

n ：ヤング係数比

n_h ：水平方向に並ぶ開口の数

n_v ：鉛直方向に並ぶ開口の数

n_0 ：単層耐震壁の鉛直方向に並ぶ開口の数

p_g ：柱の全主筋断面積の柱断面積に対する比（柱主筋比）

p_t ：引張鉄筋比

p_s ：壁板の直交する各方向のせん断補強筋比

p_{sv} ：壁板の縦筋の補強筋比

p_{sh} ：壁板の横筋の補強筋比

p_w ：あばら筋比または帯筋比（a_w/bs）

Q ：設計する梁または柱に作用する最大せん断力

Q_{cr} ：梁または柱のせん断ひび割れ強度

Q_{SU} ：梁または柱のせん断強度

Q_D ：梁または柱の安全性確保のための設計用せん断力，壁部材の設計用水平せん断力

Q_{DS} ：梁または柱の設計用せん断力

Q_{Dj} ：柱梁接合部の安全性確保のための設計用せん断力

Q_L ：梁または柱の長期荷重によるせん断力

Q_E ：梁または柱の水平荷重によるせん断力

Q_w ：無開口の壁板の壁筋が負担できるせん断力

r ：壁部材のせん断耐力に対する開口による低減率

r_1 ：壁部材のせん断耐力に対する開口の水平断面積による低減率

r_2 ：壁部材のせん断耐力に対する開口の見付面積による低減率

r_3 ：壁部材のせん断耐力に対する開口の鉛直断面積による低減率

S ：必要定着長さの修正係数

s ：付着割裂面を横切る1組の横補強筋の間隔，壁板のせん断補強筋比の間隔

t ：スラブ厚さ，壁板の厚さ

W ：付着割裂面を横切る横補強筋効果を表す換算長さ

Z_e ：壁筋を考慮した断面係数

x ：あばら筋または帯筋の間隔

x_n ：曲げ材の圧縮縁から中立軸までの距離

α ：梁または柱のせん断スパン比 $M/(Qd)$ による割増し係数，必要定着長さに関する係数，壁板周辺の柱のせん断強度を計算するときの係数

α_y ：梁または柱の降伏点剛性低下率

γ ：コンクリートの気乾単位容積重量

θ ：鉄筋方向と算定断面の法線との角度

κ_A ：柱梁接合部の形状による係数

ξ ：架構の形状に関する係数

η_0 ：柱の軸力比

σ_0 ：柱の軸方向応力度

σ_c ：圧縮鉄筋の継手部分の最大存在応力度

σ_t ：引張鉄筋の重ね継手部分の最大存在応力度，仕口面における鉄筋の応力度

σ_{wy} ：せん断補強筋の降伏強度

σ_{we} ：せん断補強筋の有効強度

σ_y ：鉄筋の降伏強度，規格降伏点，材料強度

ν_0 ：コンクリートの有効強度係数

τ_{a1} ：引張鉄筋の曲げ付着応力度

τ_{a2} ：引張鉄筋の平均付着応力度

τ_y ：引張鉄筋の降伏時の平均付着応力度

τ_u ：構造特性係数を算定しようとする階が崩壊形に達する場合の梁，あるいは柱の断面に生じる平均せん断応力度

ψ ：付着検定される鉄筋の周長

1.4 準拠する規準・指針類

建築基礎構造設計指針（2019年版）

鉄筋コンクリート構造計算規準・同解説（2018年版）

鉄筋コンクリート基礎構造部材の耐震設計指針（案）・同解説（2017年版）

現場打ち同等型プレキャスト鉄筋コンクリート構造設計指針（案）・同解説（2002年）
建築工事標準仕様書・同解説　JASS5　鉄筋コンクリート工事（2022年版）

2章　耐震性能評価の基本

2.1　基本原則

　建物の耐震性能は，要求耐震性能ごとに想定する地震動による応答値が，建物および構造部材の状態から決まる限界状態に対して，一定の余裕をもった範囲に収まることを確認することにより評価する．

2.2　目標耐震性能の設定

　本指針で検討すべき耐震性能は，耐損傷性（損傷限界性能）と安全性（安全限界性能）とする．

2.2.1　耐損傷性に関する耐震性能

　耐損傷性に関する耐震性能は，建物の供用期間に稀に発生する地震動に対して，建物が通常の使用状態にあって，その機能や居住性が損なわれず維持できる性能とする．

2.2.2　安全性に関する耐震性能

　安全性に関する耐震性能は，建物の供用期間に極めて稀に発生する地震動に対して，建物が倒壊，崩壊せず，人命を損なわない性能とする．

2.3　耐震性能評価手順

　建物の耐震性能評価は，以下の手順で行う．

（1）　適用性の可否の判断
（2）　自重，積載荷重の算定
（3）　耐損傷性，安全性を検証するための要求曲線の算定
（4）　建物の性能曲線の算定，等価減衰—変形関係の算定
（5）　耐損傷性，安全性を検証する応答点の算出
（5）　耐損傷性，安全性の検証
（6）　保証設計

3章　使用材料

3.1　コンクリート

3.1.1　コンクリートの種類・品質および材料

（1）　本会「建築工事標準仕様書・同解説　JASS 5　鉄筋コンクリート工事」（以下，JASS 5という）に定める品質を有するコンクリートを用いた場合に本指針を適用することができ

る．使用骨材による種類は普通コンクリートとし，設計基準強度の範囲は，$18\,\mathrm{N/mm^2}$ 以上，$60\,\mathrm{N/mm^2}$ 以下とする．

（2） コンクリートに使用する材料は，JASS 5 に規定する材料による．

3.1.2 コンクリートの定数

コンクリートの材料強度など諸定数は，構造体コンクリートの値としてばらつきや経時的な影響を考慮して適切に定める．

3.2 鉄 筋

3.2.1 鉄筋の種類

特別な場合を除き，JIS G 3112「鉄筋コンクリート用棒鋼」の規格を満足する異形鉄筋を用いた場合に本指針を適用することができる．使用できる鉄筋径は，呼び名 D41 以下とする．ただし，主筋の強度は原則 SD490 以下とし，横補強筋用としては，高強度鉄筋も用いることができる．

3.2.2 鉄筋の定数

鉄筋の諸定数は，ばらつきを考慮して適切に定める．

3.3 鉄筋とコンクリートの相互作用（付着，定着特性）

性能評価にあたっては，必要に応じて鉄筋とコンクリート間の応力伝達特性を適切に考慮する．

3.4 特殊な継手・定着

特殊な継手・定着方法を用いる場合は，以下に示す性能について明示，保証され，かつ当該方法を用いた部材の構造性能評価が可能なものを使用した場合に本指針を適用することができる．

（a） 機械的性質（引張強さ，降伏点，ヤング係数，伸び，疲労性能等）

（b） 形状，寸法，曲げ加工性

（c） 耐火性，耐久性

4章 地 震 動

4.1 基準地震動

建物の耐損傷性の評価において想定する稀に発生する地震動および安全性の評価において想定する極めて稀に発生する地震動の解放工学的基盤上の加速度応答スペクトルは，建設地周辺の地震活動度や地震動特性を考慮して適切に設定する．

4.2 性能評価・設計用応答スペクトル

建物の耐損傷性および安全性の評価で用いる応答スペクトルは，解放工学的基盤上の加速度応

答スペクトルを基にして，表層地盤による増幅を適切に考慮した地表面上（一般に建物の基礎底位置）の要求曲線（加速度応答—変位応答スペクトル）として算定する．

4.3 表層地盤による地震動増幅

地表面上の加速度応答スペクトルの算定では，解放工学的基盤面から地表面までの表層地盤の特性に基づいて，解放工学的基盤上の加速度に対する増幅効果を適切に考慮する．

5章 限界状態と限界値の設定

5.1 基 本 事 項

（1） 耐損傷性，安全性という2つの建物の耐震性能に対して，それぞれ損傷限界状態，安全限界状態を設定し，対応する工学量を定義して評価する．

（2） 耐震性能評価で用いる設計限界値は，耐震性能の項目について規定される限界値に達しない範囲で適切に設定する．

5.2 架構の限界状態

架構の損傷限界状態および安全限界状態は，架構を構成する部材のいずれかが部材の各限界状態に到達する状態，またはいずれかの層が各限界状態に相当する層間変形角に到達する状態として定義される．ただし，耐震性能に影響しない非構造部材あるいは耐震設計上無視しうると設計者が判断する構造部材については，限界状態の判定に含めなくてもよい．

5.3 部材の限界状態

（1） 部材の設計限界値は，損傷限界状態と安全限界状態について，部材ごと（柱，梁，耐震壁）に設定する．

（2） 部材に有害な損傷が生じるときの変形角，または応力を損傷限界状態の限界値とする．

（3） 梁においては，せん断力および曲げモーメントを維持できる限界の変形角を部材の安全限界状態の限界値とする．柱や耐震壁においては，せん断力および曲げモーメントならびに軸力を維持できる限界の変形角を部材の安全限界状態の限界値とする．

6章 構 造 解 析

6.1 基 本 事 項

（1） 構造解析は，静的非線形荷重増分解析による．

（2） 建物をモデル化する場合は，立体的な効果，転倒モーメント，$P\text{-}\varDelta$ 効果なども正確に考慮するものとし，任意に分布する鉛直荷重および水平方向に作用する任意の荷重・外力の効果を考慮できる立体架構モデルとすることを原則とする．

（3）　原則として，上部構造と基礎構造を分離してモデル化する．上部構造の支持点のモデル化は，柱および耐震壁下の基礎構造ならびに地盤の支持条件を正確に考慮できるように行う．また，静的非線形荷重増分解析においては，フーチング，パイルキャップ，基礎梁，基礎埋込み部および杭の水平支持条件も考慮する．ただし，基礎構造と上部構造を一体として考慮する場合は，この限りではない．

6.2　構造解析モデル

6.2.1　架構のモデル化

（1）　建物は，原則として柱，梁，耐震壁および床などの部材から構成される立体架構モデルに置換する．ただし，立面的に整形でセットバックなどがなく，平面上どの階も整形で鉛直力抵抗要素や水平力抵抗要素が平面上も立面上も規則正しく配置されている場合や，立体的な効果や任意に分布する鉛直荷重および任意の水平方向に作用する荷重・外力の効果を適切に考慮できる場合には，1組以上の直交する主軸方向に分けて平面架構を連成したモデルとして単純化してもよい．

（2）　各階の床は，一般には面内に並進変形および回転変形が可能な剛床と仮定してよい．ただし，吹抜けなどにより剛床仮定が成立しない場合は，その影響を適切に考慮する．

（3）　上記2項において剛床仮定が成立する場合，増分解析に用いる水平力は，床面高さにおける各階の重心位置または節点の位置に集中して作用するものとしてよい．

（4）　架構モデルにおける基礎の支持条件は，基礎構造や地盤の変形を適切に考慮できるようにモデル化する．ただし，基礎構造や地盤の変形を無視できる場合には，基礎梁の下部にピン支持を仮定してもよい．

（5）　P-Δ 効果の影響が大きい建物では，その影響を適切に考慮する．

6.2.2　部材のモデル化

6.2.2.1　梁　部　材

a）　部材のモデル化

梁部材のモデル化は，曲げ降伏ヒンジの変形を想定した剛塑性ばねを部材両端に設けた材端ばねモデルを主に想定し，曲げひび割れ点および曲げ降伏点で剛性が急変する3折れ線で表現したトリリニアモデルによって行う．せん断破壊を生じる部材では，せん断ひび割れ点およびせん断破壊点で剛性が急変する3折れ線で表現したせん断ばねを挿入して，せん断変形成分の増加を表すことができる解析モデルとする．また，別途構造実験および構造解析に基づく研究によって，例えば，ファイバーモデルやマルチスプリングモデルを用いて，梁部材の非線形性を考慮したモデル化を行うことも可能である．ただし，この場合は，塑性ヒンジ長さを適切に設定する等して，これらのモデルで計算される復元力特性が，本項で示す各特性点を用いたトリリニアモデルと大きく異ならないことを確認する必要がある．

b）　弾性剛性

弾性剛性を求めるための梁部材の断面積および断面二次モーメントは，ひび割れを考慮しな

— 10 — 鉄筋コンクリート造建物の等価線形化法に基づく耐震性能評価型設計指針

い全断面から求める．床スラブ付き梁は，スラブの有効な協力幅を評価した T 形断面として計算する．また，鉄筋の影響を無視できない場合には，適切に考慮する．

c） 曲げに関する復元力特性

ひび割れ曲げモーメント M_{cr}，降伏点剛性低下率 α_y，終局曲げモーメント M_u などの特性値は，材料の特性や配筋等を考慮して，平均的に評価する式により求める．

d） せん断に関する復元力特性

せん断ひび割れ強度 Q_{cr} は，材料の特性を考慮して，平均的に評価する式により求める．せん断終局強度 Q_{su} は，材料の特性や配筋等を考慮し，下限を適切に評価する式により求める．

e） 曲げ降伏後の終局変形

曲げ降伏後の終局変形角 R_u は，曲げ降伏後の塑性変形に伴うせん断終局強度の低下および主筋の付着割裂破壊の影響を考慮して，変形の下限を適切に評価する式により求める．

f） せん断終局変形

せん断終局変形は，部材のせん断力がせん断終局強度に達したときの変形として，部材の材料特性や配筋等を適切に勘案して，変形の下限を適切に評価する式により求める．

g） 等価粘性減衰定数

等価粘性減衰定数は，部材が吸収できるエネルギー量を評価するために，柱梁接合部内における主筋の付着性状や，梁断面の上端筋と下端筋の配筋量の違いなどの影響を勘案して，変形性能（具体的には塑性率）に応じて適切に算定する．

6.2.2.2 柱　部　材

a） 部材のモデル化

柱部材のモデル化は，曲げ降伏ヒンジの変形を想定した剛塑性ばねを部材両端に設けた材端ばねモデルを主に想定し，曲げひび割れ点および曲げ降伏点で剛性が急変する 3 折れ線で表現したトリリニアモデルによって行う．せん断破壊を生じる部材では，せん断ひび割れ点およびせん断破壊点で剛性が急変する 3 折れ線で表現したせん断ばねを挿入して，せん断変形成分の増加を表すことができる解析モデルとする．なお，必要に応じて，軸方向変形の非線形性を考慮したモデル化を行うこと。また，別途構造実験および構造解析に基づく研究によって，例えば，ファイバーモデルやマルチスプリングモデルを用いて，柱部材の非線形性を考慮したモデル化を行うことも可能である．ただし，この場合は，塑性ヒンジ長さを適切に設定する等してこれらのモデルで計算される復元力特性が本項で示す各特性点を用いたトリリニアモデルと大きく異ならないことを確認する必要がある．

b） 弾性剛性

弾性剛性を求めるための柱部材の断面積および断面二次モーメントは，ひび割れを考慮しない全断面から求める．また，鉄筋の影響を無視できない場合には，適切に考慮する．

c） 曲げに関する復元力特性

ひび曲げ割れモーメント M_{cr}，降伏点剛性低下率 α_y，終局曲げモーメント M_u などの特性値は，材料の特性や配筋等を考慮して，平均的に評価する式により求める．

6 章　構造解析　— 11 —

ｄ）　せん断に関する復元力特性

せん断ひび割れ強度 Q_{cr} は，材料の特性を考慮して，平均的に評価する式により求める．せん断終局強度 Q_{su} は，材料の特性や配筋等を考慮し，下限を適切に評価する式により求める．

ｅ）　曲げ降伏後の終局変形

曲げ降伏後の終局変形角 R_u は，曲げ降伏後の塑性変形に伴うせん断終局強度の低下，軸力によるコンクリートの圧壊や主筋の座屈，主筋の付着割裂破壊の影響を考慮して，変形の下限を適切に評価する式により求める．

ｆ）　せん断終局変形

せん断終局変形は，部材のせん断力がせん断終局強度に達したときの変形として，部材の材料特性や配筋等を適切に勘案して，変形の下限を適切に評価する式により求める．

ｇ）　等価粘性減衰定数

等価粘性減衰定数は，部材が吸収できるエネルギー量を評価するために，柱に作用する軸力や柱梁接合部内における主筋の付着性状などの影響を勘案して，変形性能（具体的には塑性率）に応じて適切に算定する．

6.2.2.3　耐　震　壁

ａ）　部材のモデル化

耐震壁部材のモデル化は，無開口両側柱付き耐震壁（柱型省略も含む），袖壁付き柱，腰壁・垂壁付き梁の３つに分類して行う．

無開口耐震壁のモデル化は，両側柱と壁板を柱にモデル化する３本柱モデルまたは材軸直交分割モデルを主に想定しているが，これらのモデルで計算される曲げ変形成分とせん断変形成分が，本節で示す曲げまたはせん断ひび割れ点，曲げまたはせん断終局強度点で表される３折れ線と大きく異ならないことを確認する必要がある．

袖壁付き柱，腰壁・垂壁付き梁のモデル化は，柱部材または梁部材として行ってよい．すなわち，曲げひび割れ点，せん断ひび割れ点，曲げ降伏点（せん断破壊点）を，３折れ線で表現したトリリニアモデルによって行う．なお，これらの部材の挙動が無開口耐震壁に近い場合は，無開口耐震壁のモデル化に準じて行ってもよい．

ただし，以上の他に別途構造実験および構造解析に基づく研究によって，それぞれの部材の非線形性を考慮したモデル化を行うことも可能である．

ｂ）　無開口両側柱付き耐震壁の復元力特性と終局変形

ひび割れ曲げモーメント，せん断ひび割れ強度，降伏点剛性低下率，降伏曲げモーメントおよび終局曲げモーメントなどの特性値は，材料の特性を考慮し，挙動を平均的に評価する式により求める．

せん断終局強度 Q_{su} およびそのときのせん断変形は，材料の特性を考慮し，強度を安全側に評価する式により求める．

曲げ降伏する部材の終局変形角 R_u は，曲げ降伏後のせん断強度の低下に依存する終局変形と曲げ降伏後の曲げ圧縮コンクリートの圧壊に依存する終局変形の小さい方とする．それぞれ

の終局変形は，材料の特性を考慮し，変形を安全側に評価する式により求める．

せん断破壊する部材の終局変形角 R_u は，せん断破壊時のせん断変形と曲げ変形の和により求める．

c） 袖壁付き柱の復元力特性と終局変形

ひび割れ曲げモーメント，せん断ひび割れ強度，降伏点剛性低下率，降伏曲げモーメントおよび終局曲げモーメントなどの特性値は，材料の特性を考慮し，挙動を平均的に評価する式により求める．

せん断終局強度 Q_{su} およびそのときの変形は，材料の特性を考慮し，強度を安全側に評価する式により求める．

曲げ降伏する部材の終局変形 R_u は，曲げ降伏後の曲げ圧縮コンクリートの圧壊に依存する終局変形とする．それぞれの終局変形角は，材料の特性を考慮し，変形を安全側に評価する式により求める．

d） 腰壁・垂れ壁付き梁の復元力特性と終局変形

ひび割れ曲げモーメント，せん断ひび割れ強度，降伏点剛性低下率，降伏曲げモーメントおよび終局曲げモーメントなどの特性値は，材料の特性を考慮し，挙動を平均的に評価する式により求める．

せん断終局強度 Q_{su} およびそのときの変形は，材料の特性を考慮し，強度を安全側に評価する式により求める．

曲げ降伏する部材の終局変形角 R_u は，曲げ降伏後の曲げ圧縮コンクリートの圧壊に依存する終局変形とする．それぞれの終局変形は，材料の特性を考慮し，変形を安全側に評価する式により求める．

e） 開口の影響の評価

開口の各種強度，降伏点剛性，各種変形に対する影響は，適切に評価する．

f） 等価粘性減衰定数

等価粘性減衰定数は，部材変形に応じて適切に算定する．

6.2.2.4 柱梁接合部

a） 部材のモデル化

柱梁接合部は，柱梁強度比，通し主筋の付着，主筋の定着性能，所定の構造規定をすべて満たし，架構の安全限界時応答点に対して所定の余裕度を確保した保証設計点において，柱梁接合部内ではひび割れを除き損傷が生じないことを保証設計において確認し，剛域としてモデル化あるいは弾性のせん断パネルとしてモデル化してよい．

7章　地震応答評価

7.1　一般事項

4章で規定される地震動に対する建物の地震応答は，静的非線形荷重増分解析を用いた等価線

形化法により評価する.

本地震応答評価法では，建物の地震応答において1つの振動成分が卓越する場合を適用範囲とする．また，建物のすべての層の偏心率が0.15以下の場合を平面的不整形性が小さい建物，これを満足しない場合を平面的不整形性が大きい建物と定義し，特に後者では，7.4節に従って建物のねじれ応答を適切に考慮する.

7.2 静的非線形荷重増分解析

建物の等価1自由度系による地震応答評価において考慮する建物の性能曲線は，原則として，6章に従いモデル化した架構の静的非線形荷重増分解析に基づいて評価する．建物の性能曲線は，架構の各主軸方向への静的非線形荷重増分解析による評価結果により代表させ，架構や部材の地震応答や保証設計用応力の評価において，各主軸方向への地震動入力の同時性を適切に考慮することとする.

静的非線形荷重増分解析を行うにあたっては，架構の高さ方向の外力分布を適切に評価，設定することとする．外力分布は，架構が弾性にあるか塑性にあるかの状態のいかんにかかわらず，任意の荷重ステップにおける各層の等価剛性に基づく一次モード比例分布を用いるものとする．ただし，架構の塑性化後の一次モードが弾性時とおおむね同等である場合は，弾性一次モード比例分布形を用いてもよい.

偏心が大きい建物の解析では，地震外力として水平力に加えて，ねじれ応答を想定した慣性モーメントを同時に作用させるものとする.

7.3 平面的不整形性が小さい建物に対する応答評価

地震動に対する建物の動的な最大応答値を，応答スペクトルに基づいて算定する場合には，以下の方法による．ただし，十分な精度が得られることを確かめられている場合には，別の方法によることができる.

（1）　7.2節に従う静的非線形荷重増分解析により，建物の各層の水平荷重—水平変形の関係を算出する.

（2）　静的非線形荷重増分解析の結果に基づいて，等価1自由度系の性能曲線を7.3.1項（1）に従い算定する.

（3）　性能曲線に基づいて，等価1自由度系の等価変位に対応した等価粘性減衰定数を7.3.1項（2）に従い算定する.

（4）　等価荷重—等価変位曲線と，耐損傷性および安全性の評価で用いる地震動の加速度応答スペクトル—変位応答スペクトル曲線を用いて，等価1自由度系の各地震動に対する損傷限界時応答点（Δ_d, Q_d），安全限界時応答点（Δ_s, Q_s）を評価する．このとき，安全限界時応答点の評価においては，応答点における等価1自由度系の等価な粘性減衰の効果を7.3.1項（3）により考慮する.

（5）　建物の各層・各部材の変形と応力は，上記（1）～（4）より算出した等価1自由度系の

— 14 —　鉄筋コンクリート造建物の等価線形化法に基づく耐震性能評価型設計指針

各応答値と静的非線形荷重増分解析結果に基づいて，7.3.2項により求める．

7.3.1　等価1自由度系応答値

地震動に対する建物の応答値は，静的非線形増分解析を併用した等価線形化法による以下の方法で評価してよい．

（1）　静的非線形荷重増分解析の結果に基づいて，等価1自由度系の性能曲線（$_1S_a-_1S_d$関係）を次式により算定する．

$$_1S_a = \frac{\sum\limits_{i=1}^{N} m_i \cdot {}_1\delta_i{}^2}{\left(\sum\limits_{i=1}^{N} m_i \cdot {}_1\delta_i\right)^2} \cdot {}_1Q_B \tag{7.3.1}$$

$$_1S_d = \frac{\sum\limits_{i=1}^{N} m_i \cdot {}_1\delta_i{}^2}{\sum\limits_{i=1}^{N} {}_1P_i \cdot {}_1\delta_i} \cdot {}_1S_a \tag{7.3.2}$$

ここに，m_i：i層の質量

　　　　$_1P_i$：i層の外力

　　　　$_1\delta_i$：i層の地表からの相対変位

（2）　建物全体の等価粘性減衰定数 h は，原則として，静的非線形解析から得られた $_1S_a-_1S_d$ 曲線上の任意の点における各部材の等価粘性減衰定数 $_mh_i$ とそれに対応する等価ポテンシャルエネルギー $_mW_i$ を用いて，次式により算定する．

$$h = \frac{\sum\limits_{i=1}^{N} {}_mh_i \cdot {}_mW_i}{\sum\limits_{i=1}^{N} {}_mW_i} + 0.05 \tag{7.3.3}$$

ここで，$_mh_i = \dfrac{\gamma}{\pi}(1 - 1/\sqrt{_m\mu_i})$ \hfill (7.3.4)

ここに，N は部材数および $_m\mu_i$ は i 部材の塑性率であり，γ は非定常応答による低減係数で，0.80以下とする．

ただし，$_1S_a-_1S_d$ 曲線を適切なバイリニア曲線にモデル化し，等価降伏変形を規定できる場合には，それから求まる塑性率 μ を用いて，次式により直接的に建物全体の等価粘性減衰定数 h を求めてもよい．

$$h = 0.25(1 - 1/\sqrt{\mu}) + 0.05 \tag{7.3.5}$$

また，建物—基礎—地盤の相互作用を考慮して地震応答を評価する場合は，7.5節により等価粘性減衰定数 h を割り増して求めてもよい．

（3）　建物の代表加速度—代表変位曲線と耐損傷性と安全性を評価する地震動に対する加速度応答スペクトル—変位応答スペクトル曲線を用いて，等価1自由度系の最大応答値を評価する．両曲線の交点がそれぞれ耐損傷性，安全性を検証する地震動に対する応答点（それぞれ (Δ_a, Q_d)，(Δ_s, Q_s)）に相当する．ただし，後者では，応答点における等価1自由度系の減衰効果を次式で与えられる減衰補正係数 F_h により考慮して，安全性の評価に用い

る加速度応答スペクトル—変位応答スペクトル曲線を低減してもよい.

$$F_h = \frac{1.5}{1+10h} \tag{7.3.6}$$

7.3.2 各層, 各部材の応答値

建物の各層・各部材の変形と応力は, 7.3.1 項で算出した等価 1 自由度系の応答値に対応する静的非線形荷重増分解析結果を参照して求める.

7.4 平面的不整形性が大きい建物に対する応答評価法の補正

平面的不整形性が大きい建物の応答は, 7.3 節の平面的不整形性が小さい建物の応答評価法に基づいて, 7.4.1 項および 7.4.2 項に示す方法を適用することで評価することができる. ただし, 建物の地震動継続時間にわたる応答において, 1 つの振動モードが卓越せず, 複数の振動モードが相互に影響しあう場合は, 本指針の適用範囲外である.

7.4.1 等価 1 自由度系応答値

平面的不整形性が顕著な建物の等価 1 自由度系応答値は, 立体モデルによるモード適応型静的非線形荷重増分解析（MAP 解析）から得られる変位ベクトルの一次モード成分（1 層床位置に対する相対変位）$\{_1\delta\}$ と一次モード外力ベクトル $\{_1P\}$ を用いて, 次式により算定できる.

$$_1S_a = \frac{\{_1\delta\}^T\{_1P\}}{\{_1\delta\}^T[M]\{1\}_x} \tag{7.4.1}$$

$$_1S_d = \frac{\{_1\delta\}^T[M]\{_1\delta\}}{\{_1\delta\}^T[M]\{1\}_x} \tag{7.4.2}$$

ここに, $[M]$: 質量マトリクス

$\{_1\delta\} = \{\{_1\delta_x\}^T, \{_1\delta_y\}^T, \{_1\delta_z\}^T\}^T$

$\{1\}_x = \{\{1\}^T, \{0\}^T, \{0\}^T\}^T$

$\{_1P\} = \{\{_1P_x\}^T, \{_1P_y\}^T, \{_1P_z\}^T\}^T$

ここで, 立体モデルによる MAP 解析に用いられる k ステップでの一次の外力ベクトル $\{_1P_k\}$ は, 地震動が作用している方向（この場合, x 方向と仮定）のベースシアの一次モード成分の増分 d_1Q_{Bx} を用いて, 次式で与えられる.

$$\{_1P_k\} = \frac{[M]\{_1\delta_{k-1}\}}{\{_1\delta_{k-1}\}^T[M]\{1\}_x}(_1Q_{Bx,k-1} + d_1Q_{Bx})$$

7.4.2 各層, 各構面および各部材の応答値

建物の各層（重心位置）, 各構面および各部材の変形と応力は, 7.4.1 項で算出した等価 1 自由度系の応答値に対応する静的非線形荷重増分解析結果を参照して求める.

7.5 建物—基礎—地盤の相互作用を考慮した応答評価

地震動に対する建物の応答値を, 応答スペクトルに基づいて算定する際に建物—基礎—地盤の相互作用を考慮する場合は, 以下の方法による.

（1） 建物―基礎―地盤の相互作用を考慮した建物の等価周期（連成系周期）T_e は，建物の固有周期 T_b に次式によって計算した周期調整係数 r を乗じて算定する.

$$T_e = r \cdot T_b \tag{7.5.1}$$

$$r = \sqrt{1 + \left(\frac{T_{sw}}{T_b}\right)^2 + \left(\frac{T_{r0}}{T_b}\right)^2} \tag{7.5.2}$$

ここに，T_b：建物固有周期

$\quad\quad T_{sw}$：スウェイ固有周期

$\quad\quad T_{r0}$：ロッキング固有周期

（2） 建物―基礎―地盤の相互作用を考慮した等価変位は，基礎固定モデルの等価変位に周期調整係数 r の自乗を乗じることにより求める.

（3） 建物―基礎―地盤の相互作用を考慮した建物全体の等価粘性減衰定数 h は，次式で算定する．ただし，建物の等価粘性減衰定数 h_b は，弾性時で 0.03 とする.

$$h = h_b'\left(\frac{T_b}{T_e}\right)^2 + h_{sw}'\left(\frac{T_{sw}}{T_e}\right)^2 + h_{r0}'\left(\frac{T_{r0}}{T_e}\right)^2 \tag{7.5.3}$$

$$h_b' = h_b\left(\frac{T_b}{T_e}\right), \quad h_{sw}' = h_{sw}\left(\frac{T_{sw}}{T_e}\right), \quad h_{r0}' = h_{r0}\left(\frac{T_{r0}}{T_e}\right) \tag{7.5.4}$$

ここに，h_b'：連成系周期における建物の等価粘性減衰定数

$\quad\quad h_{sw}'$：連成系周期におけるスウェイ変位に対応する等価粘性減衰定数

$\quad\quad h_{sw}$：スウェイ固有周期における水平変位に対応した等価粘性減衰定数

$\quad\quad h_{r0}'$：連成系周期におけるロッキング変位に対応する等価粘性減衰定数

$\quad\quad h_{r0}$：ロッキング固有周期における回転変位に対応した等価粘性減衰定数

（4） 連成系周期におけるスウェイ変位に対応する等価粘性減衰定数 h_{sw}' および連成系周期におけるロッキング変位に対応する等価粘性減衰定数 h_{r0}' には，以下の上限値を設ける.

$$h_{sw}' \leqq 0.3 \tag{7.5.5}$$

$$h_{r0}' \leqq 0.15 \tag{7.5.6}$$

8 章　目標構造性能の確認

8.1　耐損傷性の確認

7 章で示した損傷限界時応答点での代表変位 Δ_d が，5 章で算出した損傷限界時代表変位 $_r\Delta_d$ を下回ることを確認する.

8.2　安全性の確認

7 章で示した安全限界時応答点での代表変位 Δ_s が，5 章で算出した保証設計点での代表変位 $_r\Delta_s$ を下回ることを確認する.

8.3　その他の目標構造性能の確認

その他，設計者が独自に限界状態を設定する場合は，その限界状態で想定する要求曲線を定義し，限界状態時応答点での代表変位 Δ_0 が，限界時代表変位 $_r\Delta_0$ を下回ることを確認する．

9章　保証設計と構造規定

9.1　一 般 事 項

保証設計では，7.2 節の静的非線形荷重増分解析により評価される架構と部材の非線形状態が確実に形成・維持されることを検証する．

部材の保証設計では，7.2 節の静的非線形荷重増分解析により得られた部材の破壊形式が確実に形成されることを検証する．ただし，塑性ヒンジが計画されない部材では，曲げ降伏およびせん断破壊に対して十分な余裕があることを検証する．

架構の保証設計では，7.2 節の静的非線形荷重増分解析により得られた架構の崩壊機構が確実に形成・維持されることを検証する．

9.2　保証設計用応力の算出

安全限界状態検討用の地震動に対する建物の安全性を確保するための保証設計において，保証設計用応力は，以下の方法により評価する．

（1）　7.3.1 項で算出した等価 1 自由度系の性能曲線（$_1S_a$–$_1S_d$ 関係）上の安全限界状態に対する応答点のひずみエネルギーに対して，一定の安全率を考慮した $_1S_a$–$_1S_d$ 関係上の点に相当する変形を保証設計変形として設定する．

（2）　架構および部材の保証設計応力は，材料の上限強度に基づく静的非線形荷重増分解析より得られる $_1S_a$–$_1S_d$ 関係上の保証設計変形に対応する各部位の応力とする．

（3）　両端ヒンジ部材の保証設計では，保証設計応力を用いる．両端ヒンジ部材以外の保証設計では，保証設計応力と高次モードの影響を考慮して割り増した応答点の部材応力のうち，大きい方を用いる．

（4）　建物の地震応答や保証設計応力の評価では，あらゆる方向からの地震入力を考慮する．

9.3　高次モード応答の考慮
9.3.1　平面的不整形性が小さい建物に対する高次モードによる応力割増

平面的不整形性が小さい建物では，主に建物高さ方向に対して高次モードが地震応答に影響する．建物各層の最大地震応答せん断力 Q_i の評価においては，以下の方法によって計算方向に対する高次モードの影響を考慮するものとする．

$$Q_i = \sqrt{{_1Q_i}^2 + {_hQ_i}^2} \tag{9.3.1}$$

$$_1Q_i = \sum_{j=i}^{N} m_j \cdot {_1\beta} \cdot {_1u_j} \cdot {_1S_a} \tag{9.3.2}$$

—18— 鉄筋コンクリート造建物の等価線形化法に基づく耐震性能評価型設計指針

$$_hQ_i = \sqrt{ _2Q_i^2 + \left\{ \sum_{j=i}^{N} m_j \left(1 - \sum_{s=1}^{2} {}_s\beta \cdot {}_su_j \right) \cdot \ddot{x}_{0\max} \right\}^2 } \tag{9.3.3}$$

$$_2Q_i = \sum_{j=i}^{N} m_j \cdot {}_2\beta \cdot {}_2u_j \cdot {}_2S_a \tag{9.3.4}$$

ここに，$_1Q_i$：i 層の層せん断力の一次モード成分

$_hQ_i$：i 層の層せん断力の高次モード成分

$_2Q_i$：i 層の層せん断力の二次モード成分

m_i：i 層の質量

$_1\beta \cdot {}_1u_i$：i 層の等価一次刺激関数．7.3.1 項で算出した等価 1 自由度系の応答値に対応する静的非線形増分解析結果（MAP 解析結果）を用いて次式で算定してよい．

$$_1\beta \cdot {}_1u_i = \frac{\sum\limits_{i=1}^{N} m_i \cdot {}_1\delta_i}{\sum\limits_{i=1}^{N} m_i \cdot {}_1\delta_i^2} \cdot {}_1\delta_i \tag{9.3.5}$$

$_1\delta_i$：i 層の 1 層床位置に対する相対変位（MAP 解析値）

$_2\beta \cdot {}_2u_i$：i 層の弾性二次刺激関数

N：層数

$_1S_a$：7.3.1 項で算出した等価 1 自由度系の応答加速度（代表加速度）

$_2S_a$：弾性二次モードに対応する応答加速度

$\ddot{x}_{0\max}$：地動の加速度の最大値（$S_{a\max}/2.5$）

$S_{a\max}$：加速度応答スペクトルの最大値

各部材の応答値は，原則として 7.3.2 項で求めた各部材の応力の一次モード成分に，それぞれ上記で求めた応答層せん断力の一次モード応答値に対する比率 $Q_i/_1Q_i$ を乗じて算定してよい．ただし，両端ヒンジ部材の応力については，割り増さなくてよい．

9.3.2 平面的不整形性が大きい建物に対する高次モードによる応力割増

平面的不整形性が大きい建物では，建物高さ方向に加えて，建物平面方向にも高次モードが地震応答に影響する．建物各層，各構面および各部材の最大応答せん断力の評価においては，以下の方法によって高次モードの影響を考慮するものとする．

$$Q_{xi} = \sqrt{ _1Q_{xi}^2 + {}_hQ_{xi}^2 } \tag{9.3.6}$$

$$_1Q_{xi} = \sum_{j=i}^{N} m_j \cdot {}_1\beta \cdot {}_1u_{xj} \cdot {}_1S_a \tag{9.3.7}$$

$$_hQ_{xi} = \sqrt{ _2Q_{xi}^2 + \left\{ \sum_{j=i}^{N} m_j \left(1 - \sum_{s=1}^{2} {}_s\beta \cdot {}_su_{xj} \right) \cdot \ddot{x}_{0\max} \right\}^2 } \tag{9.3.8}$$

$$_2Q_{xi} = \sum_{j=i}^{N} m_j \cdot {}_2\beta \cdot {}_2u_{xj} \cdot {}_2S_a \tag{9.3.9}$$

ここに，Q_{xi}：i 層の層せん断力の x 方向成分

$_1Q_{xi}$：i 層の層せん断力の x 方向一次モード成分

$_hQ_{xi}$：i 層の層せん断力の x 方向高次モード成分

m_i：i 層の質量

$_1\beta \cdot _1u_{xi}$：i 層の一次刺激関数の x 方向成分．7.4.1 項で算出した等価 1 自由度系の応答値に対応する静的非線形増分解析結果（MAP 解析結果）を用いて，次式で算定してよい．

$$_1\beta \cdot _1u_{xi} = \frac{\sum\limits_{i=1}^{N} m_i \cdot _1\delta_{xi}}{\sum\limits_{i=1}^{N} m_i \cdot _1\delta_{xi}{}^2} \cdot _1\delta_{xi} \tag{9.3.10}$$

$_1\delta_{xi}$：i 層の 1 層床位置に対する相対変位の x 方向成分（MAP 解析値）

$_2\beta \cdot _2u_{xi}$：i 層の弾性二次刺激関数の x 方向成分

$_1S_a$：7.4.1 項で算出した等価 1 自由度系の応答加速度（代表加速度）

$_2S_a$：弾性二次モードに対応する応答加速度

$\ddot{x}_{0\mathrm{max}}$：地動の加速度の最大値（$S_{a\mathrm{max}}/2.5$）

　各構面，各部材の応答値は，原則として 7.4.2 項で求めた各構面，各部材の応力の一次モード成分に上記で求めた層の応答せん断力の一次モード応答値に対する比率 $Q_{xi}/_1Q_{xi}$ を乗じて算定してよい．ただし，両端ヒンジ部材の応力については，この限りではない．

　なお，上記は検討方向を x 方向とした場合である．したがって，y 方向の検討を行う場合には，x 方向成分を y 方向成分と読み替えるものとする．

9.4　部材の保証設計と構造規定

9.4.1　梁　部　材

（1）　曲げ降伏を想定した梁部材では，保証設計変形までにせん断破壊，付着割裂破壊などの脆性的な破壊を生じないことを確認し，変形性能を保証する．

（2）　曲げ降伏しない梁部材では，保証設計変形までに当該梁部材が曲げ降伏しないことを保証するとともに，当該梁部材にせん断破壊，付着割裂破壊などの脆性的な破壊を生じないことを保証する．

（3）　梁部材の構造規定は，「鉄筋コンクリート構造計算規準・同解説」（2018 年版）に従い，主筋については，（a）～（e）の項目に，また，せん断補強筋については，（f）～（j）の項目に従う．

　（a）　長期荷重時に正負最大曲げモーメントを受ける部分の引張鉄筋断面積は，$0.004bd$（b：梁幅，d：梁の有効せい）または存在応力によって必要とされる量の 4/3 倍のうち，小さい方の数値以上とする．

　（b）　主要な梁は，全スパンにわたり複筋梁とする．

　（c）　梁の主筋は，D13 mm 以上の異形鉄筋とする．

　（d）　梁の主筋のあきは，25 mm 以上，かつ鉄筋の径の 1.5 倍以上とする．

　（e）　梁の主筋の配置は，特別の場合を除き，2 段以下とする．

　（f）　梁のせん断補強筋は，直径 9 mm 以上の丸鋼，または D10 以上の異形鉄筋を用いる．

鉄筋コンクリート造建物の等価線形化法に基づく耐震性能評価型設計指針

（ｇ）　梁のせん断補強筋比は 0.2 % 以上とする．

（ｈ）　梁のせん断補強筋の間隔は，梁せいの 1/2 以下，かつ 250 mm 以下とする．

（ｉ）　梁のせん断補強筋は主筋を包含し，主筋内部のコンクリートを十分拘束できるように配置し，その末端は 135°以上に曲げて定着するか，または相互に溶接する．

（ｊ）　幅の広い梁や主筋が一段に多数並ぶ梁などでは，副あばら筋を使用するなど，靱性を確保できるようにする．

9.4.2 柱部材

（１）　柱部材の上下に接続する梁部材の曲げ降伏を想定するような設計の場合には，保証設計変形まで当該柱部材が曲げ降伏しないことを保証する．また，柱部材にせん断破壊，付着割裂破壊および軸圧壊などの脆性的な破壊を生じないことを保証する．

（２）　曲げ降伏を想定する柱部材では，当該柱部材において保証設計変形までせん断破壊，付着割裂破壊，軸圧壊および軸引張破断などの脆性的な破壊を生じないことを保証する．

（３）　釣合軸力を超える圧縮軸力が作用する場合には，釣合軸力時に柱の両端に塑性ヒンジが形成される状況を想定し，保証設計応力ではなく，柱部材の終局曲げモーメントから求められるせん断力を設計用せん断力として，保証設計を行うことを原則とする．

（４）　柱の構造規定は本会「鉄筋コンクリート構造計算規準・同解説」（2018 年版）に従い，断面については（ａ）の項目に，主筋については（ｂ）〜（ｄ）の項目に，また，せん断補強筋については（ｅ）〜（ｉ）の項目に従う．

（ａ）　材の最小径とその主要支点間距離の比は，1/15 以上とする．ただし，柱の有効細長比を考慮した構造計算によって構造耐力上安全であることが確かめられた場合においては，この限りではない．

（ｂ）　コンクリート全断面積に対する主筋全断面積の割合は，0.8 % 以上とする．ただし，コンクリートの断面積を必要以上に増大した場合には，この値を減少させることができる．

（ｃ）　柱の主筋は，D13 以上の異形鉄筋を 4 本以上とする．

（ｄ）　柱の主筋のあきは，25 mm 以上，かつ異形鉄筋の径の 1.5 倍以上とする．

（ｅ）　柱のせん断補強筋は，直径 9 mm 以上の丸鋼，または D10 以上の異形鉄筋を用いる．

（ｆ）　柱のせん断補強筋比は 0.2 % 以上とする．

（ｇ）　柱のせん断補強筋間隔は，100 mm 以下とする．ただし，柱の上下端より柱の最大径の 1.5 倍または最小径の 2 倍のいずれか大きい方の範囲外では，帯筋間隔を前記数値の 1.5 倍まで増大することができる．

（ｈ）　柱のせん断補強筋は主筋を包含し，主筋内部のコンクリートを十分に拘束できるように配置し，その末端は 135°以上に曲げて定着するか，または相互に溶接する．

（ｉ）　せん断力や圧縮力が特に増大するおそれのある柱には，鉄筋端部を溶接した閉鎖型帯筋を主筋に包含するように配置したり，副帯筋を使用するなど，靱性を確保できるようにする．

9.4.3 耐 震 壁

（1） 曲げ降伏を想定しない耐震壁部材では，保証設計変形まで当該耐震壁部材が曲げ降伏しないことを保証する．また，耐震壁部材にせん断破壊，付着割裂破壊および軸圧壊などの脆性的な破壊を生じないことを確認する．

（2） 曲げ降伏を想定する耐震壁部材では，当該耐震壁部材に保証設計変形までせん断破壊，付着割裂破壊，軸圧壊および軸引張破断などの脆性的な破壊を生じないことを保証する．

（3） 次の構造規定に従うこと．

（a） 壁板の厚さは，原則として 120 mm 以上，かつ壁板の内法高さの 1/30 以上とする．

（b） 壁板のせん断補強筋比は，直交する各方向に関してそれぞれ 0.25 ％ 以上とする．

（c） 壁板の厚さが 200 mm 以上の場合は，壁筋を複筋配置とする．

（d） 壁筋は，D10 以上の異形鉄筋を用いる．見付面に対する壁筋の間隔は 300 mm 以下とする．ただし，千鳥状に複配筋とする場合は，片面の壁筋の間隔は 450 mm 以下とする．

（e） 開口周囲および壁端部の補強筋は，D13 以上（複配筋の場合は 2-D13 以上）の異形鉄筋を用いる．

（f） 壁筋は，開口周囲および壁端部での定着が有効な配筋詳細とする．

（g） 柱型拘束域の主筋は，本会「鉄筋コンクリート構造計算規準・同解説」（2018 年版）の 9.4.2 項（4）（b）〜（d）の規定に従う．ただし，壁縦筋以上の鉄筋比とする．

（h） 梁型拘束域の主筋は，本会「鉄筋コンクリート構造計算規準・同解説」（2018 年版）の 9.4.1 項（3）（b）〜（e）の規定に従う．ただし，壁横筋以上の鉄筋比とする．また，特に検討をしない場合，梁型拘束域の主筋全断面積は，梁型拘束域の断面積の 0.008 倍以上とする．

（i） 柱型拘束域および梁型拘束域のせん断補強筋は，本会「鉄筋コンクリート構造計算規準・同解説」（2018 年版）に従い，柱型拘束域については 9.4.2 項（4）（e）〜（i），梁型拘束域については，9.4.1 項（3）（f）〜（j）の規定に従う．

（j） 開口に近接する柱（開口端から柱端までの距離が 300 mm 未満）のせん断補強筋比は，原則として 0.4 ％ 以上とする．

（k） 柱付き壁（袖壁付き柱）では，柱のせん断補強筋比は原則として 0.3 ％ 以上とする．

（l） 軸力を負担させる柱なし壁（壁板）では，上記（a）〜（f）のほか，原則として壁筋を複配筋とする．

9.4.4 柱梁接合部

柱梁接合部の保証設計においては，以下の項目を確認する．

（1） 接合部降伏破壊が生じないこと．

（2） 柱梁接合部の釣合破壊が生じないこと．

（3） 柱梁接合部を通過する主筋の付着劣化による変形の増大が生じないこと．

（4） 梁，柱の主筋を柱梁接合部内に定着する場合は，主筋の定着破壊が生じないこと．

(5) 次の構造規定に従うこと.

(a) 直交梁が接続しない面の柱主筋は，当該面に4本以上を配置する.

(b) 接合部横補強筋は，呼び名がD10以上の異形鉄筋とする.

(c) 接合部横補強筋比は，隣接する柱の帯筋比以上とする．ただし，柱梁接合部の4面に梁が接続する場合は，隣接する柱の帯筋比の1/2まで減ずることができる．また，横補強筋比は0.3％を下回ってはならない.

(d) 接合部横補強筋間隔は150 mm以下とし，かつ隣接する柱の帯筋間隔の1.5倍以下とする.

(e) 柱梁接合部内に定着する主筋の折曲げ部および余長部は，接合部コア内に配する.

(f) 柱梁接合部内に定着する主筋の投影定着長さは，投影定着長さは余長部を接合部コア内に収められる範囲内でできるだけ大きくする．また，鉄筋径の8倍以上かつ150 mmを下回らないこと.

(g) 柱のせいと梁のせいの比は1/2以上2以下とし，できるだけ1に近くなるようにする.

9.5 架構の保証設計

建物の地震応答評価において想定された架構の崩壊機構が確実に形成されることを保証するため，9.4節の部材および柱梁曲げ強度比の保証設計に加えて，梁曲げ降伏型崩壊層や非崩壊層については，保証設計点での層せん断力に対して，部材および柱梁接合部の終局曲げモーメントに基づいて算定される層崩壊耐力が十分に大きいことを確認する.

鉄筋コンクリート造建物の等価線形化法に基づく
耐震性能評価型設計指針

解　　説

鉄筋コンクリート造建物の等価線形化法に基づく
耐震性能評価型設計指針　解説

1章　総　　則

1.1　適用範囲

> 　本指針は，下記の条件を満足する鉄筋コンクリート造建物を対象として，想定する地震動レベルでの建物の変形を陽に計算し，その変形に対して安全であるような架構および部材の設計，ならびに建物の安全性の評価に適用する．なお，基礎構造に関しては，1.4節に示す関連基規準類による．
> 　（1）　高さ60 m以下の建物
> 　（2）　使用材料および材料強度が3章に合致する建物
> 　（3）　建物の地震応答は，一次モードが支配的で，かつ，ねじれモードが卓越しない建物．ただし，特別な調査研究により本指針と同等の構造性能が確認できる場合には，本指針の一部の適用を除外することができる．

　本指針で対象とする外力は，水平方向の地震動であり，長期荷重に対しての評価・設計や，鉛直地震動の影響に対する評価方法は示されていない．これらに関しては，1.4節に示す関連基・規準類によることとする．

　応答スペクトルと等価線形化法を利用した耐震設計は，設計用の地震動に対して必要耐力のみならず，陽に応答変位を求めることができる．これは，保有水平耐力計算のように変形能力が陽に与えられず，構造特性係数D_sという構造規定で規定されていることとの大きな違いである．

　応答変位を陽に扱いその検討を行う方法には，時刻歴応答解析もある．この方法は，設定された地震動に対し，建物の応答変位が許容する変位以内であることなどを確認するものであるが，あらゆる地震動に対して検証することは不可能である．また，設計用スペクトルに合わせた地震動に対する応答であれば，等価線形化法による評価のほうが時刻歴応答解析よりも次の点で有用である．

　1）　静的非線形荷重増分解析により各部材の設計応力が明確に定義できる．

　2）　一次モード，高次モードの影響を明確に分離して考慮できる．

　3）　モデル化の影響が時刻歴応答解析による設計より少ない．

　本指針では，等価線形化法を実際に用いる際に必要となる具体的な方法を提示し，その考え方を解説している．例えば，平面的に偏心を有する建物の取扱い，増分解析に用いる建物のモデル化の方法の明確化などである．本指針では，偏心の大小により対応する解析方法を規定している．偏心の大小は建築基準法で言う偏心率（R_e）によって判断するが，大きく偏心する建物を推奨しているわけではなく，地震応答が大きくなると一次の並進モードが卓越する建物を適用範囲としている．建物の地震応答に対して一次モード応答が支配的，かつ並進成分である場合の判

断の閾値には引き続きの議論が必要であるが、本指針では、7.2 節の静的非線形荷重増分解析において、暫定的に一次等価質量比が終始 0.5 を上回る場合とする.

等価線形化法は、多自由度の構造物を 1 自由度系に縮約する必要があり、高次モードの影響が大きく、一次モードが支配的にならない高層建物などには適用が難しい.

つまり、複数のモードが卓越する建物や、建物（部材）の非線形化に伴い、複数のモードが卓越し始める、あるいは卓越する振動モードが変化するような建物は、本評価法の適用範囲外である。さらに、60 m を超える高層建物は建築基準法で時刻歴応答解析が義務付けられていることから、60 m 以下の建物を適用範囲とした。また、変形を陽に評価し耐力も適切に評価するために、適切なモデル化を行うことが本指針を適用する際の前提条件となることから、十分な使用実績がある材料、すなわち普通コンクリートで F_c 60 以下、主筋の鉄筋の種別 SD490 以下、鉄筋径 D41 以下、を適用範囲とする.

本指針では、1 自由度系に縮約することから、想定した崩壊形が確実に実現できるよう保証設計の規定を設けているが、建物に要求する最低限必要な水平耐力の規定は設けていない。しかしながら、耐力が低い建物の応答は不安定であることや、例えば柱梁接合部などに生じる大きな塑性変形も応答を不安定にすることから、十分な注意が必要である.

1.2 用語の定義

本指針で使用する特に重要な用語を以下のように定義する.

性能曲線：	建物の非線形応答を等価な一自由度系に縮約した代表加速度と代表変位の関係
要求曲線：	加速度応答スペクトル―変位応答スペクトル関係で、その算出においては非線形応答に応じた等価減衰を考慮してよい.
等価減衰：	非線形応答に応じた履歴減衰を等価な粘性減衰に置き換えたもの.
保証設計点：	保証設計を行う応答点
保証設計変形：	保証設計点での変形
耐損傷性：	建物の地震動に起因する損傷に対する性能
安全性：	建物の耐震安全性に対する性能
損傷限界状態点：	建物が設定した損傷限界状態に達する応答点
損傷限界時応答点：	損傷限界状態検証用に用いる地震力に対する建物の応答点
安全限界状態点：	建物が設定した安全限界状態に達する応答点
安全限界時応答点：	安全限界状態検証用に用いる地震力に対する建物の応答点
代表加速度：	性能曲線の縦軸で、縮約したモデルにおける地震動による応答加速度で、等価な一自由度系に縮約した際の、復元力を等価質量で除したもの.
代表変位：	性能曲線の横軸で、縮約したモデルにおける地震動による応答変位.
加速度低減係数：	内部粘性減衰定数を考慮した要求曲線を用いた応答に対して、履歴減衰の影響を考慮して応答を低減する係数
等価質量比：	建物の全質量に対する各振動モードの等価質量の比
基礎部材：	基礎梁下端より下部の構造部材.
基礎構造：	基礎部材で構成された部分.
上部構造：	建物のうち、基礎構造より上に位置する部分.
保証設計：	想定した建物モデルでの降伏機構どおりに構造システムが挙動することを保証する設計のことをいう。構造解析の不確かさによる性能のばらつきを補うこと

1 章　総　　則　―25―

もその目的に含む.

一体性：　　　各部材が個々の抵抗能力を十分発揮できるように接続されていること.

終局強度：　　断面または部材の最大強度の総称.

信頼強度：　　材料強度，算定式のばらつき等を考慮して終局強度の下限値として計算される
　　　　　　　断面または部材の強度，あるいは部材強度の下限値を求める場合に用いる材料
　　　　　　　の強度（鉄筋の場合，通常は規格降伏点）.

上限強度：　　材料強度，算定式のばらつき，スラブ，直交壁，施工上の配筋等，強度上昇の
　　　　　　　要因を考慮して終局強度の上限値として計算される断面または部材の強度，あ
　　　　　　　るいは部材強度の上限値を求める場合に用いる製品のばらつきを考慮して設定
　　　　　　　した材料の強度.

構造性能：　　荷重・外力・外乱に対する構造物の耐損傷性，安全性.

動的効果：　　一般的な設計手法である静的解析の結果に対して，実際の地震動による建物の
　　　　　　　応答が異なる現象.

1.3　記　　　号

A_d　：開口周囲の斜め筋の断面積

A_h　：開口周囲の横筋の断面積（下記の A_{h0} や梁主筋を含む）

A_v　：開口周囲の縦筋の断面積（下記の A_{v0} や柱主筋を含む）

A_{h0}　：開口補強の目的で通常の横筋とは別に配筋される横筋の断面積

A_{v0}　：開口補強の目的で通常の縦筋とは別に配筋される縦筋の断面積

A_{st}　：付着割裂面を横切る1組の横補強筋全断面積

a　：並列T形梁では側面から相隣る材の側面までの距離，単独T形材ではその片側のフラン
　　ジ幅の2倍

a_c　：圧縮鉄筋の断面積

a_g　：柱の全主筋の断面積

a_t　：引張鉄筋の断面積

a_w　：1組のあばら筋または帯筋の断面積，1組の壁板のせん断補強筋の断面積

a_{wh}　：壁板の1組の横筋の断面積

a_{wv}　：壁板の1組の縦筋の断面積

B　：T形断面部材の有効幅

b　：T形断面をもつ材のウェブ幅，長方形梁または柱の幅

b_a　：T形断面部材の板部の協力幅（片側）

b_{ai}　：$b_i/2$ と $D/4$ の小さい方の数値

b_b　：梁幅

b_i　：梁両側面からこれに平行な柱側面までの長さ

b_j　：柱梁接合部の有効幅

C　：付着検定断面位置における鉄筋間のあき，または最小かぶり厚さの3倍のうちの小さい方
　　の数値

D　：曲げ材の全せい，通し配筋される接合部材の全せい，柱（または梁）のせい

d　：曲げ材の圧縮縁から引張鉄筋重心までの距離（有効せい），柱の有効せい

d_b　：異形鉄筋の呼び名に用いた数値

d_c　：曲げ材の圧縮縁から圧縮鉄筋重心までの距離

d_t　：曲げ材の引張縁から引張鉄筋重心までの距離

F_c　：コンクリートの設計基準強度

f_b　：付着割裂の基準となる強度

g_1　：柱断面の引張側鉄筋重心と圧縮側鉄筋重心との距離の全せい D に対する比

H_c : 接合部上下の柱の高さの平均

h : 階高，当該層の壁部材の高さ

$\sum h$: 連層耐震壁の当該層から最上層までの高さ

$\sum h_w$: 当該層開口上下部材の部材せいの和

h' : 柱の内法高さ

h_0 : 壁部材の開口部の高さ（複数開口の場合は個別の開口高さ）

h_{0p} : 壁部材の開口部の高さ（複数開口の場合は鉛直断面への投影高さの和）

j : 曲げ材の応力中心距離

K : 付着割裂の基準となる強度を割り増すための係数

L : 曲げ材の内法長さ

L_b : 柱梁接合部の左右の梁の長さの平均

l : 骨組または連続梁のスパン長さ，柱中心間の距離，柱（または梁）を含む壁部材の全せい

l' : 梁の内法スパン長さ，壁板の内法長さ

l_a : 曲げ補強鉄筋の定着起点から定着に有効な部分の投影長さ

l_{ab} : 必要定着長さ

l_e : 壁板の有効長さ

l_d : 鉄筋の付着長さ

l_{dh} : フック付き（折曲げ）定着鉄筋の投影定着長さ（鉄筋の仕口面からフック開始点までの直線長さ＋フック内法半径＋鉄筋径）

l_{w0} : 等価な1開口が壁部材の中央にあるとしたときの開口端部から壁部材端部までの水平距離

l_{w1} : 実際の開口位置における開口端部から壁部材端部までの水平距離の最小値

l_0 : 単純梁のスパン長さ，開口部の長さ（複数開口の場合は個別の開口長さ）

l_{0p} : 開口部の長さ（複数開口の場合は水平断面への投影長さの和）

$\sum l_w$: 開口横部材の部材せいの和

M : 設計する梁または柱の曲げモーメント

M_{cr} : 梁または柱のひび割れ曲げモーメント

M_y : 梁の降伏曲げモーメント

$\sum_B M_y$: 梁の両端の降伏曲げモーメントの絶対値の和

$\sum_C M_y$: 柱頭および柱脚の降伏曲げモーメントの絶対値の和

M_u : 梁または柱の終局曲げモーメント

N : 柱の軸方向力，付着割裂面における鉄筋本数

n : ヤング係数比

n_h : 水平方向に並ぶ開口の数

n_v : 鉛直方向に並ぶ開口の数

n_0 : 単層耐震壁の鉛直方向に並ぶ開口の数

p_g : 柱の全主筋断面積の柱断面積に対する比（柱主筋比）

p_t : 引張鉄筋比

p_s : 壁板の直交する各方向のせん断補強筋比

p_{sv} : 壁板の縦筋の補強筋比

p_{sh} : 壁板の横筋の補強筋比

p_w : あばら筋比または帯筋比（a_w/bs）

Q : 設計する梁または柱に作用する最大せん断力

Q_{cr} : 梁または柱のせん断ひび割れ強度

Q_{SU} : 梁または柱のせん断強度

Q_D : 梁または柱の安全性確保のための設計用せん断力，壁部材の設計用水平せん断力

Q_{DS} : 梁または柱の設計用せん断力

Q_{Dj} : 柱梁接合部の安全性確保のための設計用せん断力

Q_L	：梁または柱の長期荷重によるせん断力
Q_E	：梁または柱の水平荷重によるせん断力
Q_w	：無開口の壁板の壁筋が負担できるせん断力
r	：壁部材のせん断耐力に対する開口による低減率
r_1	：壁部材のせん断耐力に対する開口の水平断面積による低減率
r_2	：壁部材のせん断耐力に対する開口の見付面積による低減率
r_3	：壁部材のせん断耐力に対する開口の鉛直断面積による低減率
S	：必要定着長さの修正係数
s	：付着割裂面を横切る1組の横補強筋の間隔，壁板のせん断補強筋比の間隔
t	：スラブ厚さ，壁板の厚さ
W	：付着割裂面を横切る横補強筋効果を表す換算長さ
Z_e	：主筋を考慮した断面係数
x	：あばら筋または帯筋の間隔
x_n	：曲げ材の圧縮縁から中立軸までの距離
α	：梁または柱のせん断スパン比 $M/(Qd)$ による割増し係数，必要定着長さに関する係数，壁板周辺の柱のせん断強度を計算するときの係数
α_y	：梁または柱の降伏点剛性低下率
γ	：コンクリートの気乾単位容積重量
θ	：鉄筋方向と算定断面の法線との角度
κ_A	：柱梁接合部の形状による係数
ξ	：架構の形状に関する係数
η_0	：柱の軸力比
σ_0	：柱の軸方向応力度
σ_c	：圧縮鉄筋の継手部分の最大存在応力度
σ_t	：引張鉄筋の重ね継手部分の最大存在応力度，仕口面における鉄筋の応力度
σ_{wy}	：せん断補強筋の降伏強度
σ_{we}	：せん断補強筋の有効強度
σ_y	：鉄筋の降伏強度，規格降伏点，材料強度
ν_0	：コンクリートの有効強度係数
τ_{a1}	：引張鉄筋の曲げ付着応力度
τ_{a2}	：引張鉄筋の平均付着応力度
τ_y	：引張鉄筋の降伏時の平均付着応力度
τ_u	：構造特性係数を算定しようとする階が崩壊形に達する場合の梁，あるいは柱の断面に生じる平均せん断応力度
ψ	：付着検定される鉄筋の周長

1.4 準拠する規準・指針類

建築基礎構造設計指針（2019年版）
鉄筋コンクリート構造計算規準・同解説（2018年版）
鉄筋コンクリート基礎構造部材の耐震設計指針（案）・同解説（2017年版）
現場打ち同等型プレキャスト鉄筋コンクリート構造設計指針（案）・同解説（2002年）
建築工事標準仕様書・同解説　JASS5　鉄筋コンクリート工事（2022年版）

　本指針では，鉛直荷重に対する設計方法は示されていないが，「鉄筋コンクリート構造計算規準・同解説」などを参考に，別途適切に計算を行うこととする．

2章　耐震性能評価の基本

2.1　基本原則

> 建物の耐震性能は，要求耐震性能ごとに想定する地震動による応答値が，建物および構造部材の状態から決まる限界状態に対して，一定の余裕をもった範囲に収まることを確認することにより評価する．

(1) 耐震性能評価の原則

本指針では，主として2.2節で述べる損傷限界状態と安全限界状態について建物の耐震性能を評価する．各限界状態での応答点の算出方法の概要を解説図 2.1.1 に示す．建物に作用する地震荷重により，建物に作用する力と変形量の関係は，4章で示すように要求曲線として表される．この要求曲線は，損傷限界状態と安全限界状態に対して定義されている．一方の建物の非線形挙動を等価1自由度系に縮約した力と変形の関係は，7章で示すように性能曲線として表される．これらの要求曲線と建築物固有の性能曲線の交点が，各限界状態に対する地震荷重時に想定される応答点となる．この応答点に対して建物の限界状態での変形量が上回っていれば，建物は所要の性能を有していると判断する．

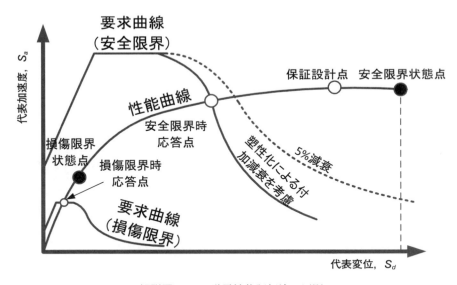

解説図 2.1.1　耐震性能評価法の原則

(2) 対象とする外力と部材

対象とする外力は，水平方向のみとする．主要な水平2方向のほか，斜め方向の検討も別途行う．長期設計は対象外である．鉛直地震動に関しては，耐震性能評価においては直接的には考慮しないが，長スパン部分などでは，部分的な検討が別途必要となろう．

2章　耐震性能評価の基本　— 29 —

　対象とする部材は，建物上部構造の柱，梁，耐震壁，柱梁接合部，基礎梁といった構造部材とし，杭，フーチングなどの基礎部材は対象範囲外とする．また非構造部材は直接的な対象部材とはしないが，本指針の評価法を用いることにより，応答変位を陽に算出できるため，変位により損傷するエスカレータや間仕切り壁・外装材などの非構造部材の設計にも援用できる．

（3）　限界状態に対する余裕度

　構造設計においては，事象自体が不確定なもの，計算式の精度によるもの，材料強度などの仮定した値と真の値のばらつきによるものなどにより，耐震性能の評価結果，具体的には建物の限界値と崩壊型は，真の値や真の崩壊型と異なってしまう可能性がある．建物が確実に所要の耐震性能を有しているようにするためには，一定の余裕度を考慮する必要がある．本指針では，以下のばらつきを考慮する．

（ア）　設計用地震動と実地震動の差（設計用地震動とのばらつき）

（イ）　算出される応答値のばらつき（応答低減係数 F_h および減衰効果のばらつき）

（ウ）　材料強度のばらつき

（エ）　部材性能のばらつき（限界値のばらつき，モデル化のばらつき）

（オ）　非ヒンジ部材の応力のばらつき（高次モード・2方向入力等）

　・（ア）設計用地震動等のばらつき，（イ）算出される応答値のばらつきおよび（エ）モデル化のばらつきへの対応（部材の保証設計用部材応力と必要変形性能の算出）

　　これらの項目のばらつきを個別に正確に評価して考慮することは非常に困難である．そこで，これらのばらつきへの対応として，建物の安全限界状態を検討する際に，建物の性能曲線上での履歴吸収エネルギーに余裕度を加味することとする．つまり，部材の保証設計用応力は，解説図 2.1.2 に示すように，要求曲線と性能曲線の交点である応答点からさらに性能曲線を延伸し，ひずみエネルギーが応答点の α 倍になる点まで静的増分解析を実行し，その点を保証設計点とする．同図に示すように，建物の安全限界状態点は，この保証設計点の先にある．部材の保証設計用応力は，保証設計点での応力とする．また，曲げ変形性能を保証する変形についても，保証設計点での変形とする．α としては，本指針では 1.5 倍程度以上の値とする．解説図 2.1.2 に示すように，強度型の建物では，ほとんど弾性で剛性が変化しなければ，応答点に対して強度で $\sqrt{1.5} = 1.23$ 倍，変形性能も同じく 1.23 倍の余裕度を有することとなる．また，靱性抵抗型の場合は，変形性能でおよそ 1.5 倍の余裕度を有することとなる．なお，この α は，地震動レベルの余裕度と一致しないことに注意が必要である．また，ほぼ弾性応答となる強度型の建物に対しては，例えば周期が短い低層建物などでは地盤との相互作用の影響も大きく，要求している余裕度が靱性型に比して高すぎる可能性もあるため，今後の検討が待たれる．

　　ここで，建物の安全限界時応答点が等価線形化法による推定点からひずみエネルギーで α 倍の点まで至ると想定しているのではなく，あくまで応答点は要求曲線と性能曲線の交点とするが，その応答点で要求される変形性能を満足するためには，さまざまなばらつきを考慮すると，各個材に必要な変形性能は保証設計点における各個材の変形量となると考えている

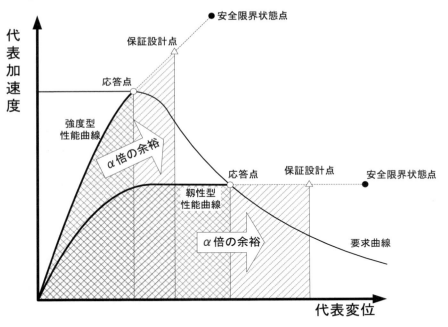

解説図 2.1.2 性能曲線と要求曲線

ことに注意が必要である．
・材料強度のばらつきおよび限界値のばらつき

　材料強度は，基準強度に対してばらつきを有する．そのため，コンクリートの設計基準強度 F_c に対して，調合強度は補正されて F_c よりも大きな値をとり，実際の強度が呼び強度を下回る不良率は 0.17 ％となっている．コンクリートの圧壊は脆性破壊となるため，圧縮強度で部材の破壊形式が決まる場合は，設計基準強度を用いてその強度および限界値を計算すれば，一般的には安全側となる．

　一方，鉄筋の降伏強度は，そのおよその下限をとる信頼強度となっている．3章で解説するように，鉄筋の平均強度はそのおよそ 1.1 倍，上限強度は 1.25～1.30 倍となる．主筋の強度として降伏強度を用いた場合，降伏曲げモーメントは平均強度を用いた場合に比べて小さくなり，結果的に保有水平耐力が小さく算出される．これは，建物全体で見ると安全側の評価となるが，部材設計を見た場合，曲げ降伏時せん断力が小さく見積もられていることとなるため，せん断設計を考えると危険側となる．このように，主筋の降伏によりエネルギー吸収し，靱性に富む破壊形式である曲げ降伏型の部材を設計する場合は，この鉄筋の強度設定は非常に重要となる．そこで本指針では，耐損傷性を確認する場合は降伏強度を用いるが，安全性を確認する場合は，解説図 2.1.3 に示すように，原則として主筋強度には平均強度を用いた場合と上限強度を用いた場合の2つのケースに対して，その安全性を検討する．なお，せん断補強筋に関しては，常に信頼強度を用いる．そのため，降伏強度を用いた場合にせん断破壊などの脆性破壊により破壊形式が決まる場合は，2つのケースの解析を行う必要

はない．また，スラブの効果等も適切に考慮する．一般的には，スラブ引張側において，片側1mの範囲にある，有効に定着されたスラブ筋を終局曲げモーメントに考慮する．

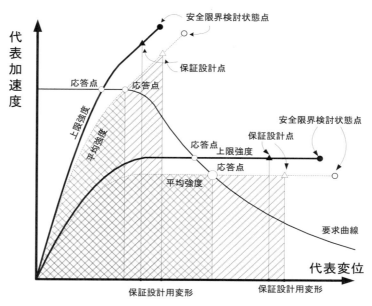

解説図 2.1.3 性能曲線と要求曲線（材料強度のばらつきを考慮した場合）

ただし，曲げ降伏型の崩壊型であっても，せん断破壊等の想定していない破壊に対して主筋の強度上昇を勘案しても十分な安全率を有している場合は，主筋に平均強度を用いた場合のみにより安全性を確認し，上限強度を用いる場合を省略してもよい〔9章参照〕．

・非ヒンジ部材の応力のばらつき

建物の安全限界状態を検討する際に，崩壊形が1つに保証されることは，等価線形化法の大前提である．そのため，解析により求められた崩壊機構を保証する必要がある．非ヒンジ部材の応力が変動する要因としては，高次モードの影響や2方向入力が挙げられる．そこで，非ヒンジ部材に関しては，9章に示すように，設計用曲げモーメント，せん断力，軸力を適切に割り増す．また，耐震性能の確認は，主要な2方向のほかに，斜め45°方向も検討することを原則とする．

以上をまとめると，建物の安全限界状態の確認および保証設計用応力は，解説図2.1.4に示すように，等価線形化法により推定された応答点からひずみエネルギーでα倍の点（図中①）とするとともに，部材の保証設計用としては，応答点での各部材応力に高次モードを9章に示す方法により割り増した応力（図中②）についても検討することとする．

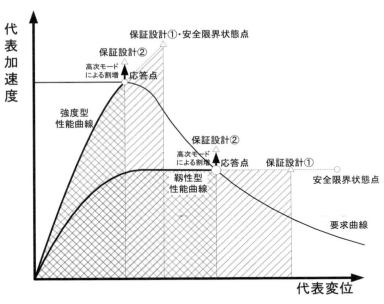

解説図 2.1.4　安全限界検討点と保証設計点

2.2　目標耐震性能の設定

> 本指針で検討すべき耐震性能は，耐損傷性（損傷限界性能）と安全性（安全限界性能）とする．

　本指針で対象とする荷重は地震荷重のみとする．すなわち，長期荷重に対する損傷やたわみ，その他使用限界状態に対する性能評価は，別途すでに実施されているものとする．また，積雪，暴風などの荷重に対しても，本指針では取り扱わない．

2.2.1　耐損傷性に関する耐震性能

> 耐損傷性に関する耐震性能は，建物の供用期間に稀に発生する地震動に対して，建物が通常の使用状態にあって，その機能や居住性が損なわれず維持できる性能とする．

　数十年に一度発生しうる地震（稀に発生する地震）に対して，建物に大規模な工事が伴う修復を要するような損傷が発生せず，比較的簡易な補修程度で継続利用が可能な状態に留めることを耐損傷性に関する耐震性能の目標とする．建物の供用期間を 50 年程度と想定すると，この地震動レベルは，供用中に数回は経験するレベルとなる．比較的簡易な補修程度で建物の継続使用が可能となる部材の応力レベルは，短期許容応力度レベルとして設定することができる．耐損傷性の確認では，構造部材のみならず，方立壁などの非構造部材などについても配慮して，適切に変形量を制限するなどが必要となる．

2章 耐震性能評価の基本 — 33 —

2.2.2 安全性に関する耐震性能

> 安全性に関する耐震性能は，建物の供用期間に極めて稀に発生する地震動に対して，建物が倒壊，崩壊せず，人命を損なわない性能とする．

数百年に一度発生しうる大地震（極めて稀に起こる地震）に対して，建物に損傷が生じることは許容するが，人命を損なうような壊れ方は防止することを安全性に関する耐震性能の目標とする．この地震動レベルは，供用中に経験する可能性の低いレベルと言える．安全性に関する耐震性能の評価においては，等価線形化法により推定した応答値に対して，2.1節に示した余裕度を考慮する．

2.3 耐震性能評価手順

> 建物の耐震性能評価は，以下の手順で行う．
> （1） 適用性の可否の判断
> （2） 自重，積載荷重の算定
> （3） 耐損傷性，安全性を検証するための要求曲線の算定
> （4） 建物の性能曲線の算定，等価減衰—変形関係の算定
> （5） 耐損傷性，安全性を検証する応答点の算出
> （5） 耐損傷性，安全性の検証
> （6） 保証設計

耐震性能評価のフローを解説図2.3.1に示す．なお，本指針では耐震性能評価を対象としているため，自重・積載荷重の算定や長期荷重に対する構造設計は，別途行われているものとしている．本指針は，おおむねフローに従って構成されている．7.2節で示しているとおり，本指針では建物の応力解析法として静的非線形荷重増分解析を前提としており，基本的には手計算による応力解析は想定していない．そのため，耐損傷性と安全性の区別なく，一貫した静的非線形荷重増分解析を実施して建物の性能曲線を作成することを原則としている．

建物によっては，偏心が大きくなると，静的非線形荷重増分解析において，外力分布形が1方向のみならず，直交方向にも必要となる．そのため，偏心の大小により採用する解析手法が異なり，偏心が比較的小さな建物には7.3節に示す方法を，偏心の大きな建物には7.4節に示す方法を用いることとしている．偏心の大小の判断は，7章にも示すとおり，1方向の外力分布を採用した解析から求めた偏心率 R_e によって判断する．

9章では，性能評価の大前提である建物に想定した限界状態が確実に達成されることおよび部材ならびに建物に想定した破壊形式や崩壊型が確実に形成されるための保証設計を行う．2.1節でも述べたとおり，安全性の検証においては，降伏ヒンジを想定する部位の主筋の材料強度に平均強度と上限強度を用いた場合の2ケースで，解説図2.3.1に示すフローの当該部分を実施する必要がある．しかし，部材の破壊形式を保証するために，他の破壊形式に対して所要の余裕度を見込んだ場合は，平均強度を用いた検証のみで代用することができる．

架構の保証設計では，2.1節に示したばらつきの項目に対応するため，安全性の評価において

は，性能曲線のひずみエネルギーで所要の余裕度，および高次モードによる応力割増しを考慮する．また，静的非線形荷重増分解析結果において想定している建物の崩壊型を確実に形成するため，架構が不安定になるような柱梁接合部のせん断破壊や接合部降伏を避け，層崩壊を許容しない場合は層崩壊に対する余裕度の確認を行うこととしている．

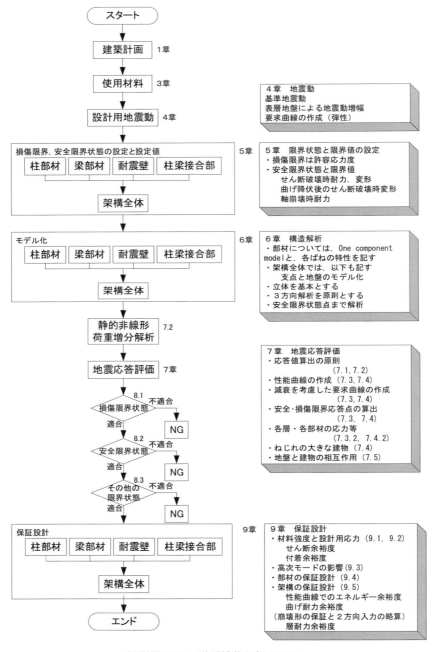

解説図 2.3.1　耐震性能評価のフロー

3章 使用材料

3.1 コンクリート

3.1.1 コンクリートの種類・品質および材料

（1） 本会「建築工事標準仕様書・同解説　JASS 5　鉄筋コンクリート工事」（以下，JASS 5 という）に定める品質を有するコンクリートを用いた場合に本指針を適用することができる．使用骨材による種類は普通コンクリートとし，設計基準強度の範囲は，18 N/mm² 以上，60 N/mm² 以下とする．
（2） コンクリートに使用する材料は，JASS 5 に規定する材料による．

　コンクリートの種類・品質および使用する材料は，JASS 5 によることを原則とする．また，コンクリートの調合，製造・運搬・受入れ，打込み・締固め，養生，鉄筋・型枠工事および品質管理・検査の方法も JASS 5 によることとする．ただし，軽量コンクリートは部材の実験データによる性能評価式の検証が不十分であるので，使用対象から除外した．

　コンクリートの設計基準強度は，建築基準法施行令や JASS 5 の適用範囲との関係を考慮して，下限値を 18 N/mm²，上限値を 60 N/mm² とした．

3.1.2　コンクリートの定数

　コンクリートの材料強度など諸定数は，構造体コンクリートの値としてばらつきや経時的な影響を考慮して適切に定める．

（1）　材料強度

　コンクリートの圧縮強度 σ_B には，設計基準強度 F_c を用いる．

　部材性能を算定する強度，剛性，限界変形等の性能評価式は，実際のコンクリート圧縮強度を用いて部材実験結果によって検証したものである．したがって，性能評価にあたっては，確実に実現できるコンクリート圧縮強度を用いる必要がある．そのため，性能評価に用いるコンクリート圧縮強度は，コンクリートの設計基準強度とすることとした．

　圧縮以外の材料強度を用いる場合は，建築基準法・関連規定による．法令においては，コンクリートの材料強度は，建築基準法施行令第 97 条に数値が定められている〔解説表 3.1 参照〕．また，引張，せん断，付着については，同第 97 条のただし書きに基づき，平成 12 年建設省告示第 1450 号に規定されている．

— 36 —　鉄筋コンクリート造建物の等価線形化法に基づく耐震性能評価型設計指針　解説

解説表 3.1　建築基準法施行令第 97 条（コンクリートの材料強度）の規定

第 97 条　コンクリートの材料強度は，次の表の数値によらなければならない．ただし，異形鉄筋を用いた付着について，国土交通大臣が異形鉄筋の種類及び品質に応じて別に数値を定めた場合は，当該数値によることができる．

材料強度（N/mm²）			
圧縮	引張り	せん断	付着
F	$F/10$（F が 21 を超えるコンクリートについて，国土交通大臣がこれと異なる数値を定めた場合は，その定めた数値）		2.1（軽量骨材を使用する場合にあっては，1.8）

この表において，F は，設計基準強度（N/mm²）を表すものとする．

（2）　材料の定数

コンクリートの諸定数に関しては，原則として本会「鉄筋コンクリート構造計算規準・同解説」（以下，RC 規準という）と同様に定めるものとする．

コンクリートのヤング係数は，次式により算定する．

$$E = 3.35 \times 10^4 \times \left(\frac{\gamma}{24}\right)^2 \times \left(\frac{F_c}{60}\right)^{\frac{1}{3}} \ (\text{N/mm}^2) \tag{解 3.1}$$

γ：コンクリートの気乾単位体積重量（kN/m³）で特別な調査によらない場合は，解説表 3.2 の値としてよい．

F_c：コンクリートの設計基準強度（N/mm²）

解説表 3.2　コンクリートの単位体積重量

設計基準強度の範囲（N/mm²）	コンクリート単位体積重量（kN/m³）
$F_c \leqq 36$	23.0
$36 < F_c \leqq 48$	23.5
$48 < F_c \leqq 60$	24.0

（解 3.1）式は，以下に示す NewRC 式[3.1]において使用骨材，混和材による係数を $k_1 = k_2 = 1.0$ としたものであり，使用骨材，混和材などにより k_1，k_2 に適切な値を用いてもよい．

$$E = 3.35 \times 10^4 \times k_1 \times k_2 \times \left(\frac{\gamma}{24}\right)^2 \times \left(\frac{F_c}{60}\right)^{\frac{1}{3}} \ (\text{N/mm}^2) \tag{解 3.2}$$

なお，NewRC 式[3.1]では，これらの係数には以下の値が示されている．

$k_1 = 0.95$：石英片岩砕石，安山岩砕石，玉石砕石，玄武岩砕石，粘板岩砕石

　　$= 1.2$　：石灰岩砕石，か焼ボーキサイト

　　$= 1.0$　：その他の粗骨材

$k_2 = 0.95$：シリカフューム，高炉スラグ微粉末，フライアッシュ起源微粉末

＝1.1 ：フライアッシュ

　　　＝1.0 ：混和材を使用しない場合

　また，コンクリートのせん断弾性係数は，一般の弾性論で知られている次式によって求めることができる．

$$G = \frac{E}{2(1+\nu)} \quad (\text{N/mm}^2) \qquad\qquad (\text{解 } 3.3)$$

　　　E：コンクリートのヤング係数（N/mm²）

　　　ν：ポアソン比で，0.2 とする

3.2　鉄　　　筋

3.2.1　鉄筋の種類

　特別な場合を除き，JIS G 3112「鉄筋コンクリート用棒鋼」の規格を満足する異形鉄筋を用いた場合に本指針を適用することができる．使用できる鉄筋径は，呼び名 D41 以下とする．ただし，主筋の強度は原則 SD490 以下とし，横補強筋用としては，高強度鉄筋も用いることができる．

　鉄筋の規格を解説表 3.3 に示す．鉄筋コンクリート部材の靱性は，使用する鉄筋の靱性によるものであり，部材の性能を正確に評価するためには，機械的特性がよくわかった鉄筋を用いる必要がある．そのため，鉄筋の規格のうち，JIS G 3112（鉄筋コンクリート用棒鋼）に使用材料を限定することとした．ただし，横補強筋としては，RC 規準と同様に丸鋼も用いてもよしとする．また，JIS G 3112 では鉄筋の太さは D51 まで規定されているが，JASS 5 に取扱いが規定されている D41 までを対象とした．

　JIS G 3112（2020）では，強度範囲が SD785R まで広がるなど，高強度鉄筋の開発が進み，これらをせん断補強筋に用いた場合の実験データも蓄積されてきている．そこで，横補強筋としては，これら SD590 以上の高強度鉄筋を用いることができることとした．ただし，品質確保の点から使用できるのは JIS G 3112（鉄筋コンクリート用棒鋼）または JIS G 3137（細形異形 PC 鋼棒）に準拠したもの，および国土交通大臣の認定を取得し強度指定を受けた高強度せん断補強筋とする．なお，使用にあたっては，各性能評価式の適用範囲を超えていないことを確認する必要がある．

　また，SD590 および主筋用高強度異形棒鋼を主筋として用いる場合は，試験などにより構造部材としての性能が確認されている必要がある．

— 38 —　鉄筋コンクリート造建物の等価線形化法に基づく耐震性能評価型設計指針　解説

解説表 3.3　鉄筋の規格

規格，名称		区分，種類		主筋	横補強筋
JIS G 3112	鉄筋コンクリート用棒鋼	丸鋼	SR235 SR295	×	○
		異形棒鋼	SD295 SD345 SD390 SD490	○	○
			SD590A, SD590B SD685A, SD685B	○*	○
			SD685R SD785R	×	○
JIS G 3137	細形異形 PC 鋼棒	SBPDN 930/1080, SBPDL 930/1080 SBPDN 1080/1230, SBPDL 1080/1230 SBPDN 1275/1420, SBPDL 1275/1420		×	○
鉄筋コンクリート用高強度異形棒鋼		各種認定品		○*	○
横補強筋用高強度異形棒鋼		各種認定品		×	○

　［注］ ＊構造部材としての限界性能が試験などにより確認されている場合に限る

3.2.2　鉄筋の定数

> 鉄筋の諸定数は，ばらつきを考慮して適切に定める．

（1）　材料強度

　本指針では，安全性について主筋の降伏強度に平均強度を用いた場合と，上限強度を用いた場合の 2 つのケースについて確認する必要がある．また，耐損傷性の確認およびせん断補強筋には信頼強度を用いる．ここで，鉄筋の信頼強度には規格降伏点，平均強度には規格降伏点の 1.1 倍，上限強度には解説表 3.4 の値をそれぞれ用いてよい．

　本会「鉄筋コンクリート造建物の靱性保証型耐震設計指針・同解説」（以下，靱性保証型設計指針という）では，（財）日本建築総合試験所の実施した統計結果を基に，設計用の材料強度として部材の信頼強度算定用，上限強度算定用の強度を解説表 3.4 のように定めており，本指針の部材の性能評価においても，この数値を用いてよい．SD490 の上限強度については，各鉄筋メーカーのデータ等に基づいてその評価が必要である．なお，本指針は，試験などにより構造部材としての性能を確認している場合を除き，SD590 の以上高強度鉄筋は横補強筋としてのみ用いることができる．

　また，この統計資料によれば，すべての径（D10〜D38）の SD295 および SD345 の降伏強度の平均値は規格降伏点に対してそれぞれ 1.245 倍および 1.142 倍となっている．また，NewRC の構造設計ガイドライン[3.1]では，SD390 および SD490 の平均強度は規格降伏点の 1.12 倍としている．一方，建築基準法施行令では，保有水平耐力計算等では JIS 規格に適合した SD390 以下

の鉄筋の材料強度は規定された数値の1.1倍としてよいとされている．これらを考慮し，安全性の確認を行う際に用いる主筋の平均強度は規格降伏点の1.1倍とする．

なお，信頼強度，上限強度，平均強度とも，十分な実験資料による場合はこの限りではなく，部材の性能評価式の安全率を考慮した上で適切な値に設定してよい．

解説表3.4　性能評価に用いる鉄筋の材料強度

鉄筋種類	信頼強度算定用	平均強度算定用	上限強度算定用
SD295	$1.0\,\sigma_y$	$1.1\,\sigma_y$	$1.30\,\sigma_y$
SD345, SD390	$1.0\,\sigma_y$	$1.1\,\sigma_y$	$1.25\,\sigma_y$
SD490	$1.0\,\sigma_y$	＊	＊
高強度鉄筋	$1.0\,\sigma_y$	＊	＊

［注］　σ_y：鉄筋の規格降伏点
　　　　＊各鉄筋メーカーのデータ等に基づいて評価する

（2）　材料の定数

鉄筋のヤング係数は，$2.05 \times 10^5\,\mathrm{N/mm^2}$ としてよい．

3.3　鉄筋とコンクリートの相互作用（付着，定着特性）

性能評価にあたっては，必要に応じて鉄筋とコンクリート間の応力伝達特性を適切に考慮する．

（1）　付着および定着

鉄筋とコンクリートの付着作用が健全な場合とそうでない場合で部材の性状は異なり，想定する外力の作用下で必要な付着性能が発揮できることを設計で確かめなければならない．付着性能の劣化による部材性能の低下（付着破壊）が生じないよう，部材ごとに保証設計を行う必要がある．

コンクリートの付着強度を用いる場合は，建築基準法・関連規定による〔解説表3.1 参照〕．

3.4　特殊な継手・定着

特殊な継手・定着方法を用いる場合は，以下に示す性能について明示，保証され，かつ当該方法を用いた部材の構造性能評価が可能なものを使用した場合に本指針を適用することができる．
　（a）　機械的性質（引張強さ，降伏点，ヤング係数，伸び，疲労性能等）
　（b）　形状，寸法，曲げ加工性
　（c）　耐火性，耐久性

機械式継手および溶接継手を用いる場合は，「2020年版建築物の構造関係技術基準解説書」に記載されている「鉄筋継手性能判定基準及び鉄筋継手使用基準」によって継手の耐力，靱性および付着に関する性能を確認し，その使用基準に従って用いる．

鉄筋の終端に特殊な形状の定着板を設けた機械式定着工法を用いる場合は，各認定品の設計・施工法に従う必要がある．ただし，本指針に示されている構造性能評価法が機械式定着工法を用いる場合は，適用範囲外としている場合は用いることができないので，注意が必要である．

参 考 文 献

3.1) 建設省：建設省総合技術開発プロジェクト「鉄筋コンクリート造建築物の超軽量・超高層化技術の開発」報告書，1993.10

4章 地 震 動

4.1 基準地震動

> 建物の耐損傷性の評価において想定する稀に発生する地震動および安全性の評価において想定する極めて稀に発生する地震動の解放工学的基盤上の加速度応答スペクトルは，建設地周辺の地震活動度や地震動特性を考慮して適切に設定する．

本指針では，建物の耐震設計として，稀に発生する地震動に対する建物の耐損傷性能，極めて稀に発生する地震動に対する建物の倒壊に対する安全性能のそれぞれ二段階の性能の評価を行う．これらの設計用の基準地震動（稀に発生する地震動と極めて稀に発生する地震動）は，本会「建築物荷重指針・同解説」(2015)[4.1]と建築基準法では異なっているが，ここでは，限界耐力計算で用いられる建築基準法に示されている基準地震動を紹介する．これは，平成12年建設省告示1461号[4.2]で定められた解放工学的基盤面上で定義された地震動に基づき，4.2節に示すように，地震動の応答スペクトルとして与えられる．同スペクトルは，建設地周辺の地震活動度や，地域に固有の地震動特性を考慮して，二段階の大きさの設計用地震力として求められる．

ただし，特別な調査，研究[例えば4.1]に基づいて，基準地震動の応答スペクトルがより合理的に評価される場合は上記の限りではなく，調査，研究結果により，これを置き換えてよい．

4.2 性能評価・設計用応答スペクトル

> 建物の耐損傷性および安全性の評価で用いる応答スペクトルは，解放工学的基盤上の加速度応答スペクトルを基にして，表層地盤による増幅を適切に考慮した地表面上（一般に建物の基礎底位置）の要求曲線（加速度応答—変位応答スペクトル）として算定する．

限界耐力計算では，建物の設計用地震力が上記の解放工学的基盤面上で定義された地震動に対して，建設地周辺の地震活動度と，表層地盤による増幅を考慮した応答スペクトルとして，次式により与えられている．本指針では，(解4.2.1)式に示される建物の応答加速度を用いた場合の評価方法を示しているが，合理的と説明できる場合は，(解4.2.1)式に代わってその他の応答加速度を用いてもよい．

$$S_a = S_0 \times Z \times G_s \times p \times q \qquad\qquad (解 4.2.1)$$

ここで，S_a：建物の応答加速度，S_0：標準加速度応答スペクトル，Z：地域係数，G_s：表層地盤による加速度の増幅率，p：有効質量比による設計用地震力の低減係数，q：有効質量比の下限値を与える係数である．

標準加速度応答スペクトル[4.2]は，工学的基盤における減衰定数5％の場合の加速度応答スペクトルに相当し，解説表4.2.1により定義される．解説図4.2.1はこれを図示したものである．設計用地震力は建物の固有周期に応じて定まり，極めて稀に発生する地震動の応答加速度は，稀に発生する地震動の5倍に相当する．従来の構造設計体系における一次設計と二次設計で想定する設計用地震力の関係と同様である．また，解説図4.2.2は，解説図4.2.1の標準加速度応答スペク

トルに対し，$Z=1.0$，後述の 4.3 節に示す第 2 種地盤の G_s，$p=1.0$，$q=1.0$ を仮定した場合の S_a と建物の変位応答 $S_d(=S_a/\omega^2=S_a\times(T/(2\pi))^2)$ の関係（S_a-S_d スペクトル）として表現したものである．7 章で詳述するように，本指針の設計法では，この応答スペクトル（要求曲線）と，建物の耐震性能を表す性能曲線（性能としての S_a-S_d 関係）を比較し，性能曲線上の各限界状態点での変形が要求曲線と性能曲線の交点である応答点を上回ることを確認することで，耐震性能の有無を検証する方法を採用している．

なお，（解 4.2.1）式の p，q は，ともに建物の有効質量比による設計用地震力の修正係数であり，それぞれ平成 12 年建設省告示 1457 号[4.3)]に示されている．係数 p は（解 4.2.1）式が低層の建物に対し旧来の許容応力度計算や保有水平耐力計算で設定される設計用地震動よりも大きな地震力を与えることを補正し，これを低減するための係数である．一方，係数 q は，S_0 を定義した有効質量比よりも小さい（有効質量比 0.75 未満の）建物に対して，（解 4.2.1）式に基づいて算定される設計用地震力に下限値を与えるための係数である．

解説表 4.2.1　標準加速度応答スペクトル S_0

建物の固有周期	加速度応答スペクトル（m/s²）	
	稀に発生する地震動	極めて稀に発生する地震動
$T<0.16$	$0.64+6T$	$3.2+30T$
$0.16\leq T<0.64$	1.6	8
$0.64\leq T$	$1.024/T$	$5.12/T$

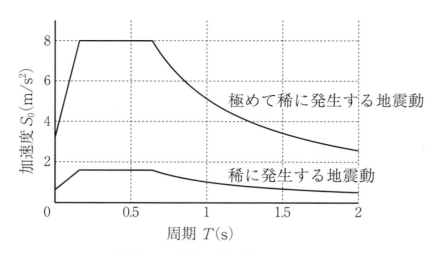

解説図 4.2.1　標準加速度応答スペクトル S_0

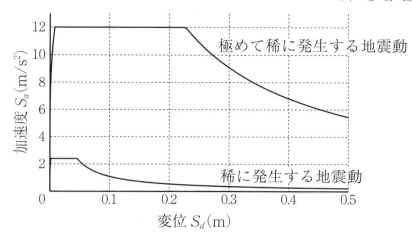

解説図 4.2.2 稀および極めて稀に発生する地震動に対する $S_a - S_d$ スペクトル（$Z=1.0$，第 2 種地盤，$p=1.0$，$q=1.0$）

4.3 表層地盤による地震動増幅

> 地表面上の加速度応答スペクトルの算定では，解放工学的基盤面から地表面までの表層地盤の特性に基づいて，解放工学的基盤上の加速度に対する増幅効果を適切に考慮する．

建物の敷地の表層地盤による加速度の増幅特性は，平成 12 年建設省告示 1457 号[4.3]には，（解 4.2.1）式の G_s を解説表 4.3.1 による方法により略算して求める方法が示されている．解説表 4.3.1 による G_s と建物の固有周期の関係は，解説図 4.3.1 に示すとおりである．

ただし，特別な調査，研究[例えば4.1]に基づいて，表層地盤の増幅特性がより合理的に評価される場合は上記の限りではなく，調査，研究結果により，これを置き換えてよい．

解説表 4.3.1 表層地盤による加速度の増幅特性

地盤種別	建物の固有周期 T (s)	増幅率 G_s
第 1 種地盤	$T<0.576$	1.5
	$0.576 \leq T < 0.64$	$0.864/T$
	$0.64 \leq T$	1.35
第 2 種地盤・第 3 種地盤	$T<0.64$	1.5
	$0.64 \leq T < T_u$	$1.5 T/0.64$
	$T_u \leq T$	g_v

［注］$T_u = 0.64 g_v/1.5$ (s)，$g_v = 2.025$（第 2 種地盤），2.7（第 3 種地盤）

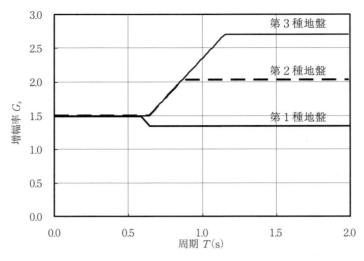

解説図 4.3.1　表層地盤による加速度の増幅率 G_s と建物の固有周期 T の関係

参　考　文　献

4.1)　日本建築学会：建築物荷重指針・同解説, 2015
4.2)　平成 12 年建設省告示第 1461 号
4.3)　平成 12 年建設省告示第 1457 号

5章　限界状態と限界値の設定

5.1　基本事項

> （1）　耐損傷性，安全性という2つの建物の耐震性能に対して，それぞれ損傷限界状態，安全限界状態を設定し，対応する工学量を定義して評価する．
> （2）　耐震性能評価で用いる設計限界値は，耐震性能の項目について規定される限界値に達しない範囲で適切に設定する．

　本指針では，2.2節「目標耐震性能の設定」で示した「耐損傷性」と「安全性」という2つの建物の耐震性能に対して，それぞれ限界状態を設定し，対応する工学量を定義して評価する．

　構造設計や性能評価において，「耐損傷性」および「安全性」の評価に用いるための設計限界値は，構造骨組に加えて，建具・仕上げなどの非構造部材，設備機器，什器など建物を構成するすべての要素に関して，地震時の損傷に基づく修復の要否や難易度・費用や，建物全体，あるいは部分的な構造安全性に及ぼす影響を工学量として定量的に評価し，それらを建物全体で総合的に評価して架構全体の限界値として設定することが基本である．具体的な設計限界値の設定方法は5.2節以降によるが，上記の基本に基づきながら，現行の設計基・規準，指針や現行の設計慣行との連続性，整合性なども念頭に，解析手法の不確かさや部材強度のばらつきなどの変動要因を考慮して，十分な余裕度を確保した上で設計限界値を設定する必要がある．

5.2　架構の限界状態

> 　架構の損傷限界状態および安全限界状態は，架構を構成する部材のいずれかが部材の各限界状態に到達する状態，またはいずれかの層が各限界状態に相当する層間変形角に到達する状態として定義される．ただし，耐震性能に影響しない非構造部材あるいは耐震設計上無視しうると設計者が判断する構造部材については，限界状態の判定に含めなくてもよい．

　5.1節で解説したように，構造部材，非構造部材，設備機器，什器など建物を構成するすべての部材・部位および地盤の損傷状態を評価し，それらが建物全体の「耐損傷性」，「安全性」に及ぼす影響を工学量として評価して，それに基づいて損傷限界状態および安全限界状態に対応する設計限界値を設定することが基本である．

　架構の損傷限界状態は，①架構を構成する構造部材のいずれかが損傷限界状態に到達する状態，または②いずれかの層が損傷限界状態に相当する層間変形角に到達する状態のうち，より小さな変形下にある状態とすることができる．損傷限界状態に対する建物の耐震設計および耐震性能検証は，従来の構造設計体系における一次設計に相当する．したがって，一般の構造設計実務においては，上記の①の状態とは構造部材のいずれかが損傷限界時応力度に到達する状態，上記の②の状態とは建物のいずれかの層が層間変形角 1/200 に到達する状態と読み替えてよい．ここで，損傷限界時応力度としては，短期許容応力度を用いてよい．これらのクライテリアは，架構を構成する主として構造部材に対する設計限界値であるが，損傷限界状態の検討は，建物がその

供用期間に複数回遭遇する可能性がある地震動に対する建物の継続使用性能を保証する設計として位置付けられる．したがって，特に架構の変形に対して，非構造部材を含む損傷の抑制に配慮した構造設計がなされることが期待される．本指針は従来の構造設計体系とは異なり，耐震性能の検証過程で架構の変形が陽に評価される点に特徴がある．構造部材に加え非構造部材を含めて，地震後の建物の機能維持に対して，従来よりもきめの細かい設計が可能である．例えば，建物の機能維持に不可欠な非構造部材や設備の機能維持の条件から，損傷限界状態に対応する層間変形角の設計限界値を設定して用いることも考えられる．

　一方，架構の安全限界状態とは，③架構を構成する構造部材のいずれかが安全限界状態に到達する状態，または④いずれかの層が安全限界状態に相当する層間変形角に到達する状態のうち，より小さな変形下にある状態として評価することができる．前者③の評価法は，5.3節の各部材の限界状態を参照されたい．後者④について，現行の限界耐力計算法では，建築基準法告示などで層間変形角は1/75以下に制限されているため，この数値が実務設計における上限値に相当する．ただし，特別な調査または研究の結果に基づく除外規定[5.1]があり，法律上の上限値を上回らない範囲内で任意に設定することが可能である．例えば，本会の「鉄筋コンクリート造建物の耐震性能評価指針（案）・同解説」[5.2]（以下，性能評価指針という）では，解説表5.2.1に示すように，層の安全限界状態の標準値として，靱性型のフレーム構造では1/50，壁フレーム構造では1/75が目安として示されている．ただし，応答の限界層間変形角が1/75を超えるような場合は，9.4.4項に示されている柱梁接合部の保証設計において，柱梁接合部の曲げ降伏による層崩壊防止の観点から，同項で定義されているβ_jは，全ての層で1.5程度以上とする必要がある．

解説表 5.2.1　層の限界状態と限界層間変形角の標準値[5.2]

限界状態	フレーム構造		壁フレーム構造	
	層間変形角	全体変形角	層間変形角	全体変形角
修復限界 I	1/100	1/120	1/150	1/180
修復限界 II	1/75	1/100	1/100	1/130
安全限界	1/50	1/67	1/75	1/100

［注］全体変形角は限界層間変形角に達した時の目安を示す．また，文献5.2）では，修復限界Iは，部材が容易に修復しうる状態で，鉄筋はわずかに降伏する程度，残留ひび割れ幅は0.2～1.0mm（耐震壁，柱梁接合部では0.2～0.5mm）程度以下，コンクリートはほぼ健全な状態にとどまる限界状態，修復限界IIは，部材が修復可能な状態で，鉄筋の塑性化がやや進展した程度で主筋は座屈せず，残留ひび割れ幅は1～2mm（耐震壁，柱梁接合部では0.5～1.0mm）程度以下，かぶりコンクリートの剥落は生じるがコアコンクリートは健全な状態にとどまる限界状態として定義されている．

以上の架構の各限界状態に対する検証では，建物の耐震性能に影響しない非構造部材あるいは耐震設計上無視しうると判断される構造部材については，各限界状態の検証対象から除外してもよい．ただし，損傷限界状態に対する検証では，前述のとおり，稀に発生する地震に対する建物の継続使用性能の観点から，安全限界状態に対する検証では，検証対象から除外する構造部材（一般に脆性部材）に対する鉛直荷重支持への影響や，局部崩壊の防止などの観点から，除外の適否を慎重に判断する必要がある．

5.3 部材の限界状態

（1） 部材の設計限界値は，損傷限界状態と安全限界状態について，部材ごと（柱，梁，耐震壁）に設定する．
（2） 部材に有害な損傷が生じるときの変形角，または応力を損傷限界状態の限界値とする．
（3） 梁においては，せん断力および曲げモーメントを維持できる限界の変形角を部材の安全限界状態の限界値とする．柱や耐震壁においては，せん断力および曲げモーメントならびに軸力を維持できる限界の変形角を部材の安全限界状態の限界値とする．

（1） 建物の供用期間に稀に発生する地震動に対して，建物が通常の使用状態でその機能や居住性が損なわれていない状態を維持するために部材に要求される耐震性能は，部材の耐損傷性である．また，耐用年限中に一度経験するかしないか程度の極めて稀に発生する地震などの水平荷重に対する適正な水平耐力および水平剛性を建物として維持し，かつ建物の崩壊および倒壊のおそれがないような状態を維持するために部材に要求される耐震性能は，部材の安全性である．部材についても，これらの耐震性能に対して，2つの限界状態（損傷限界状態，安全限界状態）を設定し，対応する工学量を定義して評価する．

5.3 節では，建物の構造性能を維持するために特に必要と考えられる各部材（柱，梁，耐震壁）について設計限界値を設定する方法について解説する．その他の部材（スラブ，非構造部材等）については，必要に応じて設計限界値を設定する．

（2） 損傷限界

5.1 節，5.2 節に記述したように，損傷限界状態とは，地震後に補修・補強などを行わなくても建物の機能が維持され継続使用が可能な状態の限界であり，鉄筋の降伏やコンクリートのひび割れ量（幅・長さ）などの部材の損傷に基づいて設定すべきものである．（財）日本建築防災協会「震災建築物の被災度区分判定基準」[5.3]（以下，被災度区分判定基準という）では，曲げ部材が降伏する前の弾性の状態を損傷度Ⅰ（補修が不要な損傷レベル）と定義しており，これに基づいて，性能評価指針においても，全ての部材が損傷度Ⅰに留まる状態を使用限界状態（本指針で用いる損傷限界状態とほぼ同じ状態）と設定している．同指針により，部材の残留ひび割れ幅（損傷度Ⅰは 0.2 mm 以下）や主筋降伏時の変形角を求めることができるので，これにより損傷限界の限界値（変形・応力）を設定してもよい．

わが国の耐震設計の実務で従来用いられている短期許容応力度は，鉄筋の降伏やコンクリートの過大なひび割れを防止することが主旨であるので，部材の応力度が短期許容応力度に達した時点を損傷限界の限界値（変形・応力）としてもよい．実務的には，短期許容応力度は，本会「鉄

筋コンクリート構造計算規準・同解説」[5.4]（以下，RC 規準という）により求めることができる．なお，柱，梁部材の許容せん断力および設計用せん断力の算定は，RC 規準の短期荷重時のせん断力に対する損傷制御のための検討，大地震動に対する安全性確保のための検討（水平荷重時せん断力の割増係数は 1.5 以上とする）のいずれによってもよい．

（3）安全限界

安全限界状態は，地震中に建物の倒壊・崩壊などで人命に危険を及ぼすことがなく，地震後にも建物が鉛直荷重の保持が可能な状態の限界であり，鉄筋の塑性変形・座屈・破断やコンクリートのひび割れ・圧壊などの部材の損傷に基づいて設定すべきものである．被災度区分判定基準では，部材の水平耐力・鉛直耐力がともに失われた状態を損傷度Ⅴと定義しており，性能評価指針では，部材が曲げ降伏後の終局変形，あるいはせん断終局に達した状態を損傷度Ⅳと損傷度Ⅴの境界値（限界値）と設定し，それらの計算方法を示している．本指針でも，6.2.2 項に曲げ降伏後の終局変形およびせん断終局強度の計算法を示しており，これらを用いて部材の安全限界の限界値とすることができる．

（4）柱梁接合部の性能

本指針では，柱梁接合部は，柱，梁，耐震壁の各部材のように，限界値と推定値を比較して性能を確認するのではなく，9.4.4 項により保証設計を行い，構造解析モデルで地震応答が正しく推定されるよう，柱梁接合部の崩壊モードを限定し，部分架構の崩壊形と剛性が確保できるよう設計する方針としている．この保証設計の内容は，柱梁接合部の性能が概ね次のとおりとなるよう定められている．

（a）損傷限界状態における柱梁接合部の性能

柱梁接合部は，梁と柱の主筋または柱梁接合部の横補強筋のひずみが柱梁接合部内で降伏ひずみに達しておらず，コンクリートの圧縮応力度が許容圧縮応力度に達しておらず，かつ柱梁接合部内での梁・柱主筋の平均付着応力度が柱梁接合部における付着強度に達してない．

（b）安全限界状態における柱梁接合部の性能

柱梁接合部は，柱梁接合部に接続する部材端から作用するモーメントおよびせん断力の伝達能力の低下が生じず，鉛直軸力の支持能力の低下が生じない性能を保持している．また，接合部パネルのコンクリートの著しい圧壊や剥落，柱梁接合部内での主筋の座屈や破断，接合部横補強筋の破断，柱梁接合部内に定着された主筋の定着力の低下，通し配筋された主筋の付着性状の劣化による主筋の抜け出しなどが生じない．

この安全限界状態の柱梁接合部の性能は，実験における柱梁接合部の変形角が 1/200 程度より小さいことを目安として定めたものである．解説図 5.3.1 に柱梁接合部の変形角 1/200 時の柱梁接合部の損傷の程度を示す．

解説図 5.3.1 柱梁接合部の変形角 1/200 時の柱梁接合部の損傷例

ここでいう柱梁接合部の変形角とは，梁および柱端部の回転角も柱梁接合部の変形に含めたときに柱梁接合部の変形によって生じる層間変形角であり，解説図 5.3.2 に示す柱梁接合部の変形成分を用いて，次のように定義される量である．

$$R_J = \left(1 - \frac{D_c}{L}\right)\frac{{}_j\theta_b + {}_j\theta'_b}{2} + \left(1 - \frac{D_b}{H}\right)\frac{{}_j\theta_c + {}_j\theta'_c}{2} + \left(1 - \frac{D_c}{L} - \frac{D_b}{H}\right){}_j\gamma \quad (\text{解 5.3.1})$$

ここで，

$\quad {}_j\gamma$：柱梁接合部のせん断変形角で，左右の梁の軸心を結ぶ線と上下の柱の軸心を結
  ぶ線のなす角の変化量
$\quad {}_j\theta_b, {}_j\theta'_b$：左右の梁端の上下の柱の軸心を結ぶ線に対する回転角
$\quad {}_j\theta_c, {}_j\theta'_c$：上下の柱端の左右の梁の軸心を結ぶ線に対する回転角
$\quad D_c$：柱せい
$\quad D_b$：梁せい
$\quad L$：梁のスパン長さ
$\quad H$：柱のスパン長さ

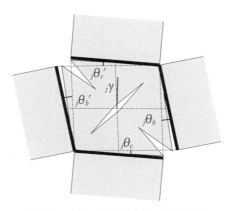

解説図 5.3.2 柱梁接合部の変形成分

参 考 文 献

5.1)　平成 12 年建設省告示第 1457 号第 6
5.2)　日本建築学会：鉄筋コンクリート造建物の耐震性能評価指針（案）・同解説，2004
5.3)　日本建築防災協会：震災建築物の被災度区分判定基準および復旧技術指針，2001
5.4)　日本建築学会：鉄筋コンクリート構造計算規準・同解説，2018

6章　構造解析

6.1　基本事項

（1）　構造解析は，静的非線形荷重増分解析による．
（2）　建物をモデル化する場合は，立体的な効果，転倒モーメント，P-Δ 効果なども正確に考慮するものとし，任意に分布する鉛直荷重および水平方向に作用する任意の荷重・外力の効果を考慮できる立体架構モデルとすることを原則とする．
（3）　原則として，上部構造と基礎構造を分離してモデル化する．上部構造の支持点のモデル化は，柱および耐震壁下の基礎構造ならびに地盤の支持条件を正確に考慮できるように行う．また，静的非線形荷重増分解析においては，フーチング，パイルキャップ，基礎梁，基礎埋込み部および杭の水平支持条件も考慮する．ただし，基礎構造と上部構造を一体として考慮する場合は，この限りではない．

（1）　建物の非線形挙動は，適切に設定した外力分布を用いた静的非線形荷重増分解析により評価することとする．

（2）　立体的な効果や任意方向の荷重の効果を考慮しなければならない場合には，①偏心によってねじれ変形が生じる場合，②吹抜けがあったり建物が細長いために床スラブの剛性が十分でなく剛床仮定が成り立たない場合，③柱の軸方向変形による直交梁・直交壁の応力が無視できない場合，④斜め外力による解析を行う場合などがある．

（3）　基礎梁を含む上部構造の地下部分が充分に剛強で上部構造の地上部分に発生する水平力や鉛直力を受け，これらをパイルキャップや杭に均等に分散させることができる場合には，上部構造の地上部分を上部構造の地下部分および基礎部材と分離して，それぞれの応力解析を行ってよい．この場合は，分離した構造どうしの境界条件，基礎構造と地盤の境界条件を考慮して，モデル化することを原則とする．

　　一方，基礎梁を含む上部構造の地下部分が，十分に剛強でない場合には，建物の非線形挙動は杭の地盤との相互作用，杭軸剛性，杭頭固定度，パイルキャップの剛性，基礎梁，基礎底盤，基礎スラブなどの剛性および上部構造の剛性を同時に考慮した一体解析により評価する．また，1階柱脚近辺や基礎構造の損傷度を把握したり，上部構造と基礎構造の境界条件を精度良く表すために，上部構造と基礎構造を一体として考慮できるようにモデル化してもよい．

6.2　構造解析モデル

6.2.1　架構のモデル化

（1）　建物は，原則として柱，梁，耐震壁および床などの部材から構成される立体架構モデルに置換する．ただし，立面的に整形でセットバックなどがなく，平面上どの階も整形で鉛直力抵抗要素や水平力抵抗要素が平面上も立面上も規則正しく配置されている場合や，立体的な効果や任意に分布する鉛直荷重および任意の水平方向に作用する荷重・外力の効果を適切に考慮できる場合に

> は，1組以上の直交する主軸方向に分けて平面架構を連成したモデルとして単純化してもよい．
> （2） 各階の床は，一般には面内に並進変形および回転変形が可能な剛床と仮定してよい．ただし，吹抜けなどにより剛床仮定が成立しない場合は，その影響を適切に考慮する．
> （3） 上記2項において剛床仮定が成立する場合，増分解析に用いる水平力は，床面高さにおける各階の重心位置または節点の位置に集中して作用するものとしてよい．
> （4） 架構モデルにおける基礎の支持条件は，基礎構造や地盤の変形を適切に考慮できるようにモデル化する．ただし，基礎構造や地盤の変形を無視できる場合には，基礎梁の下部にピン支持を仮定してもよい．
> （5） $P-\Delta$ 効果の影響が大きい建物では，その影響を適切に考慮する．

本指針では，7章の建物の地震応答評価のため，建物の耐震性能を表す性能曲線を静的非線形荷重増分解析により評価する．建物の耐震性能を適切に評価するため，建物を構造部材あるいは非構造部材を含む架構に適切にモデル化する必要がある．以下では，本指針で推奨する架構のモデル化方法の要点についてまとめる〔解説図 6.2.1 参照〕．

（1） 架構のモデル化の原則

本指針では建物を立体架構モデルに置換することを原則とするが，建物が整形であり，建物の

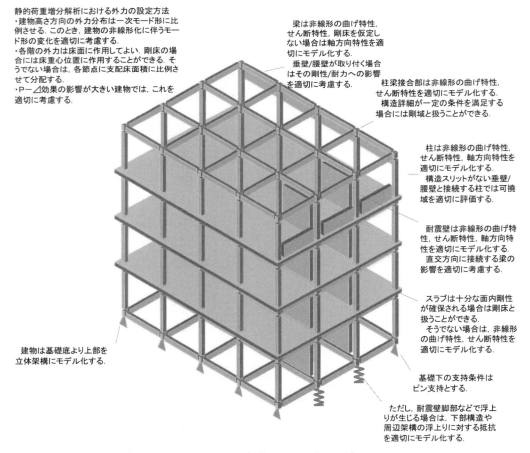

解説図 6.2.1 架構のモデル化の要点

直交する両主軸の平面架構間の相互作用が無視できる場合，または，直交架構の影響を適切に考慮して解析対象とする平面架構に反映できる場合には，平面架構を連成した二次元架構モデルにより両主軸方向を独立に評価してよいこととする．ただし，上記の場合にも9章の保証設計においては，建物の両主軸方向への地震入力の同時性（斜め方向への地震入力）を考慮して，両平面架構の部材応力を適切に合成する必要がある．

　適切な架構モデルの実現には，適切な部材のモデル化が不可欠である．柱，梁，耐震壁，柱梁接合部等について，曲げ，せん断，軸方向の特性を必要に応じて非線形領域まで含めてモデル化する必要がある．各部材の適切なモデル化方法については，6.2.2項以降に詳述する方法を用いることができる．

（2）　床のモデル化と作用地震力

　架構を構成する床面が十分に剛強であり，床面の面内変形が無視できる程度に小さい場合には，剛床を仮定してよい．この場合，建物に作用する地震力は床面高さにおける各階の重心に作用させてよい．ただし，7章に詳述するように，解析対象が偏心の大きい建物の場合，建物が地震動入力時にねじれ応答するため，ねじれ応答に伴って生じる慣性モーメントも適切に作用させる必要がある．

　一方，架構内の吹抜け等により床面の面内変形が無視できない場合には，同一床面内の節点であっても節点間の相対変形を評価しうる自由度を設けるとともに，各層に地震力を作用させる際には，同一床面内の各節点に支配床面積に応じる地震外力を分散させて作用させる必要がある．

（3）　基礎のモデル化

　架構モデルにおける基礎の支持条件は，基礎構造や地盤の変形を適切に考慮できるようにモデル化する．特に連層耐震壁等の脚部の浮き上がりや地盤への沈み込みが無視できない場合は，当該耐震壁の脚部に浮き上がり挙動を適切に表現しうる鉛直方向のばねを設けることとする．しかしながら，こうした耐震壁脚部のばねの特性は未解明な点が多く，過剰に低剛性のばねを設けると耐震壁の損傷を過小評価することが懸念される．したがって，ばねの剛性の評価にあたっては，既往の実験結果や研究論文等を参照し，その背景を明らかにするとともに，モデル化および解析の位置付け（すなわち，当該解析が架構の耐震性能評価（性能曲線の評価）あるいは保証設計のいずれの目的であるかの位置付け）に応じて建物の設計としてより安全側となるように，モデルを使い分けるなどの配慮が必要である．

　軟弱な地盤上の建物にあたっては，その耐震性能，地震応答の各評価過程において，建物—基礎—地盤の相互作用を適切に考慮することが求められる．こうした連成系の相互作用についても未解明な点が少なくないが，本評価法では，7章の方法により相互作用を評価してよいこととしている．

　一方，硬質な地盤上の建物にあって基礎構造の変形を無視できる場合には，架構の支持条件として基礎梁底部にピン支持を仮定してよい．また，軟弱な地盤上の建物についても，上記のように連成系の相互作用には課題が少なくないため，現状では基礎構造が剛強である場合に基礎梁底部をピン支持と仮定してよいこととした．しかし，本来は建物—基礎—地盤を一体的にモデル化

—54— 鉄筋コンクリート造建物の等価線形化法に基づく耐震性能評価型設計指針　解説

して，応答および性能をより正確に評価することが期待されるため，将来的に相互作用に関する現象の解明や設計法への導入方法の提案が望まれる．

（4）　P-Δ 効果

本指針では，建物の地震応答を層間変形角で 1/75 rad，保証設計においても安全率 1.5 を考慮した 1/50 rad の範囲に制限することとした．しかし，特に，塔状比が大きい建物や，長期軸力が大きい部材を含む建物等，P-Δ 効果の影響が大きいと判断される建物においては，P-Δ 効果を適切に考慮して架構をモデル化する必要がある．

6.2.2　部材のモデル化

6.2.2.1　梁　部　材

a）　部材のモデル化

梁部材のモデル化は，曲げ降伏ヒンジの変形を想定した剛塑性ばねを部材両端に設けた材端ばねモデルを主に想定し，曲げひび割れ点および曲げ降伏点で剛性が急変する 3 折れ線で表現したトリリニアモデルによって行う．せん断破壊を生じる部材では，せん断ひび割れ点およびせん断破壊点で剛性が急変する 3 折れ線で表現したせん断ばねを挿入して，せん断変形成分の増加を表すことができる解析モデルとする．また，別途構造実験および構造解析に基づく研究によって，例えば，ファイバーモデルやマルチスプリングモデルを用いて，梁部材の非線形性を考慮したモデル化を行うことも可能である．ただし，この場合は，塑性ヒンジ長さを適切に設定する等して，これらのモデルで計算される復元力特性が，本項で示す各特性点を用いたトリリニアモデルと大きく異ならないことを確認する必要がある．

b）　弾性剛性

弾性剛性を求めるための梁部材の断面積および断面二次モーメントは，ひび割れを考慮しない全断面から求める．床スラブ付き梁は，スラブの有効な協力幅を評価した T 形断面として計算する．また，鉄筋の影響を無視できない場合には，適切に考慮する．

c）　曲げに関する復元力特性

ひび割れ曲げモーメント M_{cr}，降伏点剛性低下率 α_y，終局曲げモーメント M_u などの特性値は，材料の特性や配筋等を考慮して，平均的に評価する式により求める．

d）　せん断に関する復元力特性

せん断ひび割れ強度 Q_{cr} は，材料の特性を考慮して，平均的に評価する式により求める．せん断終局強度 Q_{su} は，材料の特性や配筋等を考慮し，下限を適切に評価する式により求める．

e）　曲げ降伏後の終局変形

曲げ降伏後の終局変形角 R_u は，曲げ降伏後の塑性変形に伴うせん断終局強度の低下および主筋の付着割裂破壊の影響を考慮して，変形の下限を適切に評価する式により求める．

f）　せん断終局変形

せん断終局変形は，部材のせん断力がせん断終局強度に達したときの変形として，部材の材料特性や配筋等を適切に勘案して，変形の下限を適切に評価する式により求める．

g）　等価粘性減衰定数

等価粘性減衰定数は，部材が吸収できるエネルギー量を評価するために，柱梁接合部内における主筋の付着性状や，梁断面の上端筋と下端筋の配筋量の違いなどの影響を勘案して，変形性能（具体的には塑性率）に応じて適切に算定する．

a）　梁部材の構造特性のモデル化

梁の剛性および強度は，曲げひび割れ，引張鉄筋降伏などによる非線形性を適切に考慮して算出しうる方法により算定する．使用する材料の適用範囲は 3 章に従う．

6章 構造解析 — 55 —

　近年は，コンピュータ上の解析プログラムを用いた構造解析を行い，保有水平耐力を求めることが一般的となってきた．梁部材は，曲げ塑性ヒンジの変形を表す剛塑性曲げばねを部材両端に設けた材端ばねモデル〔解説図6.2.2.1.1〕でモデル化することがよく行われる．また，せん断破壊を生じる部材では，図中に示すようなせん断ばねを挿入してせん断変形成分の増加を表すことができる解析モデルとする．このような解析では，鉄筋コンクリート（以下，RCという）部材の非線形性を適切に考慮した復元力特性を設定することが必要である．曲げ挙動が卓越する梁部材の荷重と変形の関係（復元力特性）は，解説図6.2.2.1.2（a）に示すように，曲げひび割れ，曲げ降伏により剛性が低下し曲げ終局状態に至り，最終的に強度が低下する．解析プログラムを用いる骨組解析では，曲げばねの復元力特性を，ひび割れ点，降伏点，終局点および終局後の強度低下を表す4折れ線にモデル化することもよく行われる．4折れ線モデルは部材の曲げ挙動に対してより忠実であるが，解析プログラムによる保有水平耐力計算で一般的に用いられる静的非線形荷重増分解析では，部材の強度低下を考慮することが難しいことなどから，解説図6.2.2.1.2（b）に示すような3折れ線モデルを用いることも多い．復元力特性を3折れ線でモデル化する保有水平耐力計算の実務では，終局曲げモーメントM_uを便宜的に降伏点（第2折れ点）の耐力とし，降伏後の剛性を限りなく小さい値として静的非線形荷重増分解析を行う手法がよく用いられている．

　せん断挙動が卓越する梁部材の荷重と変形の関係（復元力特性）は，解説図6.2.2.1.3（a）に示すように，せん断ひび割れの発生した後に剛性が低下し，せん断終局強度に達してせん断破壊し強度低下する．解析プログラムを用いる骨組解析では，せん断ばねの復元力特性は，解説図6.2.2.1.3（b）に示すようなひび割れ点，終局点を結び，剛性低下を考慮する3折れ線でモデル化されるが，せん断終局点以降の強度の低下に対応していない解析プログラムの場合は，せん断終局点までの2折れ線モデルとし，せん断終局点以降はせん断力の負担を考えないなど，安全側の配慮を行う．スパン長L/梁せいDの小さい短スパン梁やせん断破壊先行型の梁部材では，梁の変形に占めるせん断変形成分が大きくなるために，せん断ばねの特性を適切に設定して，これらの影響を考慮することが重要である．一般にL/Dが十分に大きく，曲げ降伏先行型に設計された梁部材であれば，せん断変形の影響はあまり大きくない．この場合にはせん断変形を無視する，あるいはせん断剛性を弾性と評価しても静的非線形荷重増分解析の結果に大きな影響を及ぼさないと考えられる．

　解説図6.2.2.1.2および解説図6.2.2.1.3に示した梁部材の復元力特性は，弾性剛性，曲げ（せん断）ひび割れ点，曲げ降伏点（せん断破壊点）により形状が定まることになるので，これらの剛性や強度を精度良く算定することが必要となる．なお，解説図6.2.2.1.2（b）の曲げばねの第2折れ点（曲げ降伏点）の変形を求めるための降伏点剛性低下率α_yは，本来，曲げ降伏モーメントM_yに対応する変形を求めるものであるが，実務の構造設計では，曲げ終局モーメントM_uに適用して降伏点変形R_yを評価することが慣例的に行われている．

— 56 —　鉄筋コンクリート造建物の等価線形化法に基づく耐震性能評価型設計指針　解説

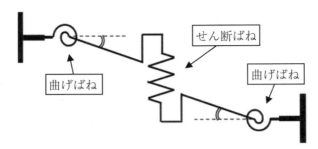

解説図 6.2.2.1.1　材端ばねモデル[6.2.2.1.1)]

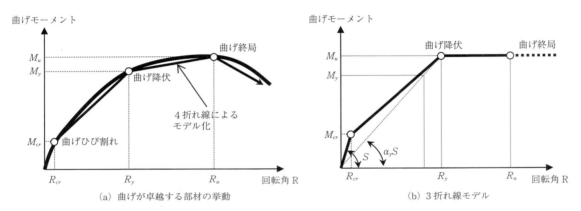

解説図 6.2.2.1.2　RC造梁の曲げばねの復元力のモデル化[6.2.2.1.1)]

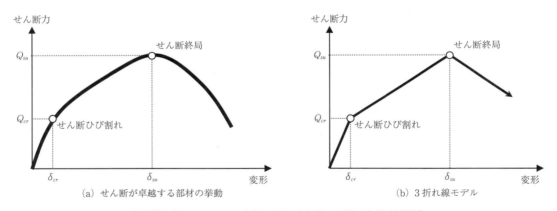

解説図 6.2.2.1.3　RC造梁のせん断ばねの復元力特性[6.2.2.1.1)]

　材端ばねモデル以外に解析に用いる部材モデルとして，材端のヒンジ領域をファイバーモデルやマルチスプリングモデルとして非線形変形を集中させ，実験結果に適合させるモデルがある．これらのモデルに関しては，6.2.2.2「柱部材」の解説で説明しているので参照されたい．なお，これらのモデルを採用するにあたっては，本項で示す各特性点を用いたトリリニアモデルと大きく異ならないことを確認する必要がある．

一般に RC 造建物では，床スラブが十分な面内剛性を有するため，梁の軸方向変形や軸力は無視して構造設計を行う（剛床仮定）．しかしながら，床スラブの面内剛性が十分でない場合や吹抜けがある場合など，剛床仮定が成立しない場合には，梁に生じる軸力を適切に考慮して設計を行うことが必要である．

　ｂ）　弾性剛性

弾性剛性を求めるための梁部材の断面積および断面二次モーメントは，ひび割れを考慮しない全断面から求める．床スラブ付き梁は，スラブの有効な協力幅を評価した T 形断面として計算する．また，鉄筋の影響を無視できない場合には適切に考慮する．

　ｃ）　曲げに関する復元力特性

以下の各強度など特性値は，本会「鉄筋コンクリート構造保有水平耐力計算規準・同解説」[6.2.2.1.1)]（以下，保有耐力規準という）により求めることができる．

（１）　ひび割れ曲げモーメント

ひび割れ曲げモーメント M_{cr} は，（解 6.2.2.1.1）式によることができる．

$$M_{cr}=0.56\sqrt{F_c}Z_e \qquad\qquad\qquad\text{（解 6.2.2.1.1）}$$

記号　F_c：コンクリートの設計基準強度（N/mm²）

　　　　Z_e：主筋を考慮した断面係数（mm³）

（２）　終局曲げモーメント

終局曲げモーメント M_u は，（解 6.2.2.1.2）式によることができる．

$$M_u=0.9a_t\sigma_y d \qquad\qquad\qquad\text{（解 6.2.2.1.2）}$$

記号　a_t：引張鉄筋の断面積（mm²）

　　　　σ_y：引張鉄筋の材料強度（N/mm²）

　　　　d：梁の有効せい（mm）

（３）　降伏点剛性

降伏点剛性低下率 α_y は，（解 6.2.2.1.3）式または（解 6.2.2.1.4）式によることができる．

$$\alpha_y=(0.043+1.64np_t+0.043a/D+0.33\eta_0)\left(\frac{d}{D}\right)^2 \quad :a/D\geqq2.0 \qquad\text{（解 6.2.2.1.3）}$$

$$\alpha_y=(-0.0836+0.159a/D+0.169\eta_0)\left(\frac{d}{D}\right)^2 \quad :a/D<2.0 \qquad\text{（解 6.2.2.1.4）}$$

記号　n：鉄筋とコンクリートのヤング係数比

　　　　p_t：引張鉄筋比（$=a_t/bD$）

　　　　a_t：引張鉄筋断面積（mm²）

　　a/D：せん断スパン比

　　　　a：せん断スパン（mm）

　　　　η_0：軸力比（梁の場合は 0 とする）

　　　　b：梁幅（mm）

　　　　D：梁せい（mm）

d：梁の有効せい（mm）

　なお，本会「鉄筋コンクリート造建物の耐震性能評価指針（案）・同解説」[6.2.2.1.2)]（以下，性能評価指針という）の方法により，曲げ変形成分，せん断変形成分および主筋の抜け出し変形成分の和として，降伏点変形を直接算定してもよい．

　d）　せん断に関する復元力特性

　以下の各強度など特性値は，本会「鉄筋コンクリート造建物の靱性保証型耐震設計指針・同解説」[6.2.2.1.3)]（以下，靱性保証指針という）により求めることができる．靱性保証指針でのせん断終局強度の評価手法は，塑性ヒンジの生じない部材のせん断終局強度だけでなく，曲げ降伏が生じた後の塑性ヒンジの回転角の増大に伴うせん断終局強度の低下を定量的に評価できるという特徴を有する．

（1）　せん断ひび割れ強度

　せん断ひび割れ強度 Q_{cr} は，（解 6.2.2.1.5）式によることができる．

$$Q_{cr}=\phi\sqrt{\sigma_T{}^2+\sigma_T\sigma_0}\cdot b\cdot D\cdot\frac{1}{\kappa}\qquad\qquad（解 6.2.2.1.5）$$

記号　ϕ：耐力係数．$\phi=1.0$ とした時の実験値と計算値の比の平均値は 1.09，変動係数は 35.4％となり，計算値は実験値に対して若干小さめの評価となる．せん断ひび割れの発生をどの程度の確率で防止するかの度合いに応じて適切な値を与える．例えば，実験結果が対数正規分布に従うものと仮定し，実際のせん断ひび割れ強度が計算値を上回る超過確率を 95 ％ とする場合，下側累積確率が 5 ％ となる時の確率変数を耐力係数として用いると，$\phi=0.58$ となる．

　　　σ_T：コンクリートの引張強度（N/mm²）（$=0.33\sqrt{\sigma_B}$（N/mm²））

　　　σ_0：軸応力度（$=N/bD$）（N/mm²）（梁の場合は 0 とする）

　　　b：断面の幅（mm）

　　　D：断面のせい（mm）

　　　σ_B：コンクリートの圧縮強度（N/mm²）

　　　κ：断面形状係数．矩形断面の場合は 1.5 とする．

（2）　せん断終局強度

　せん断終局強度 V_u は，（解 6.2.2.1.6）式によることができる．

$$V_u=\min(V_{u1}, V_{u2}, V_{u3})\qquad\qquad（解 6.2.2.1.6）$$

$$V_{u1}=\mu p_{we}\sigma_{wy}b_ej_e+\left(\nu\sigma_B-\frac{5p_{we}\sigma_{wy}}{\lambda}\right)\frac{bD}{2}\tan\theta$$

$$V_{u2}=\frac{\lambda\nu\sigma_B+p_{we}\sigma_{wy}}{3}b_ej_e$$

$$V_{u3}=\frac{\lambda\nu\sigma_B}{2}b_ej_e$$

記号　μ：トラス機構の角度を表す係数（$=2-20R_p$）

　　　R_p：終局限界状態でのヒンジ領域の回転角（rad）

p_{we}：有効横補強筋比

σ_{wy}：横補強筋の信頼強度（N/mm²）

b_e：トラス機構に関与する断面の有効幅（mm）

j_e：トラス機構に関与する断面の有効せい（mm）

ν：コンクリート圧縮強度の有効係数（$=(1-20R_p)\nu_0$）

ν_0：降伏ヒンジを計画しない時のコンクリート圧縮強度の有効係数（$=0.7-\sigma_B/200$）

σ_B：コンクリートの圧縮強度（N/mm²）

λ：トラス機構の有効係数

b：断面の幅（mm）

D：断面のせい（mm）

θ：アーチ機構の圧縮束の角度

e）曲げ降伏後の終局変形

梁部材における曲げ降伏後の終局変形角 R_u は，解説図 6.2.2.1.4 に示すように，曲げ降伏後のせん断破壊，付着破壊および曲げ破壊によって定まる限界変形角に相当する変形を，曲げ降伏後の終局変形として定義して算定を行う．（解 6.2.2.1.7）式には，コンクリートの曲げ圧壊で決定される曲げ破壊時の終局変形は定義されていないが，引張鉄筋比が大きい場合や圧縮鉄筋が少ない場合など，曲げ圧縮域のコンクリートの負担が大きい場合には，別途評価が必要である．

曲げ降伏後の終局変形角：R_u

$$R_u = \min(R_{su}, R_{bu}) \qquad \text{(解 6.2.2.1.7)}$$

R_{su}：曲げ降伏後のせん断破壊による限界変形角

R_{bu}：曲げ降伏後の付着破壊による限界変形角

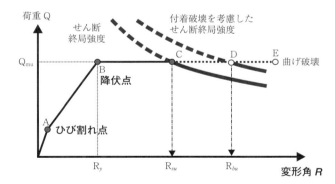

解説図 6.2.2.1.4　曲げ降伏後のせん断破壊，曲げ降伏後の付着破壊および曲げ破壊による限界変形角

（1）曲げ降伏後のせん断破壊による限界変形角

曲げ降伏後にコンクリートの塑性化とともに当該部材に作用するせん断力までせん断終局強度が低下した時に発生する曲げ降伏後のせん断破壊時の変形角 R_{su} は，原則として，靱性保証指針のせん断終局強度式（解 6.2.2.1.6）を用いて求めた（解 6.2.2.1.8）式によることができる．

（解 6.2.2.1.6）式では，トラス機構の角度を表す低減係数 μ とコンクリートの有効圧縮強度係数 ν を塑性ヒンジの回転角 R_p に応じて定めている．

$$R_{su} = R_y + R_{sp} \qquad\qquad (\text{解 } 6.2.2.1.8)$$

記号　R_y：引張鉄筋降伏時の変形角

　　　R_{sp}：（解 6.2.2.1.6）式のせん断終局強度 V_u が，曲げ降伏後に当該部材に作用するせん断力まで低下する時のヒンジ領域の塑性回転角

（2）　曲げ降伏後の付着破壊による限界変形角

　曲げ降伏後の付着破壊発生時の限界変形角 R_{bu} は，塑性変形（塑性ヒンジ領域の回転角）に伴う強度低下を考慮した，靱性保証指針のせん断終局強度式（解 6.2.2.1.10）を用いて求めた（解 6.2.2.1.9）式によることができる．（解 6.2.2.1.10）式では，コンクリートの有効圧縮強度係数 ν と部材単位長さあたりに負担できる付着力 T_x を塑性ヒンジの回転角 R_p に応じて定めている．ただし，靱性保証指針による（解 6.2.2.1.11）式の主筋の付着信頼強度 τ_{bu} が設計用付着応力度 τ_f を上回ることが確認できた場合には，R_{bu} の算定は省略してよい．

$$R_{bu} = R_y + R_{bp} \qquad\qquad (\text{解 } 6.2.2.1.9)$$

記号　R_{bp}：（解 6.2.2.1.10）式の付着破壊の影響を考慮したせん断終局強度 V_{bu} が曲げ降伏後に当該部材に作用するせん断力まで低下する時のヒンジ領域の塑性回転角（rad）

$$V_{bu} = \min(V_{bu1}, V_{bu2}) \qquad\qquad (\text{解 } 6.2.2.1.10)$$

$$V_{bu1} = T_x j_e + \left\{ \nu \sigma_B - \frac{2.5 T_x}{\lambda b_e} \right\} \frac{bD}{2} \tan \theta$$

$$V_{bu2} = \frac{\lambda \nu \sigma_B}{2} b_e j_e$$

記号　T_x：部材単位長さあたりに負担できる付着力

　　　　　$(= (1-10R_p)(\tau_{bu} \sum \psi_1 + \tau_{bu2} \sum \psi_2))$ （N/mm）

　　　j_e：トラス機構に関与する断面の有効せい（mm）

　　　ν：コンクリート圧縮強度の有効係数 $(= (1-20R_p)\nu_0)$

　　　σ_B：コンクリートの圧縮強度（N/mm²）

　　　λ：トラス機構の有効係数

　　　R_p：終局限界状態でのヒンジ領域の回転角（rad）

　　　ν_0：降伏ヒンジを計画しない時のコンクリート圧縮強度の有効係数 $(= 0.7 - \sigma_B/200)$

　　　b_e：トラス機構に関与する断面の有効幅（mm）

　　　b：断面の幅（mm）

　　　D：断面のせい（mm）

　　　θ：アーチ機構の圧縮束の角度

$\sum \psi_1, \sum \psi_2$：一段目，二段目主筋の周長の合計

　　τ_{bu}, τ_{bu2}：一段目，二段目主筋の付着信頼強度

$$\tau_{bu} = \alpha_t((0.085 b_i + 0.10)\sqrt{\sigma_B} + k_{st}) \text{（一段目主筋の場合）} \qquad (\text{解 } 6.2.2.1.11)$$

$$\tau_{bu2} = \alpha_2 \cdot \alpha_t \{(0.085b_{si2} + 0.10)\sqrt{\sigma_B} + k_{st2}\} \quad (\text{二段目主筋の場合})$$

記号　α_t：上端筋に対する付着強度低減係数

　　　α_{t2}：二段目主筋に対する付着強度係数

　b_i, b_{si2}：割裂線長さ比

　　　σ_B：コンクリートの圧縮強度（N/mm^2）

k_{st}, k_{st2}：補強筋の効果

（3）　曲げ降伏後のせん断破壊および付着破壊による限界変形角の評価精度

　解説図 6.2.2.1.5 に，梁試験体の限界変形角の実験値と（解 6.2.2.1.7）式で求めた限界変形角の計算値の関係を示す．検討には文献 6.2.2.1.1）で実験データを収集した 107 体の梁部材実験の結果（詳細は文献 6.2.2.1.4）を参照）が用いられており，解説表 6.2.2.1.1 に示すように高強度材料を用いた試験体も含まれている．全ての試験体で曲げ降伏が確認されており，各試験体の曲げ降伏後の破壊形式は，曲げ破壊（28 体），せん断破壊（61 体）および付着割裂破壊（18 体）の 3 種類である．なお，曲げ降伏後にせん断破壊した試験体のうち，せん断補強筋が引張降伏したことが確認できたせん断引張破壊の試験体，あるいはせん断斜張力破壊の試験体（14 体）は区別して示した．限界変形角の実験値は，最大せん断力後に荷重変形関係の包絡線の荷重が最大せん断力の 80 ％に低下したときの部材角とした．解説図 6.2.2.1.4 を用いた限界変形角の計算において，降伏点荷重 Q_{mu} の算出には，（解 6.2.2.1.2）式の終局曲げモーメント式を用い，降伏時変形角 R_y は（解 6.2.2.1.3）式および（解 6.2.2.1.4）式を用いて算定した．また，コンクリートの圧縮強度が 60 N/mm^2 を超える試験体が含まれているため，（解 6.2.2.1.6）式および（解 6.2.2.1.10）式における降伏ヒンジを計画しない時のコンクリートの有効強度係数 ν_0 には，（解 6.2.2.1.12）式に示す CEB 式を用いた [6.2.2.1.3]．

$$\nu_0 = 1.7\sigma_B^{-0.333} \tag{解 6.2.2.1.12}$$

記号　ν_0：コンクリートの有効強度係数

　　　σ_B：コンクリートの圧縮強度（N/mm^2）

　107 体の試験体のうち，99 体において限界変形角の実験値が計算値を上回っており，全体の 93 ％の試験体で評価が安全側となっていることがわかる．したがって，本手法によって求められる限界変形角は，実験の限界変形角の下限とおおよそ対応している．限界変形角の実験値が計算値を下回った試験体のうち，実験値と計算値の乖離が大きい 4 体（図中の p_w の値を記載した試験体）に着目すると，せん断補強筋比 p_w が本会「鉄筋コンクリート構造計算規準・同解説」[6.2.2.1.5]（以下，RC 規準という）で最小鉄筋量として規定されている 0.2 ％前後となる試験体が 3 体含まれていた．これらの試験体では，せん断補強筋量の不足により，曲げ圧縮域のコンクリートが十分に拘束されなかったこと，せん断ひび割れの進展を十分に抑制できなかったことで，早期に強度低下を起こしたものと考えられる．

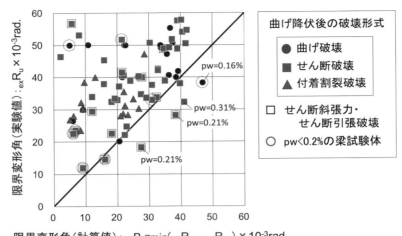

解説図 6.2.2.1.5　限界変形角（実験値）—限界変形角（計算値）関係[6.2.2.1.1]

解説表 6.2.2.1.1　107 体の実験試験体の諸元

コンクリート：$F_c21〜F_c60$	圧縮強度：$18.7〜75.8$ N/mm^2
引張鉄筋：SD295-SD490	降伏強度：$261〜571$ N/mm^2
せん断補強筋：SD295-785 級	降伏強度：$297〜1\,003$ N/mm^2

　また，解説図 6.2.2.1.6 に，解説表 6.2.2.1.1 に示した曲げ降伏が確認された 107 体の梁試験体の実験結果を用いて求めた限界変形角の実験値と（解 6.2.2.1.11）式で求めた付着余裕度の関係を示す．主筋の設計用付着応力度 τ_f は（解 6.2.2.1.13）式を用いて，一段筋の場合は $\Delta\sigma$ を主筋の降伏強度の 2 倍，二段筋の場合は $\Delta\sigma$ を主筋強度の 1.5 倍とした．また，ここでは，一段筋と二段筋の付着余裕度の小さい方を τ_{bu}/τ_f とした．同図より，付着余裕度を 1.0 以上確保することで，曲げ降伏後の付着割裂破壊が概ね防止できることが確認できる．

$$\tau_f = \frac{d_b \Delta\sigma}{4(L-d)} \tag{解 6.2.2.1.13}$$

記号　d_b：主筋径（mm）
　　　$\Delta\sigma$：終局限界状態における部材両端部の主筋の応力度の差（N/mm^2）
　　　L：部材の内法長さ（mm）
　　　d：部材の有効せい（mm）

（4）　圧縮束モデルによる曲げ降伏後のせん断破壊時の限界変形角

　近年の代表的な研究成果として，曲げ降伏後のせん断破壊時を想定した限界変形角の評価式を以下に示す．中村，勅使川原は，曲げ降伏後に部材端部でせん断（圧縮）破壊を起こす梁部材を対象に，せん断応力度比や補強筋によるコアコンクリートの拘束効果等に着目した簡易的な限界変形角の評価式として，（解 6.2.2.1.14）式を提案している[6.2.2.1.6]．解説図 6.2.2.1.7 に，曲

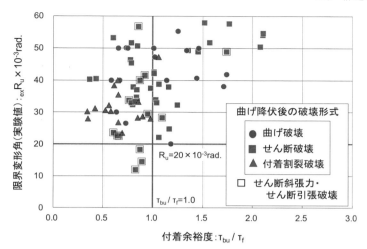

解説図 6.2.2.1.6 限界変形角（実験値）―付着余裕度関係

げ降伏が確認された107体の梁試験体の実験結果を用いて求めた限界変形角の実験値と（解6.2.2.1.14）式による限界変形角の計算値の比較を示す．

$$R_u = \frac{\alpha \cdot \beta \cdot \gamma \cdot \varepsilon_u \cdot \sin 2\theta}{2(\tau_u/(K\sigma_B))} \tag{解 6.2.2.1.14}$$

記号　α：コアコンクリートの面積と全断面積の比（$=b_e d_e/(bD)$）
　　　β：部材の短辺長さと部材せいの比（$=b_{\min}/d_e$）
　　　γ：ヒンジ領域の部材短辺長さに対する係数
　　　ε_u：孫，崎野の提案する拘束コンクリートの応力ひずみ関係式[6.2.2.1.7]で求められる終局時ひずみ ε_p をストラット角度に応じて低減したもの
　　　θ：圧縮束の角度
　　　τ_u：最大耐力時の平均せん断応力度
　　　K：孫，崎野の提案する拘束コンクリートの応力ひずみ関係式[6.2.2.1.7]で求められる拘束効果による強度上昇係数
　　　σ_B：コンクリート圧縮強度

限界変形角の計算値が $_{cal}R_{su}=10\times10^{-3}$ から 20×10^{-3}（rad）に多くのデータが分布する傾向が見られるが，ほとんどの試験体で実験値が計算値を上回っており，（解6.2.2.1.14）式により，梁部材の限界変形角の下限を適切に評価できることがわかる．なお，圧縮束モデルの対象外となる付着割裂で破壊した試験体やせん断補強筋比 p_w がRC規準で最小鉄筋量として規定されている0.2％未満で，せん断斜張力やせん断引張で破壊した試験体の一部，また，大変形時における繰返し載荷の回数が多い試験体では，実験値が計算値を下回っている．

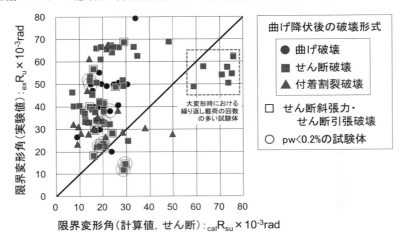

解説図 6.2.2.1.7 圧縮束モデルを用いた場合の限界変形角（実験値）—限界変形角（計算値）関係

（5） せん断補強指標に基づく曲げ降伏後の終局変形の評価

　保有耐力規準では，（解 6.2.2.1.15）式に示すせん断補強指標により，FA 部材相当の変形性能として終局変形角が 25×10^{-3} rad 以上となるためのせん断補強筋量を定めている．なお，内法長さ比 l_0/D が 2.0 以上の場合に限っている．

　せん断補強指標：

$$p_w \sigma_{we}/(\nu_0 F_c) \geq 0.10 \qquad (解 6.2.2.1.15)$$

記号　p_w：梁のせん断補強筋比（$=a_w/(bs)$）

　　　a_w：一組のせん断補強筋の断面積の和（mm²）

　　　b：梁幅（mm）

　　　s：一組のせん断補強筋の配筋間隔（mm）

　　　σ_{we}：せん断補強筋の有効強度（N/mm²）で，信頼強度とする．
　　　　　　ただし，$\sigma_{we} \leq 85\sqrt{F_c}$ を満足するものとする．

　　　ν_0：コンクリートの有効強度係数（$=1.7F_c^{-0.333}$）

　　　F_c：コンクリートの設計基準強度（N/mm²）

　　　l_0：梁の内法長さ（mm）

　　　D：梁せい（mm）

f） せん断終局変形

　せん断破壊が先行する鉄筋コンクリート梁部材のせん断終局変形について，多数の実験結果を用いて統計的に検討した研究は，これまでほとんど行われていない．そのため，RC 梁部材のせん断終局変形を精度良く定量評価するには至っていないが，ここでは，せん断終局強度時の部材角をせん断補強量 $p_w \sigma_{wy}$ の関数として近似的に定めた研究[6.2.2.1.8)]を紹介する．

　過去約 20 年の既往の文献から，せん断破壊が先行した RC 梁試験体を取り出し，そこからせん断引張破壊すると考えられる（靱性保証指針の $p_{we}\sigma_{wy}/(\lambda\nu_0\sigma_B)$ が 0.5 未満となる）試験体 178 体を対象として，せん断補強量 $p_w \sigma_{wy}$ とせん断終局強度時部材角の実験値との関係を解説図

6.2.2.1.8 に示す.一点鎖線は「既存鉄筋コンクリート造建築物の耐震診断基準・同解説」[6.2.2.1.9)]（以下，耐震診断基準という）において，RC 梁のせん断破壊が先行するときの変形性能である靱性指標 $F=1.5$ に対応する層間変形角 1/125 であるが，梁の変形角は柱梁骨組の層間変形角と同程度であると考えてよいため，参考として示す.

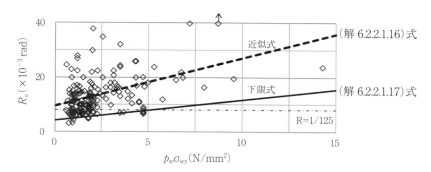

解説図 6.2.2.1.8 せん断補強量 $p_w\sigma_{wy}$ とせん断終局強度時部材角（実験値）との関係[6.2.2.1.8)]

せん断補強量 $p_w\sigma_{wy}$ とせん断終局強度時部材角の実験値との相関係数は 0.44 とばらつきは大きいが，せん断補強量 $p_w\sigma_{wy}$ の増加とともにせん断終局強度時部材角も増大する傾向が見られた．そこで，最小二乗法によってせん断終局強度時部材角 R_{su} の近似式を求めると，以下となる．

$$R_{su}=(1.76 p_w\sigma_{wy}+9.36)\times 10^{-3} \qquad (\text{解 } 6.2.2.1.16)$$

終局強度時部材角の分布は正規分布とみなせなかったので，実際の度数分布より不合格率が 5% となる低減係数を求めると 0.43 となった．これにより低減係数 0.43 を乗じて下限式を設定すると，以下となる．

$$R_{su}=(0.76 p_w\sigma_{wy}+4.02)\times 10^{-3} \qquad (\text{解 } 6.2.2.1.17)$$

ただし，両式ともに $14.3\,(\text{N/mm}^2) \geq p_w\sigma_{wy} \geq 0.6\,(\text{N/mm}^2)$，$p_w \geq 0.002$ の範囲に限る．また，文献 6.2.2.1.8) で収集した試験体の諸特性の範囲は，以下のとおりである．

- コンクリート圧縮強度：$4.5 \sim 167\,\text{N/mm}^2$（平均：$40.5\,\text{N/mm}^2$）
- せん断スパン比　　　：$0.29 \sim 3.33$（平均：1.62）
- せん断補強筋降伏強度：$176 \sim 1727\,\text{N/mm}^2$（平均：$520\,\text{N/mm}^2$）
- せん断補強筋比 p_w　：$0.20 \sim 1.71\%$（平均：0.52%）
- 主筋比 p_t　　　　　：$0.59 \sim 6.20\%$（平均：2.10%）

耐震診断基準において，梁のせん断破壊が先行するときの終局層間変形角である 1/125（梁部材角と同程度とみなしてよい）は，せん断補強量 $p_w\sigma_{wy}$ が $2.5\,\text{N/mm}^2$ 未満の試験体群においてその約 30% の実験値を過大に評価しており，この範囲で設計する際には，余裕度を十分に確保するなどの注意が必要である．

なお，上記の評価式はせん断終局強度時の部材角を求めるものであり，せん断ばねの復元力特性を定めるためには，ここからせん断変形成分を抽出する必要がある．部材の変形からせん断変形および曲げ変形の各成分を分離して定量評価することは容易ではないが，曲げ変形が卓越する

ときの復元力特性の骨格曲線は保有耐力規準によって比較的精度良く評価できるので，上記の評価式から曲げ変形成分を控除することによってせん断変形を分離できる．

ちなみに，文献 6.2.2.1.8) では，せん断引張破壊した試験体 3 体の全体変形に対するせん断変形成分の割合は 59〜92 %（平均 75 %）であったことが記されている．

g）　等価粘性減衰定数[6.2.2.1.2)]

7.3.1 項では，建物全体の等価粘性減衰定数の算出方法として，（2）で各部材の塑性化に応じた等価粘性減衰定数をポテンシャルエネルギーで重み付けして平均することにより求める方法を示している．しかし，同解説で示されているとおり，本方法は，個材を複数の非線形ばねでモデル化する場合などを含めて，いまだその手法と精度が十分に検証されていない．そこで，同じく（2）では，建物全体の性能曲線から直接，等価粘性減衰定数を算出する方法も示されており，この方法を用いることを本指針では想定している．そこで本項では，柱梁接合部内を通し配筋される梁主筋の付着性状や十字形部分架構の塑性比率を考慮して梁部材の等価粘性減衰定数を定量的に評価する一手法を例示する．

通常の鉄筋コンクリート骨組では，梁主筋が数スパンにわたって内柱梁接合部内に通し配筋されるため，柱梁接合部内の梁主筋に沿った付着性能は，地震時の繰返し載荷によって劣化することが多くなる．このため，梁主筋の接合部からの抜け出しによって梁端部には回転量が付加され，梁変形を増大させる．また，通し筋の付着劣化は柱梁接合部を含む単位架構の履歴形状をやせた逆 S 字形とするため，エネルギー吸収性能の低下を招くこととなる．

地震応答解析の際に梁降伏先行型骨組のモデル化として，部材端部のヒンジ領域を弾塑性回転ばねで置き換える場合には，上述の梁主筋抜け出しによる付加回転変形や履歴形状のピンチング化を梁端部の曲げ弾塑性ばねの履歴モデルにおいて考慮する必要がある．さらに，地震時に梁部材が吸収できるエネルギー量を精度良く評価するために，復元力履歴特性における等価粘性減衰定数を，その変形性能に応じて適切に設定する必要がある．

これまで，等価粘性減衰定数を適切に評価する履歴特性のモデル化の研究[例えば6.2.2.1.10)] はあるものの，多数の実験結果を用いて統計的に検討した研究はほとんどない．ここでは，等価粘性減衰定数を定量的に評価する方法の一例[6.2.2.1.11)] として，性能評価指針で提案されている梁降伏型架構の柱梁接合部内の梁主筋の付着性能（劣化）とエネルギー吸収性能の関係に基づく評価式である（解 6.2.2.1.18）式の導出過程を性能評価指針の解説から抜粋して以下に示す．文献 6.2.2.1.11) では，内柱梁接合部を含む十字形単位架構試験体による実験結果を用いて，塑性率および梁主筋の柱梁接合部内での付着性状を変数とした重回帰分析によって等価粘性減衰定数を（解 6.2.2.1.18）式のように定量化した．なお，式中の B_I は梁主筋の接合部内付着性状を表す指標で，柱梁接合部内の梁主筋に沿って存在しうる仮想の最大付着応力度に対する付着強度の比（（解 6.2.2.1.19）式）であり，1 を超えると付着劣化を生じる．靭性保証指針の本文では付着指標 B_I が 1.0 未満となるように規定するが，解説では，ある程度の付着劣化は許容しても過度の付着劣化は防止することを意図して，付着指標 B_I を 1.25 まで緩和できることを示している．柱梁接合部内の通し主筋の付着に関する規定（本指針 9.4.4 項の（解 9.4.4.9）式）は，付着指標 B_I が 1.25 以下となるこ

とを担保するように導出された．ここで，本項の（解 6.2.2.1.18）式と 9.4.4 項の（解 9.4.4.9）式との関係について付言する．靭性保証指針では，（解 9.4.4.9）式を使用する際には許容した付着劣化が建物の地震応答に悪影響を与えないことを確認することとされ，そのための等価粘性減衰定数の許容下限値を建物の固有周期に応じて例示している．その数値は，塑性率 $\mu = 2$ のとき 0.09（固有周期 0.4 秒未満）および 0.075（同 0.4 秒以上），$\mu = 4$ のとき 0.14（固有周期 0.4 秒未満）および 0.10（同 0.4 秒以上）である．一方，付着指標 $B_I = 1.25$ とすると（解 6.2.2.1.18）式の等価粘性減衰定数 h_{eq} は，塑性率 $\mu = 2$ のとき 0.109，$\mu = 4$ のとき 0.122 となる．これらの数値は，塑性率 4 のときの 0.14 を除いて上記の許容下限値を上回っているので，（解 9.4.4.9）式を使用することの妥当性を概ね示すものと考えられる．

$$h_{eq} = 0.09 + \frac{0.1}{B_I{}^2} \cdot \left(1 - \frac{1}{\sqrt{\mu}}\right) \qquad \text{（解 6.2.2.1.18）}$$

h_{eq} ：等価粘性減衰定数

μ ：変位の塑性率で，想定する最大部材角を降伏部材角で除した値

B_I ：梁主筋の接合部内付着性状を表す付着指標．柱梁接合部内の梁主筋に沿って存在しうる最大付着応力度に対する付着強度の比であり，以下による．

$$B_I = \frac{u_{b,av}}{\tau_u} \qquad \text{（解 6.2.2.1.19）}$$

$u_{b,av}$ ：接合部内梁主筋が柱面の一端で引張降伏し，他端ではコンクリートの負担圧縮力を 0 として断面の力の釣合いから定まる圧縮力を負担するときの接合部内平均付着応力度を求め，これを上端筋と下端筋とで平均した値．これは想定しうる付着応力度の最大値を表しており，以下による．

$$u_{b,av} = \frac{3 + \gamma}{8} \frac{\sigma_y \cdot d_b}{D_c} \qquad \text{（解 6.2.2.1.20）}$$

γ ：梁断面の複筋比で 1 以下

σ_y ：梁主筋の上限強度（N/mm^2）

d_b ：梁主筋径

D_c ：柱全せい

τ_u ：梁主筋の柱梁接合部内での付着強度で，靭性保証指針に記載された（解 6.2.2.1.21）式を使用する．

$$\tau_u = 0.7\left(1 + \frac{\sigma_0}{\sigma_B}\right)\sigma_B{}^{2/3} \qquad \text{（解 6.2.2.1.21）}$$

σ_0 ：柱の圧縮軸応力度（N/mm^2）

σ_B ：コンクリートの圧縮強度（N/mm^2）

この方法の精度を検証するために，梁主筋が内柱梁接合部を通して配筋された十字形単位架構試験体 108 体を選定した．主要な試験体諸元の範囲は，次のとおりである．

梁主筋径　　　　　　　：D10〜D25

梁主筋降伏強度　　　　：311〜858 N/mm^2（3170〜8750 kgf/cm^2）

— 68 —　鉄筋コンクリート造建物の等価線形化法に基づく耐震性能評価型設計指針　解説

コンクリート圧縮強度：24～118 N/mm² (245～1192 kgf/cm²)

梁の引張鉄筋比　　　：0.54～3.13 %

柱軸力比　　　　　　：0～0.32

　実験における等価粘性減衰定数は層せん断力—層間変位履歴曲線における同一変位での繰返し載荷の第2サイクルの数値（原則として論文著者が計算したもの）を用いた．変位塑性率を算定する際の降伏変形は，層間変形角2%時の層せん断力を3/4倍した耐力に対応する変位を4/3倍したものとした．塑性率2，4および5に対応する等価粘性減衰定数と付着指標との関係を解説図6.2.2.1.9に示し，塑性率ごとに（解6.2.2.1.18）式による回帰曲線を実線で示した．

　一般的に知られている除荷時剛性低下型（Degrading Stiffness）の履歴特性モデル（Cloughモデルの除荷時剛性が塑性率の0.5乗に反比例するとしたモデル）による等価粘性減衰定数の算定式（解6.2.2.1.22）を，参考のため図中に破線で示した．なお，地震時の建物の挙動が非定常応答となることを考慮した現行の限界耐力計算法[6.2.2.1.12), 6.2.2.1.13)]で提案されている手法および柴田が提案する手法[6.2.2.1.14)]で用いられる等価粘性減衰定数の算定式は，それぞれ（解6.2.2.1.23）式，（解6.2.2.1.24）式で与えられる．

1）　除荷時剛性を $K_h = K/\sqrt{\mu}$ とした Clough モデル（正負）

$$h_{eq} = \frac{1}{\pi}\left(1 - \frac{1}{\sqrt{\mu}}\right) \tag{解 6.2.2.1.22}$$

2）　現行の限界耐力計算法（粘性減衰の項を省略）

$$h_e = 0.25\left(1 - \frac{1}{\sqrt{\mu}}\right) \tag{解 6.2.2.1.23}$$

3）　柴田の手法（粘性減衰の項を省略）

$$h_e = 0.20\left(1 - \frac{1}{\sqrt{\mu}}\right) \tag{解 6.2.2.1.24}$$

　解説図6.2.2.1.9より，ばらつきは大きいが付着指標が大きくなる（すなわち，柱梁接合部内での付着劣化が生じやすくなる）とともに，等価粘性減衰定数は減少することが確認できる．各塑性率の計算値および実験値との相関係数は，塑性率2のとき0.50（試験体数65），塑性率4のとき0.56（試験体数46），塑性率5のとき0.72（試験体数27）であった．除荷時剛性低下型の履歴特性モデルによる計算値（破線）は，塑性率2のときには（解6.2.2.1.18）式の下限値になるのに対して，塑性率4以上では付着指標が0.8以上では提案値（実線）を上回った．実験では塑性率4程度での繰返し載荷時には，柱梁接合部内での梁主筋付着はすでに劣化していることが多いので，このような状態下では，（解6.2.2.1.22）式による等価粘性減衰定数の評価は過大であると判断できる．

　このように，柱梁接合部を含む十字形単位架構では，梁主筋の抜け出しや柱梁接合部のせん断変形などの影響を受けるため，塑性率が増大すると，等価粘性減衰定数は，（解6.2.2.1.22）式による計算値を下回る試験体が多い．一方，主筋がスタブ内に十分に定着された梁部材単独の実験[例えば6.2.2.1.15)]では，十字形単位架構を対象とした実験とは異なる傾向を示すことが知られている．

6章 構造解析 —69—

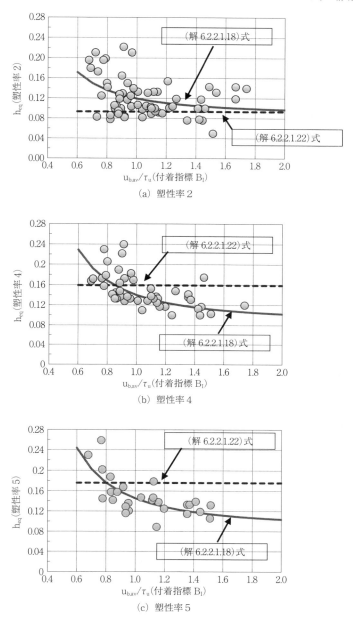

解説図 6.2.2.1.9　等価粘性減衰定数と付着指標との関係[6.2.2.1.2)]

文献 6.2.2.1.16) より引用した解説図 6.2.2.1.10 では，左に梁部材単独で載荷された試験体のせん断力―部材角関係を，右に等価粘性減衰定数―部材角関係を示す．同図では，同一変形で2回以上繰返し加力を行った場合に，第1回目および第2回目以降の h_{eq} を区別し，それぞれ，△印および〇印で表示している．ほとんどの試験体において，実験値が（解 6.2.2.1.22）式による計算値を上回っていた．十字形単位架構の試験体でも，塑性率が小さく，付着指標が 1.0 を大きく下回

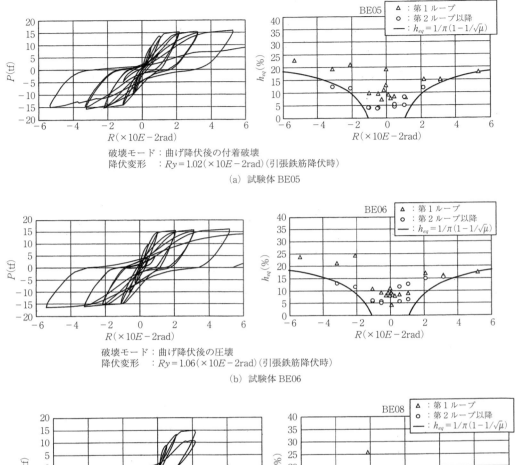

解説図 6.2.2.1.10　RC梁部材の荷重変形関係と等価粘性減衰定数の実験値と計算値の比較[6.2.2.1.16)]

るような，十分な付着余裕度が確保された試験体では，同様の傾向が見られる．

　また，梁部材内に生じるせん断ひび割れや梁内の主筋に沿った付着劣化によってもエネルギー吸収性能の低下が生じるが，これらを定量的に扱った研究はほとんどないため，ここでは扱っていない．一方，RC梁部材の各種限界変形について，降伏点を求める手法は，実験結果との比較により詳細に検証されてきたが，降伏以降のかぶりコンクリート圧壊点やコアコンクリート圧壊点についてはほとんど検証されていない．文献 6.2.2.1.17) によると，繰返し載荷によって柱梁接

合部内の梁主筋の付着が劣化した結果，接合部からの主筋の抜け出し変形が増加し，同時にひずみシフトによる付加変形が減少したために，かぶりコンクリート圧壊時（修復限界Ⅱ）の梁変形の構成成分が性能評価指針による算定値とは大きく異なると報告している．塑性率は部材の変形性能を示す指標であるが，降伏変形の定義の仕方によって等価粘性減衰定数 h_{eq} の値が異なって算出される．そこで，部材の変形角と h_{eq} の関係を明確にし，柱梁接合部内の梁主筋の付着が劣化した後の梁の変形性能も含めて，より精度の高い部材の変形と損傷状況の検証を行うことが必要であると考える．

　なお，上述の十字形部分架構試験体を用いた検討[6.2.2.1.11)]では，梁主筋降伏後に柱梁接合部パネルに損傷が集中して耐力の低下を生じる場合は除外した．すなわち，本指針で指摘されている柱梁接合部パネルの降伏破壊[例えば6.2.2.1.18)]は，本項では考慮されていない．

参 考 文 献

6.2.2.1.1)　日本建築学会：鉄筋コンクリート構造保有水平耐力計算規準・同解説，2021

6.2.2.1.2)　日本建築学会：鉄筋コンクリート造建物の耐震性能評価指針（案）・同解説，2004

6.2.2.1.3)　日本建築学会：鉄筋コンクリート造建物の靱性保証型耐震設計指針・同解説，1999

6.2.2.1.4)　坂下雅信，石川裕次，田畑　卓，岸本　剛，北山和宏：曲げ降伏する鉄筋コンクリート梁部材の限界変形の評価，構造工学論文集　Vol. 57B, pp. 597-609, 2011

6.2.2.1.5)　日本建築学会：鉄筋コンクリート構造計算規準・同解説，2018

6.2.2.1.6)　中村聡宏，勅使川原正臣：RC 造柱・梁部材の圧縮ヒンジ領域長さと曲げ降伏後のせん断破壊時変形の評価，コンクリート工学年次論文集，Vol. 36, No. 2, pp. 559-564, 2014

6.2.2.1.7)　孫　王平，崎野健治，吉岡智和：直線型横補強筋により拘束された高強度 RC 柱の曲げ性状，日本建築学会構造系論文集，No. 486, pp. 95-106, 1996.8

6.2.2.1.8)　落合　等，北山和宏：せん断破壊する RC 梁および有孔梁のせん断性能評価に関する研究，コンクリート工学年次論文集，Vol. 34, No. 2, pp. 193-198, 2012.7

6.2.2.1.9)　日本建築防災協会：既存鉄筋コンクリート造建築物の耐震診断基準・同解説，2001

6.2.2.1.10)　石川裕次，木村秀樹，山本正幸，角　彰：RC 造骨組み架構の履歴特性モデル，コンクリート工学年次論文集，Vol. 27, No. 2, pp. 25-30, 2005.7

6.2.2.1.11)　北山和宏：鉄筋コンクリート十字形柱・梁単位架構の等価粘性減衰定数の定量評価，日本建築学会大会学術講演梗概集，構造Ⅳ，C-2, pp. 457-458, 2003.9

6.2.2.1.12)　国土交通省建築研究所：改正建築基準法の構造関係規定の技術的背景，ぎょうせい，2001.3

6.2.2.1.13)　建築行政情報センター，日本建築防災協会：2020 年版建築物の構造関係技術基準解説書，2020.10

6.2.2.1.14)　柴田明徳：最新耐震構造解析，森北出版，2014

6.2.2.1.15)　藤沢正視，上之薗隆志，竹内匡和，村上秀夫：高強度鉄筋コンクリートはりの靱性確保に関する研究，日本建築学会大会学術講演梗概集，C　構造Ⅱ，pp. 277-282, 1990.10

6.2.2.1.16)　建設省大臣官房技術調査室監修，建築研究振興協会編：鉄筋コンクリート造建築物の性能評価ガイドライン，2000.8

6.2.2.1.17)　鈴木清久，王　磊，北山和宏：梁主筋の付着性状に着目した鉄筋コンクリート梁の各種限界変形性能に関する研究，コンクリート工学年次論文集，Vol. 34, No. 2, pp. 235-240, 2012.7

6.2.2.1.18)　塩原　等：鉄筋コンクリート柱梁接合部：見逃された破壊機構，日本建築学会構造系論文集，Vol. 73, No. 631, pp. 1641-1648, 2008.9

6.2.2.2 柱 部 材

a) 部材のモデル化

　柱部材のモデル化は，曲げ降伏ヒンジの変形を想定した剛塑性ばねを部材両端に設けた材端ばねモデルを主に想定し，曲げひび割れ点および曲げ降伏点で剛性が急変する3折れ線で表現したトリリニアモデルによって行う．せん断破壊を生じる部材では，せん断ひび割れ点およびせん断破壊点で剛性が急変する3折れ線で表現したせん断ばねを挿入して，せん断変形成分の増加を表すことができる解析モデルとする．なお，必要に応じて，軸方向変形の非線形性を考慮したモデル化を行うこと．また，別途構造実験および構造解析に基づく研究によって，例えば，ファイバーモデルやマルチスプリングモデルを用いて，柱部材の非線形性を考慮したモデル化を行うことも可能である．ただし，この場合は，塑性ヒンジ長さを適切に設定する等してこれらのモデルで計算される復元力特性が本項で示す各特性点を用いたトリリニアモデルと大きく異ならないことを確認する必要がある．

b) 弾性剛性

　弾性剛性を求めるための柱部材の断面積および断面二次モーメントは，ひび割れを考慮しない全断面から求める．また，鉄筋の影響を無視できない場合には，適切に考慮する．

c) 曲げに関する復元力特性

　ひび曲げ割れモーメント M_{cr}，降伏点剛性低下率 α_y，終局曲げモーメント M_u などの特性値は，材料の特性や配筋等を考慮して，平均的に評価する式により求める．

d) せん断に関する復元力特性

　せん断ひび割れ強度 Q_{cr} は，材料の特性を考慮して，平均的に評価する式により求める．せん断終局強度 Q_{su} は，材料の特性や配筋等を考慮し，下限を適切に評価する式により求める．

e) 曲げ降伏後の終局変形

　曲げ降伏後の終局変形角 R_u は，曲げ降伏後の塑性変形に伴うせん断終局強度の低下，軸力によるコンクリートの圧壊や主筋の座屈，主筋の付着割裂破壊の影響を考慮して，変形の下限を適切に評価する式により求める．

f) せん断終局変形

　せん断終局変形は，部材のせん断力がせん断終局強度に達したときの変形として，部材の材料特性や配筋等を適切に勘案して，変形の下限を適切に評価する式により求める．

g) 等価粘性減衰定数

　等価粘性減衰定数は，部材が吸収できるエネルギー量を評価するために，柱に作用する軸力や柱梁接合部内における主筋の付着性状などの影響を勘案して，変形性能（具体的には塑性率）に応じて適切に算定する．

　　a) 柱部材の構造特性のモデル化

　柱の剛性および強度は，曲げひび割れおよび主筋降伏などによる非線形性を適切に考慮して算出しうる方法により算定する．使用する材料の適用範囲は3章に従う．

　構造解析における柱部材のモデル化に対する考え方は，原則として6.2.2.1「梁部材」と同様であるが，柱部材には軸力が作用するため，一般的によく使われる，曲げ塑性ヒンジの変形を表す剛塑性曲げばねを部材両端に設けた材端ばねモデルを用いる場合，軸ばねを挿入して軸方向変形が評価可能な解析モデルとする〔解説図6.2.2.2.1〕．軸ばねについては，引張側ではコンクリートのひび割れや全主筋の引張降伏を，圧縮側ではコンクリートの剛性低下や断面の圧縮終局耐力を考慮して，復元力特性の設定を行う．柱部材の復元力特性としては，解説図6.2.2.2.2（a）に示すように，曲げひび割れ点，曲げ降伏点および限界変形点の3つの特性値を用いた3折線モデルを使用することによって，建物の静的非線形荷重増分解析を行うことができると考えられる．

復元力特性を3折れ線でモデル化する保有水平耐力計算の実務では，終局曲げモーメント M_u を便宜的に降伏点（第2折れ点）の耐力とし，降伏後の剛性を限りなく小さい値として静的非線形荷重増分解析を行う手法がよく用いられている．一方，高強度材料の利用や高軸力の影響により，引張縁の曲げひび割れよりも，圧縮側のかぶりコンクリートの縦ひび割れの発生が先行する場合や，引張側の主筋が引張降伏せずに圧縮側鉄筋の圧縮降伏が先行する事例も報告されている．そのような現象を表現するために，特性点をさらに増やし，弾性限点，実効耐力点（$0.85Q_{mu}$ 点，平面保持の仮定がほぼ成り立つ限界点として定義されている），最大耐力点（Q_{mu} 点）および限界変形点（最大荷重が Q_{mu} に到達したのち $0.80Q_{mu}$ まで低下した点）の4折れ線によってモデル化を行う研究[6.2.2.2.1]も報告されている〔解説図 6.2.2.2.2（b）〕．

また，地震時に隅柱などに著しい引張軸力が作用すると，柱の軸剛性が著しく低下し，圧縮側となる柱の圧縮軸力が著しく増加する場合があり，柱の変形性能に影響することが考えられる．引張軸力が作用する柱軸剛性の低下については，文献例えば 6.2.2.2.2) に報告されている．

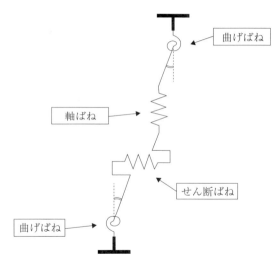

解説図 6.2.2.2.1　材端ばねモデル

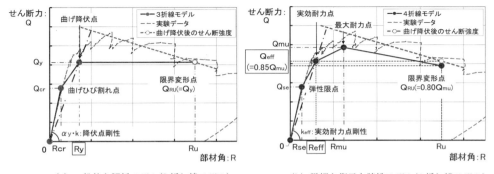

(a) 一般的な解析モデル(3折れ線モデル)　　　(b) 詳細な復元力特性モデル(4折れ線モデル)

解説図 6.2.2.2.2　柱部材の実験データと解析モデルとの比較[6.2.2.2.1]

材端ばねモデル以外に解析に用いる部材モデルとして，材端のヒンジ領域をファイバーモデルやマルチスプリングモデルとして非線形変形を集中させ，実験結果に適合させるモデルがある[6.2.2.2.3]．柱部材では，後述する解説図6.2.2.2.7（a）に示すように，軸力と曲げモーメントの相関関係や立体骨組解析における2軸曲げの影響を考慮する場合に，これらのモデルが使用されることも多い．

ファイバーモデルは，部材のM-ϕ関係を算定するために，解説図6.2.2.2.3に示すように，断面を微小断面に分割し，平面保持を仮定して，ある曲率に対して，中立軸位置を未知数としておのおのの分割要素におけるひずみ度を求める．そのひずみ度から分割要素の応力度を算定し，分担面積に応じた分割要素に作用する力と断面に作用する力の釣合いによって，中立軸位置を算定して，断面に作用するモーメントを求める．分割要素のひずみから応力度を算定するときに，材料の応力度—ひずみ度関係を用いることにより，非線形特性を考慮することができる．軸力と曲げの相互作用を考慮でき，軸力変動を受ける部材のM-ϕ関係を容易に算定できるモデルである．また，帯筋で囲まれた拘束領域とかぶり領域のコンクリートを別に評価することもできる．なお，ファイバーモデルでは，材軸方向に沿った曲率分布を積分することで変形を求めるが，塑性化する部材では連続的に積分するのが困難なため，いくつかの離散的な位置で計算した曲率を線形補間したり，端部のある長さに塑性化を集中させたりするモデル化が行われる．

マルチスプリングモデルはファイバーモデルの単純型モデルであり，解説図6.2.2.2.3のモデルの材端部分をファイバーを集約して，解説図6.2.2.2.4に示すように数本の軸ばねに置き換えたものである．軸ばねの復元力特性は，ばねの軸力と軸変形として与えられる．このため，鉄筋ばねやコンクリートばねの剛性を降伏前の時点で低下させることにより，柱梁接合部からの主筋の抜け出し変形やその他の付加的な塑性変形成分を考慮することができる．その他の扱いは，ファイバーモデルと同様となる．最近は，軸ばねを多くして解説図6.2.2.2.3のファイバーモデルと同じものを指すことも多い．材長に対して，軸ばね部分の長さが相対的に長い場合には，部材としての弾性剛性が合わなくなることがあるので，その場合には弾性部材の曲げ剛性を調整する等の補正が必要となる．

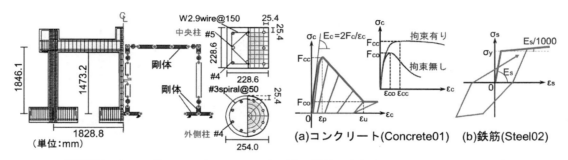

解説図6.2.2.2.3　柱のファイバーモデルと要素の材料の応力度—ひずみ度関係の例[6.2.2.2.4]

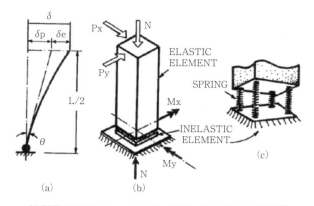

解説図 6.2.2.2.4　マルチスプリングモデルの例[6.2.2.2.5)]

　なお，これらのモデルを採用するにあたっては，その挙動が現実のそれと乖離しないことを確認することが重要である．そのための1つの手法として，マルチスプリングモデルによる力学特性が本指針で示すトリリニアモデルによる挙動と大きくは異ならないことを確認することが挙げられる．文献 6.2.2.2.6) では，解説図 6.2.2.2.5 に示すマルチスプリングモデルを対象に，塑性ヒンジ長さ P_z を変数として柱部材の静的漸増載荷解析を行い，解析によって得られた降伏変形と菅野の降伏点剛性低下率を用いた曲げ降伏時部材角を比較し，適切な塑性ヒンジ長さ P_z について検討している．柱部材の仮想の塑性ヒンジ長さ P_z として既往の研究[6.2.2.2.7)]では，$P_z=0.5D$（ただし，$P_z \leq (1/10)L_0$，ここで D：柱せい，L_0：柱の内法高さ）が推奨されているが，文献 6.2.2.2.6) では，シアスパン比が2以上の柱部材の場合，仮想の塑性ヒンジ長さ P_z を柱せい D と等しくし，かつ柱内法高さの1/6倍（$L_0/6$）以下に制限することで，解析による降伏変形の実情を妥当に評価することを報告している．しかしながら，シアスパン比が2未満の柱部材では，マルチスプリングモデルによる解析は降伏変形を過小評価しており，両者は対応しないことが示されている．

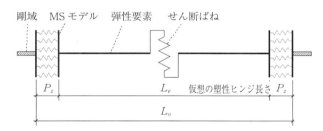

解説図 6.2.2.2.5　マルチスプリングモデルを用いた柱の解析モデル[6.2.2.2.6)の一部を改変]

b）　弾性剛性

　弾性剛性を求めるための柱部材の断面積および断面二次モーメントは，梁部材と同様にひび割れを考慮しない全断面から求める．

　柱梁接合部を剛域として評価する場合には，RC規準[6.2.2.2.8)]の9条の解説に示されている剛域

を考慮した部材長さの設定を行う．他のモデル化を行う場合には，柱梁接合部の領域の剛性を適正に評価した上で，上記剛域モデルとの整合性を考慮して部材長さの設定を行う必要がある．

　c）　曲げに関する復元力特性

以下の各強度などの特性値は，保有耐力規準[6.2.2.2.3]により求めることができる．

（1）　ひび曲げ割れモーメント

ひび割れ曲げモーメント M_{cr} は，（解 6.2.2.2.1）式によることができる．

$$M_{cr}=0.56\sqrt{F_c}Z_e+\frac{ND}{6} \tag{解 6.2.2.2.1}$$

　　記号　F_c：コンクリートの設計基準強度（N/mm^2）

　　　　　Z_e：主筋を考慮した断面係数（mm^3）

　　　　　N：軸方向力（N）．ただし，圧縮を正とする．

　　　　　D：柱せい（mm）

（2）　終局曲げモーメント

終局曲げモーメント M_u は，（解 6.2.2.2.2）式，（解 6.2.2.2.3）式，（解 6.2.2.2.4）式のいずれかによることができる．

$N_{\min}\leq N<0$ のとき

$$M_u=0.5\cdot a_g\cdot\sigma_y\cdot g_1\cdot D+0.5\cdot N\cdot g_1\cdot D \tag{解 6.2.2.2.2}$$

$0\leq N\leq N_b$ のとき

$$M_u=0.5\cdot a_g\cdot\sigma_y\cdot g_1\cdot D+0.5\cdot N\cdot D\cdot\left(1-\frac{N}{b\cdot D\cdot F_c}\right) \tag{解 6.2.2.2.3}$$

$N_b<N\leq N_{\max}$ のとき

$$M_u=\{0.5\cdot a_g\cdot\sigma_y\cdot g_1\cdot D+0.024(1+g_1)(3.6-g_1)b\cdot D^2\cdot F_c\}\cdot\left(\frac{N_{\max}-N}{N_{\max}-N_b}\right) \tag{解 6.2.2.2.4}$$

　　記号　N：軸力（N），ただし圧縮を正とする．

　　　$N_{\min}$：柱の最小引張強度（N）で，次式による．

　　　　　　$N_{\min}=-a_g\cdot\sigma_y$

　　　　D：柱せい（mm）

　　　　a_g：主筋全断面積（mm^2）

　　　　σ_y：引張鉄筋の材料強度（N/mm^2）

　　　　N_b：矩形断面柱の釣合軸力（N）で，次式による．

　　　　　　$N_b=0.22(1+g_1)\cdot b\cdot D\cdot F_c$

　　　　g_1：引張側鉄筋重心と圧縮側鉄筋重心との距離の全せい D に対する比

　　　　b：柱幅（mm）

　　　　F_c：コンクリートの設計基準強度（N/mm^2）

　　　$N_{\max}$：矩形断面柱の最大圧縮強度（N）で，次式による．

　　　　　　$N_{\max}=b\cdot D\cdot F_c+a_g\cdot\sigma_y$

なお，円形断面柱の終局曲げモーメントの略算は，等断面積の正方形柱に置換し，主筋とフープを解説図 6.2.2.2.6 のように断面せいおよび主筋数をそれぞれ等しく，かつ各辺の主筋数が同一となるように置換し，各式を適用すればよい．また，直交壁が取り付く柱の終局曲げモーメントの算定については，文献 6.2.2.2.9) を参考にするとよい．以上のような略算式のほか，コンクリートおよび鉄筋の応力―ひずみ関係を適切に設定し，平面保持を仮定した断面解析により終局曲げモーメントを算定する方法等もある．

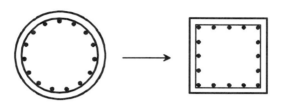

解説図 6.2.2.2.6 円形断面柱の正方形への置換[6.2.2.2.9)]

2方向曲げを受ける柱の終局曲げモーメントは，一方向曲げと同様に平面保持を仮定することにより精算することができる．しかしながら，中立軸の傾きと位置を決定するには，繰返し計算を行わなければならず，煩雑である．そこで，いくつかの近似法が提案されており，文献 6.2.2.2.10) では，解説図 6.2.2.2.7（a）に示すように，2方向曲げに対する降伏曲面を近似的に与え，柱部材の終局強度を求める方法が紹介されている．解説図 6.2.2.2.7（b）は，降伏曲面を折れ線で近似した例であり，45°方向の終局強度を，降伏曲面を楕円で与えた場合の 0.85 倍としている．

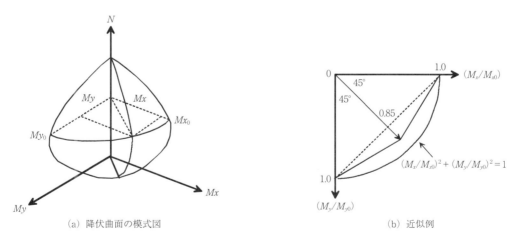

(a) 降伏曲面の模式図　　(b) 近似例

解説図 6.2.2.2.7 2方向曲げを受ける柱の降伏曲面[6.2.2.2.10)]

（3）降伏点剛性

降伏点剛性低下率 α_y は，（解 6.2.2.2.5）式または（解 6.2.2.2.6）式によることができる．

$$\alpha_y=(0.043+1.64np_t+0.043a/D+0.33\eta_0)\left(\frac{d}{D}\right)^2 \quad : a/D \geqq 2.0 \qquad (解\ 6.2.2.2.5)$$

$$\alpha_y=(-0.0836+0.159a/D+0.169\eta_o)\left(\frac{d}{D}\right)^2 \quad : a/D < 2.0 \qquad (解\ 6.2.2.2.6)$$

記号　n：鉄筋とコンクリートのヤング係数比
p_t：引張鉄筋比（$=a_t/(bD)$）
a_t：引張鉄筋断面積（mm^2）
a/D：せん断スパン比
a：せん断スパン（mm）
η_0：軸力比（$=N/(bDF_c)$）
N：軸力（N），ただし圧縮を正とする．
b：柱幅（mm）
D：柱せい（mm）
F_c：コンクリートの設計基準強度（N/mm^2）
d：柱の有効せい（mm）

d）　せん断に関する復元力特性

以下の各強度など特性値は，靱性保証指針[6.2.2.2.10)]により求めることができる．靭性保証指針でのせん断終局強度の評価手法は，塑性ヒンジの生じない部材のせん断終局強度だけでなく，曲げ降伏が生じた後の塑性ヒンジの回転角の増大に伴うせん断終局強度の低下を定量的に評価できるという特徴を有する．

（1）　せん断ひび割れ強度

せん断ひび割れ強度 Q_{cr} は，（解 6.2.2.2.7）式によることができる．

$$Q_{cr}=\phi\sqrt{\sigma_T{}^2+\sigma_T\sigma_0}\cdot b\cdot D\cdot\frac{1}{\kappa} \qquad (解\ 6.2.2.2.7)$$

それぞれの記号の意味は，（解 6.2.2.1.5）式を参照されたい．

（2）　せん断終局強度

せん断終局強度 V_u は，（解 6.2.2.2.8）式によることができる．また，円形断面のせん断終局強度は等価な正方形断面に置換して評価を行ってよいが，文献 6.2.2.2.11）にさらに精度の良い方法として長方形断面に置換する方法が提案されている．

$$V_u=\min(V_{u1}, V_{u2}, V_{u3}) \qquad (解\ 6.2.2.2.8)$$

$$V_{u1}=\mu p_{we}\sigma_{wy}b_e j_e+\left(\nu\sigma_B-\frac{5p_{we}\sigma_{wy}}{\lambda}\right)\frac{bD}{2}\tan\theta$$

$$V_{u2}=\frac{\lambda\nu\sigma_B+p_{we}\sigma_{wy}}{3}b_e j_e$$

$$V_{u3}=\frac{\lambda\nu\sigma_B}{2}b_e j_e$$

それぞれの記号の意味は，（解 6.2.2.1.6）式を参照されたい．

なお，2方向せん断を受ける柱部材のせん断終局強度に関しては，文献 6.2.2.2.12) において，正方形断面の柱部材を対象に，載荷方向を 0°，22.5°，45° とした載荷実験が実施されている．柱部材のひび割れ性状および破壊性状は載荷方向の影響を受けるが，解説図 6.2.2.2.8（a）に示すように，せん断終局強度に関しては，載荷方向の影響を受けず，ほぼ一定の強度を示すことが明らかにされている．また，文献 6.2.2.2.13) では，長方形の断面を持ち，各方向でせん断終局強度が異なる柱部材に関しても，解説図 6.2.2.2.8（b）に示すように，楕円形のせん断終局強度の相関曲線を用いることで，載荷方向に応じたせん断終局強度が求められることが示されている．

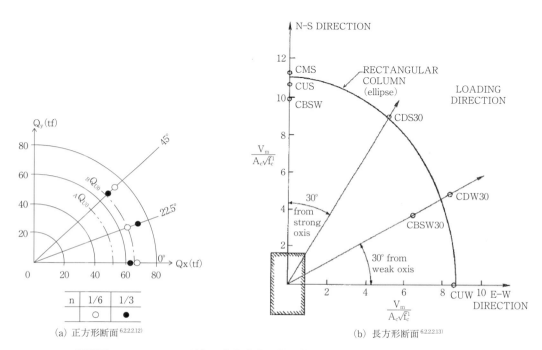

解説図 6.2.2.2.8 せん断力の載荷方向が柱部材のせん断終局強度に及ぼす影響

e） 曲げ降伏後の終局変形

柱部材の変形性能は，解説図 6.2.2.2.9 に示すように，同一材料，同一断面形状の柱部材であっても，載荷経路の違いによって著しく異なる．そこで，柱部材の曲げ降伏後の終局変形角 R_u については，最大圧縮軸力比が 0.35 未満の場合と 0.35 以上の場合について，異なる算定方法とした（なお，最大圧縮軸力比が 0.35 未満の場合については，0.35 以上の場合と同じ方法で曲げ降伏後の終局変形角を評価してもよい）．

梁部材と同様に，上記の最大圧縮軸力比の分類によらず，付着割裂破壊に対する検討が必要である．具体的には，塑性変形（塑性ヒンジ領域の回転角）の増大に伴う強度低下を考慮した（解 6.2.2.2.10）式のせん断終局強度 V_{bu} によって求められる（解 6.2.2.2.9）式の曲げ降伏後の付着破壊発生時の限界変形角 R_{bu} を考慮すること，あるいは（解 6.2.2.2.11）式の付着信頼強度 τ_{bu} が（解 6.2.2.2.12）式で示される設計用付着応力度 τ_f を上回ることを確認することが必要である．な

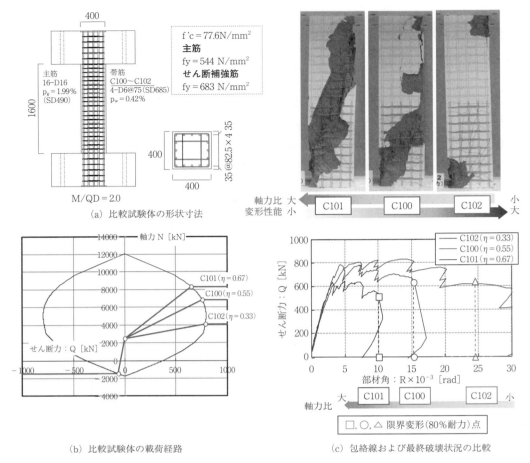

解説図 6.2.2.2.9 変動軸力の載荷経路のみが異なる柱試験体の変形性能の比較[6.2.2.2.14]

お，曲げ降伏後の付着破壊による限界変形角については，6.2.2.1 節の梁部材に関する記載を参照されたい．

$$R_{bu} = R_y + R_{bp} \quad (解\ 6.2.2.2.9)$$

それぞれの記号の意味は，（解 6.2.2.1.9）式を参照されたい．

$$V_{bu} = \min(V_{bu1}, V_{bu2}) \quad (解\ 6.2.2.2.10)$$

$$V_{bu1} = T_x j_e + \left\{ \nu\sigma_B - \frac{2.5 T_x}{\lambda b_e} \right\} \frac{bD}{2} \tan\theta$$

$$V_{bu2} = \frac{\lambda \nu \sigma_B}{2} b_e j_e$$

それぞれの記号の意味は，（解 6.2.2.1.10）式を参照されたい．

$$\tau_{bu} = \alpha_t \{(0.085 b_i + 0.10)\sqrt{\sigma_B} + k_{st}\} \quad (一段目主筋の場合) \quad (解\ 6.2.2.2.11)$$

（二段目主筋の場合は，$\tau_{bu2} = \alpha_2 \cdot \alpha_t \{(0.085 b_{si2} + 0.10)\sqrt{\sigma_B} + k_{st2}\}$）

それぞれの記号の意味は，（解 6.2.2.1.11）式を参照されたい．

$$\tau_f = \frac{d_b \Delta\sigma}{4(L-d)} \qquad (解\ 6.2.2.2.12)$$

それぞれの記号の意味は，(解 6.2.2.1.13) 式を参照されたい．

(1) 最大圧縮軸力比が 0.35 未満の場合

文献 6.2.2.2.15) によれば，曲げ挙動により靱性を決定する評価式と，せん断挙動により靱性を決定する評価式を併用した場合，軸力比が低い場合にはせん断の評価式で，軸力比が高い場合には曲げの評価式で，靱性が決定される試験体の割合が大きいことが報告されており，その境界値として 0.2～0.4 という軸力比が挙げられている．解説図 6.2.2.2.10 に，靱性保証指針のせん断終局強度式（解 6.2.2.2.8）を用いた（解 6.2.2.2.13）式により，曲げ降伏後のせん断破壊時の終局変形の検討を行った結果を示す．なお，曲げ降伏後のせん断破壊による限界変形角については，6.2.2.1 節の梁部材に関する記載を参照されたい．ほとんどの試験体で，実験の限界変形（80％耐力点）を安全側に評価できることがわかる．したがって，軸力比が低く，9.4.2 項に示す柱の構造規定が満足されている場合には，曲げ降伏後の曲げ圧壊は変形性能を決める支配的な要因とはならないため，曲げ圧壊に関する検討は省略してもよい．また，梁部材の曲げ降伏後のせん断破壊時の限界変形角の算定手法の1つとして示した（解 6.2.2.2.14）式の中村，勅使川原による圧縮束モデル[6.2.2.2.16]も，柱部材の終局変形を評価する上で参考になる．なお，文献 6.2.2.2.16) では，(解 6.2.2.2.14) 式を用いることで，柱部材の限界変形角を過小（すなわち安全側）に評価できることが示されているが，実験による傾向を必ずしも捉えられていない点に注意されたい．

$$R_{su} = R_y + R_{sp} \qquad (解\ 6.2.2.2.13)$$

それぞれの記号の意味は，(解 6.2.2.1.8) 式を参照されたい．

$$R_u = \frac{\alpha \cdot \beta \cdot \gamma \cdot \varepsilon_u \cdot \sin 2\theta}{2(\tau_u/(K\sigma_B))} \qquad (解\ 6.2.2.2.14)$$

それぞれの記号の意味は，(解 6.2.2.1.14) 式を参照されたい．

(2) 最大圧縮軸力比が 0.35 以上の場合

柱部材に作用する最大軸力比が 0.35 以上の場合については，曲げ降伏後のせん断破壊時の

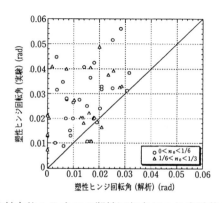

解説図 6.2.2.2.10 柱軸力比 1/3 までの塑性回転角による実験値と計算値の比較[6.2.2.2.10]

変形性能評価を主とした研究や高強度 RC 柱を主な対象とした限界変形角の評価式に関する研究がすでに行われている[6.2.2.2.17]．解説図 6.2.2.2.9 に示すように，最大圧縮軸力比の増大に伴い，せん断破壊から圧壊の様相に移行することがわかる．

　保有耐力規準では，終局曲げモーメント時のせん断力を上回るせん断終局強度を有することを確認した上で，以下に示すせん断補強指標を満足する場合には，柱部材において 1/50（＝20×10^{-3}）rad 以上の限界変形角が保証できることを報告している．本指針では，柱部材の限界変形角 $R_u\geq1/67$（＝15×10^{-3}）rad および $R_u\geq1/40$（＝25×10^{-3}）rad についても，同様な手法によって誘導したせん断補強指標の評価式によって，柱部材の終局変形を以下に示す 3 段階に分類して，その評価式を定めた．なお，後述するが，実験データが不足しているため，いずれの評価式についても最大圧縮軸力比が 0.55 を超える場合は適用外とする．また，（解 6.2.2.2.15）式，（解 6.2.2.2.16）式，（解 6.2.2.2.17）式の適用には，解説表 6.2.2.2.1 に示す適用条件を満足する必要があり，適用対象は直交方向に壁部材を有さない単独柱となる．最大圧縮軸力比が 0.35 以上で柱に要求される限界変形角が 1/67 rad よりも小さい場合に，その変形性能を担保できるせん断補強量を本指針は示していない．このような場合には，当面の間は（解 6.2.2.2.17）式を満足するように設計する．なお，当該柱の変形性能を実験等によって別途検討した場合にはそれに従ってよい．

限界変形角 $R_u\geq1/40$（＝25×10^{-3}）rad となる柱部材

$$p_w\sigma_{we}/(\nu_0 F_c)\ \geq0.35\ (\sigma_{0+}/F_c)^2+0.12 \tag{解 6.2.2.2.15}$$

限界変形角 $R_u\geq1/50$（＝20×10^{-3}）rad となる柱部材

$$p_w\sigma_{we}/(\nu_0 F_c)\ \geq0.30\ (\sigma_{0+}/F_c)^2+0.10 \tag{解 6.2.2.2.16}$$

限界変形角 $R_u\geq1/67$（＝15×10^{-3}）rad となる柱部材

$$p_w\sigma_{we}/(\nu_0 F_c)\ \geq0.25\ (\sigma_{0+}/F_c)^2+0.08 \tag{解 6.2.2.2.17}$$

記号　p_w：せん断補強筋比

　　　σ_{we}：せん断補強筋の有効強度（N/mm²）で，信頼強度とする．

　　　　　ただし，$\sigma_{we}\leq85\sqrt{F_c}$ を満足するものとする．

　　　ν_0：コンクリートの有効強度係数（＝$1.7F_c^{-0.333}$）

　　　σ_{0+}：保証設計点における柱軸方向応力度（N/mm²）で，水平直交方向の地震動による変動軸力の影響を適宜，考慮する．ただし，保証設計点における軸方向応力度が最大値ではない場合は，最大軸方向応力度を取る．

　　　F_c：コンクリート設計基準強度（N/mm²）

6 章　構 造 解 析　— 83 —

解説表 6.2.2.2.1　（解 6.2.2.2.15）式，（解 6.2.2.2.16）式，（解 6.2.2.2.17）式の適用条件

	h_0/D の数値	p_g の数値	τ_u/F_c の数値	その他の規定
σ_{0+}/F_c が 0.45 以下の場合	2.0 以上	—	0.2 以下	—
σ_{0+}/F_c が 0.45 を超えるが 0.55 以下の場合	3.0 以上	1.6% 以上		*1 を満足する

［注］　*1　①各方向の副帯筋を 2 本以上とし，各辺の引張鉄筋を 4 本以上配筋する．
　　　　　　②せん断補強筋間隔は 100 mm 以下，かつ最も小さい主筋径の 6 倍以下とする．
　記号
　　σ_{0+}：保証設計点における柱軸方向応力度（N/mm²）で，水平直交方向の地震動による変動軸力の
　　　　　影響を適宜，考慮する．ただし，保証設計点における柱軸方向応力度が最大値ではない場合
　　　　　は，最大軸方向応力度を取る．
　　F_c：コンクリートの設計基準強度（N/mm²）
　　h_0/D：柱のせい D に対する柱の内法高さ h_0 の比．なお，梁降伏型の非ヒンジ柱については表中の
　　　　　h_0/D を $2M/(Q \cdot D)$ で算定してよい．この場合，M は柱の最大曲げモーメントを，Q は最
　　　　　大せん断力を用いる．
　　p_g：柱主筋比で，柱主筋全断面積の柱断面積に対する比
　　τ_u：保証設計点における柱平均せん断応力度（N/mm²）

　検討に用いた実験結果の概要を説明する．柱部材の変形性能とせん断補強指標および圧縮軸
力との関係を把握するため，保有耐力規準において用いた既往の多数の実験結果を分析した．
すなわち，変形性能の検討が可能な 1970 年代からの逆対称曲げモーメント載荷および片持梁
形式の実験結果を抽出し，曲げ降伏が確認された試験体のうち，構造実験時のコンクリート圧
縮強度が 80 N/mm² 程度以下（設計基準強度で F_c 60 に相当）で，主筋の降伏強度が 600 N/
mm² 以下（主筋種別で SD490 までに相当）の試験体 159 体を用いた〔解説図 6.2.2.2.11 参照〕．
実験による限界変形角は，最大耐力の 80 % まで耐力が低下した時点における部材角と定
義[6.2.2.18]した〔解説図 6.2.2.2.12 参照〕．ここには，せん断補強指標の妥当性を検証するために
実施された実験結果 14 体[6.2.2.19]が含まれている〔解説図 6.2.2.2.13（d），（e）：「2017 実験」と
表記〕
検討データの適用範囲（構造実験時の材料強度）
　　コンクリート設計基準強度：F_c 12.5〜F_c 60（圧縮強度：σ_B＝12.2〜82.1 N/mm²）
　　主　筋　　　　　　　　　：SD295A〜SD490（降伏強度：f_y＝314〜554 N/mm²）
　　せん断補強筋　　　　　　：SD295A〜SBPD1275（降伏強度：σ_{wy}＝319〜993 N/mm²）
　柱部材の終局変形角を 1/40，1/50，1/67（＝25，20，15×10⁻³）rad で区分し，以下
の方法に従って，限界変形角 $R_u \geq$ 1/40（＝25×10⁻³）rad，$R_u \geq$ 1/50（＝20×10⁻³）rad，R_u
$\geq$ 1/67（＝15×10⁻³）rad となる柱部材として変形性能を分類した．解説図 6.2.2.2.9 に示した
ように，柱の圧縮軸力がその変形性能に大きく影響することから，圧縮軸力比（σ_0/σ_B）が 0，
0.15，0.35，0.45，0.55 および 0.67 の各範囲に属する試験体の限界変形性能とせん断補強指標
との関係を解説図 6.2.2.2.13（a）〜（e）のように閾値を定めた．なお，閾値を明確に定義でき
ない場合は，前後の軸力比による区分での閾値を考慮して定めた．加えて，柱軸力比の小さい

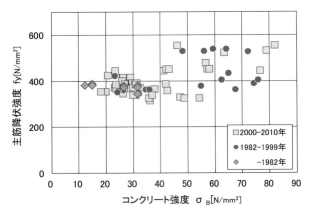

解説図 6.2.2.2.11　実験データ範囲：コンクリート圧縮強度―主筋降伏強度関係[6.2.2.2.3)]

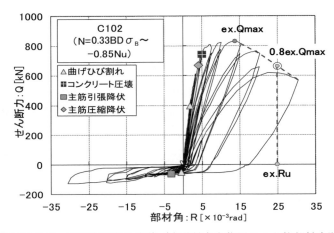

解説図 6.2.2.2.12　限界変形角の定義（変動軸力を作用させた柱部材実験）[6.2.2.2.3)]

$\sigma_0/\sigma_B \leq 0.15$ のデータについては，梁部材の実験結果を含めて検討を行った．

　解説図 6.2.2.2.13 から得られた終局変形角 $R_u = 1/40$，$1/50$，$1/67$（$= 25$，20，15×10^{-3}）rad について，軸力比 0.15，0.35，0.45，0.55，0.67 で 5 つに分類した各データから誘導したせん断補強指標の閾値をプロットすると，解説図 6.2.2.2.14 を得る．これらのプロットが各区間での代表値であるとして，階段状の破線グラフを誘導した．そのグラフを包絡する近似曲線として（解 6.2.2.2.15）式，（解 6.2.2.2.16）式および（解 6.2.2.2.17）式を導出した．なお，軸力比が $0.55 < \sigma_0/\sigma_B \leq 0.67$ の場合には，解説図 6.2.2.2.13（e）に示すように設定した限界変形角を超える変形性能を発揮した試験体数が少ないことや，水平 2 方向地震力等を厳密に規定することが困難であること等を踏まえ，保有耐力規準と同じく，（解 6.2.2.2.15）式，（解 6.2.2.2.16）式，（解 6.2.2.2.17）式の柱軸力比を $\sigma_{0+}/F_c \leq 0.55$ と定めた．

　（解 6.2.2.2.15）式，（解 6.2.2.2.16）式，（解 6.2.2.2.17）式に従って算定した代表的な計算例として，軸力比が 0.15，0.45，0.55 の 3 ケースについて，せん断補強指標に基づいて算定したせ

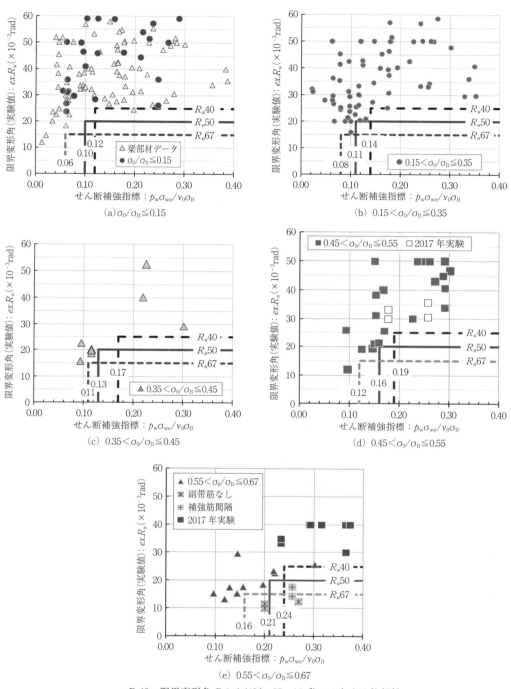

R_u40：限界変形角 $R_u \geq 1/40 (=25\times10^{-3})$ rad となる柱部材
R_u50：限界変形角 $R_u \geq 1/50 (=20\times10^{-3})$ rad となる柱部材
R_u67：限界変形角 $R_u \geq 1/67 (=15\times10^{-3})$ rad となる柱部材

解説図 6.2.2.2.13　せん断補強指標の検討結果

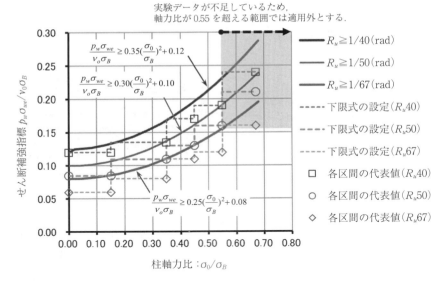

解説図 6.2.2.2.14 （解 6.2.2.2.15）式，（解 6.2.2.2.16）式，（解 6.2.2.2.17）式の誘導

ん断補強筋比を解説表 6.2.2.2.2（a）～（c）に示す（表中でグレーの部分は配筋が困難であると予想される組合せを示している）．

(3) 載荷の繰返し回数が柱の限界変形角に及ぼす影響

柱部材の曲げ降伏後の終局変形を適切に評価するためには，地震動による繰返しの影響について把握しておく必要がある．ここでは，過去に実施された検討例を紹介する．

東日本大震災（2011 年）および熊本地震（2016 年）では，複数の大地震が連続的に発生する地震災害が発生し，RC 柱部材に多数回の繰返し荷重が生じた時の耐震性能が問題となった．文献 6.2.2.2.14）では，解説図 6.2.2.2.15 に示すように，2 回の繰返し載荷による漸増載荷を行った C103 試験体と，長周期地震を想定し，多数回（10 回）繰返し載荷を行った L103 試験体の実験結果を比較している．両試験体とも解説図 6.2.2.2.9（b）に示した C101 試験体と同様な変動軸力（$-0.85N_t \sim 0.67\eta_c$）を作用させており，せん断補強筋比はいずれも $p_w = 0.60\%$ である．変形角が 1/200 rad を超え，釣合軸力を超えた圧縮軸力を伴う多数回繰返し載荷が作用すると，2 回繰返し載荷に比べ，10 回の多数回繰返し載荷を行った L103 試験体では，解説図 6.2.2.2.16 に示すように，圧縮側かぶりコンクリートの損傷が相対的に大きくなる傾向を示し，最大耐力にも差が生じた．しかしながら，両試験体とも最大耐力は，AIJ 式[6.2.2.2.8)]による終局曲げモーメントの計算値を上回っており，必要な強度は確保されている．また，解説図 6.2.2.2.17（a）に示すように，多数回繰返し試験体 L103 では最大耐力以後の耐力低下が相対的に緩やかに推移したため，限界変形角（最大耐力の 80％耐力点の変形角）は，2 回の繰返し載荷を行った試験体 C103（$_{C103}R_u = 13.6 \times 10^{-3}$ rad）よりも，多数回繰返しを行った試験体 L103（$_{L103}R_u = 16.3 \times 10^{-3}$ rad）の方が相対的に大きくなっている．等価粘性減衰定数に関して

6章 構造解析 —87—

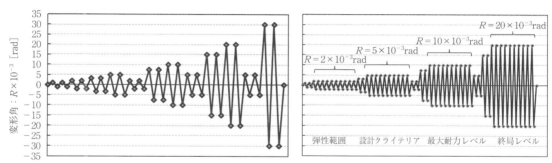

(a) 載荷履歴：左図(C103試験体/2回繰返し)，右図(L103試験体/長周期)

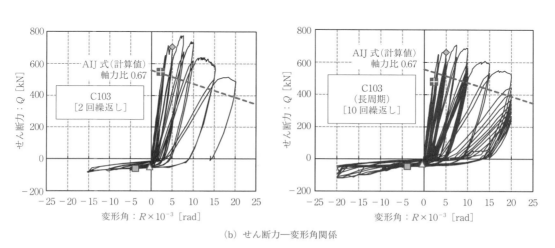

(b) せん断力―変形角関係

解説図 6.2.2.2.15 2回繰返し載荷と多数回繰返し載荷を行った RC 柱部材の復元力特性の比較[6.2.2.2.14)に加筆]

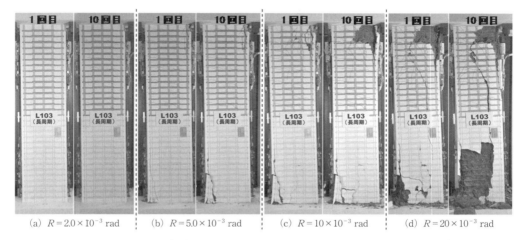

(a) $R = 2.0 \times 10^{-3}$ rad (b) $R = 5.0 \times 10^{-3}$ rad (c) $R = 10 \times 10^{-3}$ rad (d) $R = 20 \times 10^{-3}$ rad

解説図 6.2.2.2.16 多数回繰返し載荷を行った L103 試験体の破壊経過[6.2.2.2.14)]

— 88 —　鉄筋コンクリート造建物の等価線形化法に基づく耐震性能評価型設計指針　解説

解説表 6.2.2.2.2（a）　軸力比 0.15 の時における各終局変形レベルに必要なせん断補強筋比
$R_u 40：R_u \geqq 1/40$（$= 25 \times 10^{-3}$）, $R_u 50：R_u \geqq 1/50$（$= 20 \times 10^{-3}$）, $R_u 67：R_u \geqq 1/67$（$= 15 \times 10^{-3}$）

コンクリート強度	終局変形レベル	せん断補強筋					
		SD295	SD345	SD390	SD490	SD685	SD785
$F_c 21$	$R_u 67$	0.38 %	0.32 %	0.28 %	0.28 %	0.28 %	0.28 %
	$R_u 50$	0.44 %	0.38 %	0.33 %	0.33 %	0.33 %	0.33 %
	$R_u 40$	0.54 %	0.46 %	0.41 %	0.41 %	0.41 %	0.41 %
$F_c 30$	$R_u 67$	0.48 %	0.41 %	0.36 %	0.30 %	0.30 %	0.30 %
	$R_u 50$	0.56 %	0.48 %	0.42 %	0.35 %	0.35 %	0.35 %
	$R_u 40$	0.68 %	0.58 %	0.52 %	0.43 %	0.43 %	0.43 %
$F_c 36$	$R_u 67$	0.54 %	0.46 %	0.41 %	0.32 %	0.31 %	0.31 %
	$R_u 50$	0.63 %	0.54 %	0.48 %	0.38 %	0.36 %	0.36 %
	$R_u 40$	0.77 %	0.66 %	0.58 %	0.46 %	0.45 %	0.45 %
$F_c 40$	$R_u 67$	0.58 %	0.49 %	0.44 %	0.35 %	0.32 %	0.32 %
	$R_u 50$	0.67 %	0.58 %	0.51 %	0.41 %	0.37 %	0.37 %
	$R_u 40$	0.83 %	0.71 %	0.63 %	0.50 %	0.45 %	0.45 %
$F_c 50$	$R_u 67$	0.67 %	0.57 %	0.51 %	0.40 %	0.33 %	0.33 %
	$R_u 50$	0.78 %	0.67 %	0.59 %	0.47 %	0.38 %	0.38 %
	$R_u 40$	0.96 %	0.82 %	0.73 %	0.58 %	0.47 %	0.47 %
$F_c 60$	$R_u 67$	0.76 %	0.65 %	0.57 %	0.46 %	0.34 %	0.34 %
	$R_u 50$	0.88 %	0.76 %	0.67 %	0.53 %	0.40 %	0.40 %
	$R_u 40$	1.08 %	0.93 %	0.82 %	0.65 %	0.49 %	0.49 %

［注］＊網掛けの領域は，実際の配筋が困難であると予測される組合せ

も，解説図 6.2.2.2.17（b）に示すように，$R = 10 \times 10^{-3}$ rad 程度の部材角であれば，繰返し数が 2 回と 10 回の場合でほぼ同等であることが確認された．以上の検討結果から，限られた実験結果から導かれた知見ではあるが，10 回程度の繰返し載荷は，RC 柱部材の耐震性能に大きな影響を及ぼさないものと考えられる．

　ここでは，多層骨組の隅柱のように，地震時に比較的大きい軸力変動が生じる場合の柱部材の挙動について紹介したが，軸力変動が小さい場合や，中柱のように一定軸力が作用する柱部材では，軸力比が 0.33 を超えると，繰返し載荷によってコンクリートの圧縮ひずみの蓄積が生じ，変形性能低下の一因となることが知られており，注意が必要である[6.2.2.2.10]．

（4）　柱の限界変形角に対する 2 方向載荷の影響

　文献 6.2.2.2.18）では，2 方向曲げモーメントが柱部材の限界変形角に与える影響について検討が行われている．解説図 6.2.2.2.18 に，高強度材料（コンクリート：$F_c 100$，主筋：SD685，

解説表 6.2.2.2.2 (b) 軸力比 0.35 の時における各終局変形レベルに必要なせん断補強筋比
$R_u 40 : R_u \geqq 1/40 \ (=25 \times 10^{-3})$, $R_u 50 : R_u \geqq 1/50 \ (=20 \times 10^{-3})$, $R_u 67 : R_u \geqq 1/67 \ (=15 \times 10^{-3})$

コンクリート強度	終局変形レベル	せん断補強筋					
		SD295	SD345	SD390	SD490	SD685	SD785
$F_c 21$	$R_u 67$	0.49 %	0.42 %	0.37 %	0.37 %	0.37 %	0.37 %
	$R_u 50$	0.60 %	0.51 %	0.45 %	0.45 %	0.45 %	0.45 %
	$R_u 40$	0.72 %	0.61 %	0.54 %	0.54 %	0.54 %	0.54 %
$F_c 30$	$R_u 67$	0.62 %	0.53 %	0.47 %	0.39 %	0.39 %	0.39 %
	$R_u 50$	0.76 %	0.65 %	0.58 %	0.48 %	0.48 %	0.48 %
	$R_u 40$	0.91 %	0.78 %	0.69 %	0.57 %	0.57 %	0.57 %
$F_c 36$	$R_u 67$	0.70 %	0.60 %	0.53 %	0.42 %	0.40 %	0.40 %
	$R_u 50$	0.86 %	0.74 %	0.65 %	0.52 %	0.50 %	0.50 %
	$R_u 40$	1.02 %	0.88 %	0.77 %	0.62 %	0.59 %	0.59 %
$F_c 40$	$R_u 67$	0.75 %	0.64 %	0.56 %	0.45 %	0.41 %	0.41 %
	$R_u 50$	0.92 %	0.79 %	0.70 %	0.56 %	0.51 %	0.51 %
	$R_u 40$	1.10 %	0.94 %	0.83 %	0.66 %	0.60 %	0.60 %
$F_c 50$	$R_u 67$	0.87 %	0.74 %	0.66 %	0.52 %	0.43 %	0.43 %
	$R_u 50$	1.07 %	0.92 %	0.81 %	0.64 %	0.53 %	0.53 %
	$R_u 40$	1.28 %	1.09 %	0.96 %	0.77 %	0.63 %	0.63 %
$F_c 60$	$R_u 67$	0.98 %	0.84 %	0.74 %	0.59 %	0.44 %	0.44 %
	$R_u 50$	1.21 %	1.03 %	0.91 %	0.73 %	0.54 %	0.54 %
	$R_u 40$	1.44 %	1.23 %	1.09 %	0.87 %	0.65 %	0.65 %

[注] ＊網掛けの領域は，実際の配筋が困難であると予測される組合せ

せん断補強筋 SBPD1275/1420) を用いた柱部材で，載荷方向を 0° とした試験体 Unit102 と載荷方向を 45° とした試験体 Unit103 の包絡線および限界部材角に達した部材角 $R = 40 \times 10^{-3}$ rad ピーク時の破壊状況の比較を示す．限界変形角はほぼ等しい．

解説表 6.2.2.2.3 に，載荷方向のみ異なる高強度材料を用いた曲げ降伏先行型の柱試験体 9 組についての限界変形角の比較を示す．一定軸力の場合には，0° 方向試験体よりも，22.5° 方向試験体や 45° 方向試験体の方が，限界部材角が相対的に大きくなる傾向があることが示されている．変動軸力の場合には，載荷方向が限界変形角に及ぼす影響は見られなかった．

解説図 6.2.2.2.19 に 0° 方向試験体の限界部材角と，22.5°，45° 方向試験体の限界部材角の比と，0° 方向試験体の限界部材角の関係を示す．現時点では，データ数が少なく明確な結論は導けないが，限界部材角が $R_u \leqq 30 \times 10^{-3}$ rad の場合には，載荷方向が 0° の場合よりも相対的に限界部材角が大きくなる傾向を示している．一方，十分な横補強筋量が配され，限界部材角

解説表 6.2.2.2.2（c） 軸力比 0.55 の時における各終局変形レベルに必要なせん断補強筋比
R_u 40 : $R_u \geq 1/40$（$=25 \times 10^{-3}$）, R_u 50 : $R_u \geq 1/50$（$=20 \times 10^{-3}$）, R_u 67 : $R_u \geq 1/67$（$=15 \times 10^{-3}$）

コンクリート強度	終局変形レベル	せん断補強筋					
		SD295	SD345	SD390	SD490	SD685	SD785
F_c 21	R_u 67	0.68 %	0.58 %	0.52 %	0.52 %	0.52 %	0.52 %
	R_u 50	0.84 %	0.72 %	0.63 %	0.63 %	0.63 %	0.63 %
	R_u 40	0.99 %	0.85 %	0.75 %	0.75 %	0.75 %	0.75 %
F_c 30	R_u 67	0.87 %	0.74 %	0.66 %	0.55 %	0.55 %	0.55 %
	R_u 50	1.06 %	0.91 %	0.80 %	0.67 %	0.67 %	0.67 %
	R_u 40	1.26 %	1.08 %	0.95 %	0.80 %	0.80 %	0.80 %
F_c 36	R_u 67	0.98 %	0.84 %	0.74 %	0.59 %	0.57 %	0.57 %
	R_u 50	1.20 %	1.03 %	0.91 %	0.72 %	0.69 %	0.69 %
	R_u 40	1.42 %	1.21 %	1.07 %	0.86 %	0.82 %	0.82 %
F_c 40	R_u 67	1.05 %	0.90 %	0.79 %	0.63 %	0.58 %	0.58 %
	R_u 50	1.29 %	1.10 %	0.97 %	0.77 %	0.71 %	0.71 %
	R_u 40	1.52 %	1.30 %	1.15 %	0.92 %	0.84 %	0.84 %
F_c 50	R_u 67	1.22 %	1.04 %	0.92 %	0.73 %	0.60 %	0.60 %
	R_u 50	1.49 %	1.28 %	1.13 %	0.90 %	0.73 %	0.73 %
	R_u 40	1.77 %	1.51 %	1.34 %	1.06 %	0.87 %	0.87 %
F_c 60	R_u 67	1.38 %	1.18 %	1.04 %	0.83 %	0.62 %	0.62 %
	R_u 50	1.69 %	1.44 %	1.28 %	1.02 %	0.76 %	0.90 %
	R_u 40	2.00 %	1.71 %	1.51 %	1.20 %	0.76 %	0.90 %

［注］ ＊網掛けの領域は，実際の配筋が困難であると予測される組合せ

が $R_u \geq 30 \times 10^{-3}$ rad の場合には，載荷方向の影響は相対的に小さくなる．

したがって，限られた実験結果から導かれた知見ではあるが，2 方向載荷時の柱部材の限界変形角は，1 方向載荷時の限界変形角と同程度もしくはやや上回るものと考えられる．そのため，載荷方向が柱部材の限界変形角に及ぼす影響は，解説図 6.2.2.2.8（a）で示したせん断力の載荷方向が柱部材のせん断終局強度に及ぼす影響と同じような円形の相関曲線を用いることで，安全側に評価できるものと考えられる．

f） せん断終局変形

せん断破壊（付着割裂で破壊した試験体も含む）が先行する鉄筋コンクリート柱部材のせん断終局変形（最大耐力時の変形角）について，実験データベースを用いた検証を行った．梁部材と同様に，靱性保証指針のせん断終局強度式のせん断補強量を示す指標である $p_{we}\sigma_{wy}/(\lambda\nu_0\sigma_B)$ が 0.5 未満となり，せん断引張破壊が生じるものと考えられる試験体 245 体を抽出して検討した．

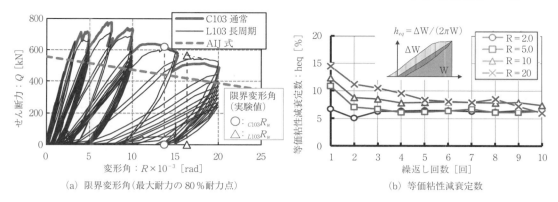

(a) 限界変形角(最大耐力の80％耐力点)　　(b) 等価粘性減衰定数

解説図 6.2.2.2.17　多数回繰返し載荷による影響[6.2.2.2.14)に加筆]

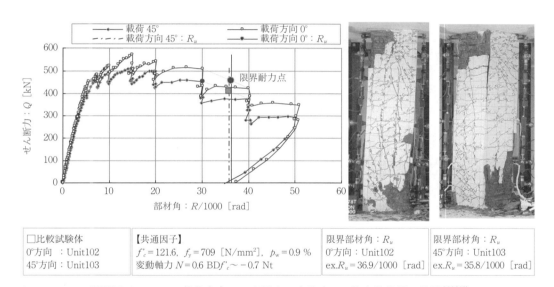

解説図 6.2.2.2.18　載荷方向のみが異なる高強度RC柱実験結果の比較[6.2.2.2.18)]

試験体の諸特性の範囲は，以下のとおりである．

- コンクリート圧縮強度 σ_B ：11.1〜172 N/mm² (平均：45.1 N/mm²)
- せん断スパン比 ：0.75〜3.13 (平均：1.41)
- 軸力比 ：-0.29〜0.74 (平均：0.23)
- せん断補強筋降伏強度 σ_{wy}：201〜1 506 N/mm² (平均：578 N/mm²)
- せん断補強筋比 p_w ：0.00〜1.20 % (平均：0.41 %)
- $p_w\sigma_{wy}$ ：0.00〜10.0 N/mm² (平均：2.4 N/mm²)
- 主筋降伏強度 σ_y ：318〜1 025 N/mm² (平均：576 N/mm²)
- 主筋比 p_g ：0.63〜5.09 % (平均：2.85 %)

解説図 6.2.2.2.20 に RC 柱部材のせん断終局変形角（R_{su}）と $p_w\sigma_{wy}$ の関係を示す．ここでは，

解説表 6.2.2.2.3　載荷方向のみが異なる RC 柱実験結果一覧

試験体		LE10-45	CN-6	Unit103	No. 3	No. 5	No. 11	No. 1	NO. 2	No. 10
載荷方向		45°	45°	45°	45°	45°	45°	45°	22.5°	22.5°
コンクリート強度	f'_c [N/mm²]	113.0	56.6	121.6	147.7	147.7	85.3	77.6	147.7	85.3
主筋強度	σ_y [N/mm²]	722	519	709	813	813	813	555	813	813
横補強筋強度	σ_{wy} [N/mm²]	1 053	741	1 278	765	765	776	920	765	776
横補強筋比	p_w [%]	1.06	0.72	0.90	0.79	1.58	0.63	0.90	0.79	0.63
m	$0.85 f'_c/\sigma_y$	0.13	0.09	0.13	0.15	0.15	0.09	0.12	0.15	0.09
コア断面積比	[%]	84.6	78.4	84.6	84.6	84.6	84.6	84.6	84.6	84.6
主筋比（A_g/BD)	P_g [%]	5.09	3.74	2.43	2.43	2.43	2.43	2.43	2.43	2.43
最大軸力比	η_{max}	0.85	0.60	0.60	0.32	0.48	0.37	0.65	0.32	0.37
最小軸力比	η_{min}	−0.75	−0.68	−0.70	0.32	0.48	0.37	0.65	0.32	0.37
シアスパン比	M/QD	2.50	1.71	2.00	2.00	2.00	2.00	2.00	2.00	2.00
軸力載荷		変動軸力	変動軸力	変動軸力	一定軸力	一定軸力	一定軸力	一定軸力	一定軸力	一定軸力
加力方法		大野式	建研式	建研式	建研式	建研式	建研式	建研式	建研式	建研式
せん断余裕度	V_u/Q_{mu}	3.25	1.63	2.02	1.37	2.36	1.51	2.27	1.37	1.51
靱性保証指針付着余裕度	τ_{bu}/τ_f	1.87	1.21	1.53	1.35	1.92	1.05	1.75	1.35	1.05
載荷方向 限界部材角：$_\theta R_u$	1/1 000 [rad]	20.0	20.0	35.8	20.0	22.0	21.3	22.6	16.0	22.0
0° 方向 限界部材角：$_0 R_u$	1/1 000 [rad]	21.0	18.0	36.3	16.0	21.8	20.0	20.0	16.0	20.0
$_\theta R_u/_0 R_u=$		0.95	1.11	0.99	1.25	1.01	1.06	1.13	1.00	1.10

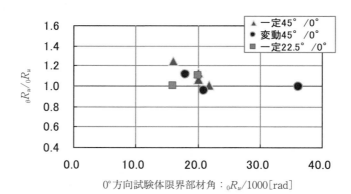

解説図 6.2.2.2.19　限界部材角の載荷方向の影響（0°方向試験体限界部材角の影響）

軸力比が 0.35 以下の試験体と，0.35 を超える試験体で分類して示した．図中には，最小二乗法で求めた近似式と，不合格率が 5 % 以下となるように式全体に低減係数（軸力比≦0.35 の場合 0.39，軸力比＞0.35 の場合 0.52）を乗じて求めた下限式の直線を示す．また，同図には，6.2.2.1 において同様の手法で求められた梁部材の場合の近似式と，下限式の直線も併せて示す．

　梁近似式，柱近似式（軸力比≦0.35，軸力比＞0.35）を比較すると，$p_w\sigma_{wy}$ の増加に伴い，せん

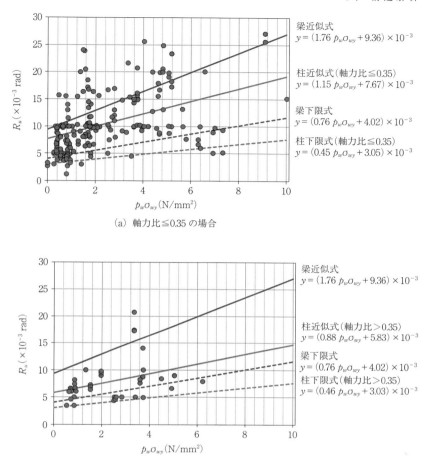

解説図 6.2.2.2.20 RC柱部材のせん断終局変形角（R_{su}）と $p_w\sigma_{wy}$ の関係

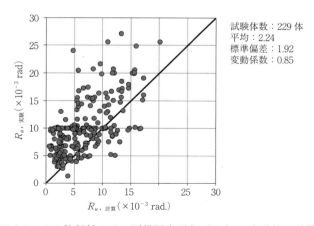

解説図 6.2.2.2.21 RC柱部材のせん断終局変形角（R_{su}）の実験値と計算値の比較

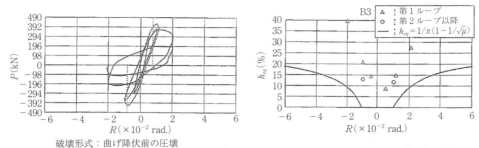

破壊形式：曲げ降伏前の圧壊
降伏変形：$R_y = 0.823 (\times 10E-2 \text{rad.})$（剛性が急激に低下する時の変化をグラフから読み取った）

(a) 試験体 B3（軸力比 $\eta = 0.35$）

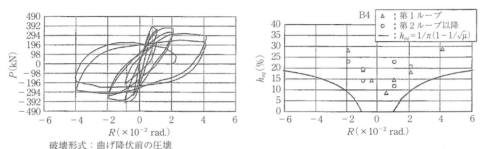

破壊形式：曲げ降伏前の圧壊
降伏変形：$R_y = 0.800 (\times 10E-2 \text{rad.})$（剛性が急激に低下する時の変化をグラフから読み取った）

(b) 試験体 B4（軸力比 $\eta = 0.35$）

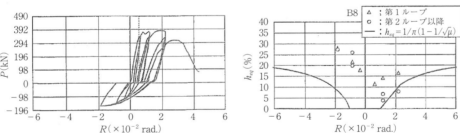

破壊形式：曲げ降伏前の圧壊（軸力比の大きい正側）
　　　　：曲げ降伏（軸力比の小さい負側）
降伏変形：$R_y = 0.544 (\times 10^{-2} \text{ rad.})$（正側，剛性が急激に低下する時の変化をグラフから読み取った）
　　　　：$R_y = 1.000 (\times 10^{-2} \text{ rad.})$（負側，引張鉄筋降伏データなし，$R = 1/100$ とした）

(c) 試験体 B8（軸力比 $\eta = 0.0 \sim 0.5$）

解説図 6.2.2.2.22 RC 柱部材の荷重変形関係と等価粘性減衰定数の実験値と計算値の比較
（その 1）[6.2.2.2.21]に加筆修正

断終局変形が大きくなる傾向がいずれの近似式にも見られるが，軸力比が高くなるにつれてせん断終局変形の増大が鈍化し，せん断終局変形自体も減少する傾向があることがわかる．なお，上記の評価式はせん断終局強度時の部材角を求めるものであり，せん断ばねの復元力特性を定めるためには，ここからせん断変形成分を抽出する必要がある．部材の変形からせん断変形および曲げ変形の各成分を分離して定量評価することは容易ではないが，曲げ降伏が卓越するときの復元力特性の骨格曲線は保有耐力規準によって比較的精度良く評価できるので，上記の評価式から曲

げ変形成分を控除することによってせん断変形を分離できる.

軸力比≦0.35 の場合

（近似式）$R_{su}=(1.15\,p_w\sigma_{wy}+7.67)\times10^{-3}$ （解 6.2.2.2.18）

（下限式）$R_{su}=(0.45\,p_w\sigma_{wy}+3.05)\times10^{-3}$ （解 6.2.2.2.19）

軸力比＞0.35 の場合

（近似式）$R_{su}=(0.88\,p_w\sigma_{wy}+5.83)\times10^{-3}$ （解 6.2.2.2.20）

（下限式）$R_{su}=(0.46\,p_w\sigma_{wy}+3.03)\times10^{-3}$ （解 6.2.2.2.21）

　一方で，柱のせん断終局変形には，$p_w\sigma_{wy}$ や軸力比だけでなく，他の因子も影響を及ぼすものと考えられる. そこで，せん断終局変形の実験値と，（解 6.2.2.2.5）式および（解 6.2.2.2.6）式を用いて定めた復元力特性上で，せん断終局強度（（解 6.2.2.2.8）式）に到達する時の変形を求めて，せん断終局変形の実験値と比較したものを解説図 6.2.2.2.21 に示す. 計算値は実験値を全体的に安全側に評価しており，全 229 体の（実験値／計算値）の平均値が 2.24，変動係数が 0.85，不合格率は 19 ％ であった.

　g）　等価粘性減衰定数

　7.3.1 項では，建物全体の等価粘性減衰定数の算出方法として，（2）で各部材の塑性化に応じた等価粘性減衰定数をポテンシャルエネルギーで重み付けして平均することにより求める方法を示している. しかし，同解説で示されているとおり，本方法は個材を複数の非線形ばねでモデル化する場合などを含めて，いまだその手法と精度が十分に検証されていない. そこで，同じく（2）では，建物全体の性能曲線から直接，等価粘性減衰定数を算出する方法も示されており，この方法を用いることを本指針では想定している. そこで本項では，柱部材の等価粘性減衰定数に関して，現在の研究動向について紹介するだけにとどめる.

　柱部材の等価粘性減衰定数については定まった評価法はなく，性能評価指針[6.2.2.2.20]では，「同指針の梁部材の評価法に準じて評価してよい.」とのみ記載されている. 柱部材では軸力が作用する点が梁部材と異なるが，軸力の大きさにより柱部材の履歴形状が変化することから，より精度の高い評価を行うためには，柱に作用する軸力を考慮したものが必要と考えられる. 本項では，一般的な柱部材の荷重変形関係と等価粘性減衰定数の関係の例を示した上で，軸力を考慮した柱部材の等価粘性減衰定数を定量的に評価することを目的とした研究事例を紹介する.

　文献 6.2.2.2.21）より引用した解説図 6.2.2.2.22，文献 6.2.2.2.22）より引用した解説図 6.2.2.2.23では，柱部材のせん断力—部材角関係と等価粘性減衰定数—部材角関係を示している. 同図には，（解 6.2.2.2.22）式による等価粘性減衰定数の計算値も併せて示した. 式中の α に $1/\pi$（≒0.318）を代入すると除荷時剛性を $K_h=K/\sqrt{\mu}$（μ：塑性率）とした Clough モデルに，0.25 を代入すると現行の限界耐力計算法の評価式[6.2.2.2.23),6.2.2.2.24]に，0.20 を代入すると柴田が提案する評価法[6.2.2.2.25]に対応する.

$$h_{eq}=\alpha\left(1-\frac{1}{\sqrt{\mu}}\right)$$ （解 6.2.2.2.22）

　解説図 6.2.2.2.22 の B3, B4 試験体には軸力比 0.35 の一定軸力が作用しており，B3 試験体は p_w

σ_{wy} が小さく，帯筋による補強効果が小さい試験体，B4 試験体は $p_w\sigma_{wy}$ が大きく，帯筋による補強効果が大きい試験体である．これらの試験体では変形性能に差が見られるが，等価粘性減衰定数は，（解 6.2.2.2.22）式の α に $1/\pi$ を代入した場合の計算値をいずれも上回っており，軸力比が 0.35 程度以下の一定軸力が作用する中柱の等価粘性減衰定数を評価する上で参考となる．また，解説図 6.2.2.2.23 の I2-03 試験体は，軸力比 0.125 の一定軸力が作用した試験体であるが，B3，B4 試験体（曲げ降伏後の圧壊）とは異なり，曲げ降伏後のせん断破壊によって耐力が低下した．一部の変形角において，等価粘性減衰定数が（解 6.2.2.2.22）式の α に $1/\pi$ を代入した場合を下回る例が見られるが，同式を用いることでおおむね安全側に評価できると考えられる．

　一方，変動軸力が作用する試験体に関しては，解説図 6.2.2.2.22 の B8 試験体に関しては，一定軸力の試験体と同様に，等価粘性減衰定数は（解 6.2.2.2.22）式の α に $1/\pi$ を代入した場合の計算値をおおむね上回っているが，解説図 6.2.2.2.23 の C100，C101，C102 試験体に関しては，圧縮軸力が作用する正サイクル時には，（解 6.2.2.2.22）式の α に $1/\pi$ を代入した場合よりも低い等価粘性減衰定数（実験値）を示した．これは，変動軸力を作用させた場合に，負サイクルでは引張軸力を作用させているため，部材角が増加しても柱部材の損傷は，主に水平方向に発生する曲げひび割れに限られ，著しい損傷を生じていないため，負サイクルの除荷時には，ほぼ原点に再帰する特性を示したためである．現行の限界耐力計算法の評価式や柴田が提案する評価法では，地震時の非定常応答を考慮しているため，直接は比較できないが，実験の等価粘性減衰定数は，α に 0.25 や 0.20 を代入した場合よりもさらに低い値を示しており，十分な配慮が必要である．このように変動軸力が大きく，軸力が引張側に転じる可能性がある隅柱では，（解 6.2.2.2.22）式で求められる等価粘性減衰定数を適宜低減する必要がある．特に 4 本柱の建物等，スパン内の柱の本数が少ない架構では，隅柱の等価粘性減衰定数の影響が架構全体の挙動に及ぼす影響が大きくなるため，注意が必要である．

　柱部材では軸力が作用するため，梁部材に比べて圧縮側となるコンクリートの負担が大きくなる．また，除荷時には，載荷時に引張を受けていた主筋が（梁部材に比べて）早期に圧縮を受けるようになる．これらの理由により，柱部材の履歴形状は作用する軸力の大きさにより大きく異なるものとなる．つまり，等価粘性減衰定数に大きな影響を及ぼすことになる．一方，6.2.2.1 で示したように，梁部材では接合部内の付着劣化による変形の増大の影響は大きいが，柱部材では軸力が作用することや，梁部材の上下に接続する柱が両方ともヒンジを形成することが設計計画上は少ないことなどの理由から，梁部材の場合に比べてその影響は小さいといえる．

　これまで，柱部材の等価粘性減衰定数を適切に評価する研究はほとんど行われていないのが現状であるが，等価粘性減衰定数を定量的に評価する方法の例として，（1）加藤，中村の研究[6.2.2.2.26]と（2）米澤，岸本の研究[6.2.2.2.27]について紹介する．前者は，性能評価指針で提案されている梁降伏型架構の柱梁接合部内の梁主筋付着性能（劣化）とエネルギー吸収性能の関係に基づく評価式を基に柱軸力の影響を考慮したものである．後者は，柱部材の履歴形状を，柱の終局曲げモーメントに対する引張主筋の寄与分と軸力による寄与分の比率によって分類し，それらの分類ごとに等価粘性減衰定数を求めたものである．

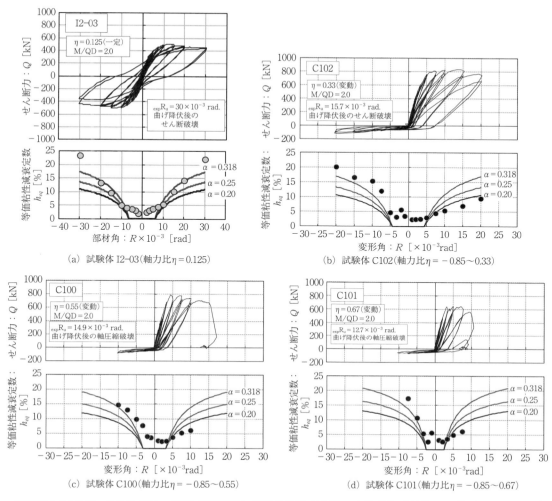

解説図 6.2.2.2.23 RC柱部材の荷重変形関係と等価粘性減衰定数の実験値と計算値の比較（その2）[6.2.2.2.22]

（1） 加藤，中村の算定式[6.2.2.2.26]

本評価式は，6.2.2.1 で示された評価法に対し，柱主筋の柱梁接合部からの抜け出し量を求めるにあたり，梁では考慮していた付着劣化による抜け出し分を0として求め，軸力により部材の終局曲げモーメントが上昇することにより等価粘性減衰定数（h_{eq}）が低くなることを考慮する係数（γ）を用いることにより，（解 6.2.2.2.24）で柱の等価粘性減衰定数を計算している〔解説図 6.2.2.2.24〕.

h_{eq} 算定式（解 6.2.2.2.24）では，部材の変形程度を塑性率（μ：想定する最大部材角を降伏部材角で除した値）で評価するが，μ を計算するときの分母にあたる降伏部材角は，4つの変形成分（①曲げ変形，②せん断変形，③柱主筋の梁柱接合部からの抜け出しによる付加変形，④柱部材のひび割れや主筋に沿った付着劣化による付加変形）で構成される．このうち，③の柱主筋の梁柱接合部から抜け出しによる付加変形は，梁部材の場合の算定式（性能評価指針の付 5.12b 式，

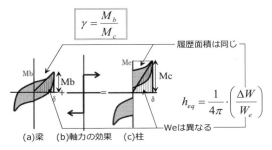

解説図 6.2.2.2.24 補正係数 γ の考え方[6.2.2.2.26)に加筆]

梁下端筋の抜け出し量の算定式）から「コンクリート─柱主筋間の付着劣化がない」として得られる（解 6.2.2.2.23）式を用いて計算することとしている．

$$\Delta S_{y,b} = 0.463 \cdot \frac{\varepsilon_y \cdot D_c}{2} \qquad (解\ 6.2.2.2.23)$$

記号　ε_y：柱主筋の降伏ひずみ
　　　D_c：基礎梁内の柱主筋定着長さ

$$h_{eq} = \left\{ 0.09 + \frac{0.1}{B_I^2} \cdot \left(1 - \frac{1}{\sqrt{\mu}}\right) \right\} \cdot \gamma \qquad (解\ 6.2.2.2.24)$$

ここで，γ は，軸力を考慮する終局曲げモーメント（M_c）に対する軸力を考慮しない終局曲げモーメント（M_b）の比率（$\gamma = M_b/M_c$）

（その他の記号は（解 6.2.2.1.18）式による）

解説図 6.2.2.2.25（a）に梁の h_{eq} 算定式（解 6.2.2.1.18）と実験値の比較を，（b）に上記の柱の h_{eq} 算定式（解 6.2.2.2.24）と実験値の比較を行った結果を示す．両者の比較から，（解 6.2.2.2.24）式では実験値の算定精度が向上していることがわかる．

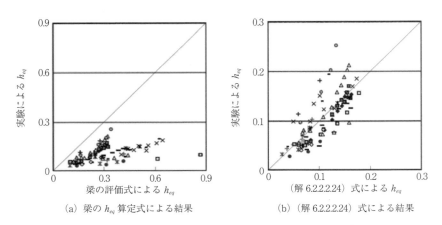

解説図 6.2.2.2.25　（解 6.2.2.2.24）式の算定精度[6.2.2.2.26)]

（2）　米澤，岸本の算定式[6.2.2.2.27)]

本評価式は，柱断面に作用する軸力の大きさの違いにより3つのケースを想定し，履歴形状の

幾何学的関係から等価粘性減衰定数算定のための基本形を誘導している〔解説図 6.2.2.2.26〕．これに断面解析の結果を用いて鉄筋のバウシンガー効果等の影響程度を検討し，それらを考慮した h_{eq} 算定のための基本式を誘導している．さらに，既往の実験結果を用いたキャリブレーションを行い，基本式の諸係数を修正し，提案算定式としている．場合分けは，軸力が作用しない場合（Case 1），引張鉄筋による曲げ耐力寄与分が軸力によるそれよりも大きい場合（Case 2），および引張鉄筋による曲げ耐力寄与分より軸力によるそれが大きくなる場合（Case 3）である．提案されている算定式を（解 6.2.2.2.25）～（解 6.2.2.2.30）に示す．

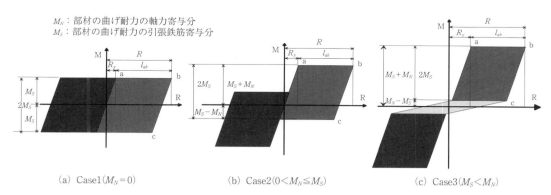

解説図 6.2.2.2.26 （解 6.2.2.2.25）式で考えられている場合分け[6.2.2.2.27]

$$h_{eq}=\frac{1}{4\pi}\left(\frac{M_N+\kappa M_S}{M_N+M_S}\right)\cdot\frac{\Delta W}{W_e} \qquad (解\ 6.2.2.2.25)$$

なお，（解 6.2.2.2.25）式の適用範囲は，$\sigma_B \leq 80\ \mathrm{N/mm^2}$，$\eta$（軸力比）$\leq 0.5$ である．
ここで，

κ : 0.35

$$W_e=\frac{1}{2}R\cdot(M_S+M_N) \qquad (解\ 6.2.2.2.26)$$

Case 1，Case 2（$M_N=0,\ 0<M_N\leq M_S$）

$$\Delta W = 4\cdot l_{ab}\cdot M_S \qquad (解\ 6.2.2.2.27)$$

Case 3（$M_S<M_N$）

$$\Delta W = 4\cdot l_{ab}\cdot M_S + 2\cdot\beta\cdot l_{ab}(M_N-M_S) \qquad (解\ 6.2.2.2.28)$$

β : 0.8

M_S : 引張主筋による曲げ耐力寄与分

M_N : 軸力による曲げ耐力寄与分

$$M_S=\sigma_y\cdot p_t\cdot b\cdot D\cdot(d_t-0.42x_n) \qquad (解\ 6.2.2.2.29)$$

$$M_N=\eta\cdot\sigma_B\cdot b\cdot D\cdot\left(\frac{D}{2}-0.42x_n\right) \qquad (解\ 6.2.2.2.30)$$

σ_y : 主筋降伏強度

p_t ：引張鉄筋比

d_t ：引張鉄筋位置

b ：柱幅

D ：柱せい

σ_B ：コンクリート圧縮強度

x_n ：中立軸位置（$=\max(\eta D/(k_1 k_3), 0.1D)$，ただし，$k_1 k_3 = 0.83$ とする．

l_{ab} ：解説図 6.2.2.2.26 参照（$=|R-R_y|$）

R ：部材回転角

R_y ：引張主筋降伏時の部材回転角

$$\left(R_y = \frac{\delta_y}{h}, \delta_y = \frac{P_y}{\alpha_y S}, P_y = \frac{2(M_S + M_N)}{h}, S = \frac{12E_c I}{h^3}\right)$$

δ_y ：引張鉄筋降伏時の変形量

h ：部材長さ

P_y ：引張鉄筋降伏時の部材に作用するせん断力（前述の定義より $M_S + M_N$）

α_y ：剛性低下率（（解 6.2.2.2.5）式の菅野式による）

S ：初期剛性

E_C ：コンクリートのヤング係数

I ：断面二次モーメント

（解 6.2.2.2.25）式による値と実験値との比較が解説図 6.2.2.2.27 である．その結果，（解 6.2.2.2.25）式による h_{eq} は軸力の作用しない場合（Case 1），あるいは作用軸力が小さい領域（Case 2）では実験値を比較的良く推定できている．一方，作用軸力が高い場合には，危険側に評価する場合が多くなるとしている．

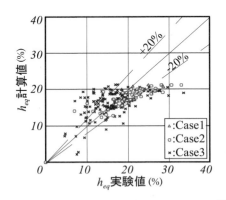

解説図 6.2.2.2.27　（解 6.2.2.2.25）式の算定精度[6.2.2.2.27]

参考文献

6.2.2.2.1) 石川裕次，木村秀樹：高軸力が作用する高強度 RC 柱部材の平面保持仮定成立の限界点，日本建築学会構造系論文集，No. 595, pp. 87-91, 2005.9

6.2.2.2.2) 石川裕次，木村秀樹，山本正幸：高強度材料を用いた柱部材の引張軸力時の復元力特性に関する研究，構造工学論文集，Vol. 50B, pp. 47-58, 2004.4

6.2.2.2.3) 日本建築学会：鉄筋コンクリート構造保有水平耐力計算規準・同解説，2021

6.2.2.2.4) 河井慎太郎ほか：靭性部材と脆性部材が混在した RC 造骨組の耐震性能　その 1　柱の破壊モードが骨組のポストピーク挙動に及ぼす影響，日本建築学会大会学術講演梗概集，pp. 167-168, 2012.9

6.2.2.2.5) 李　康寧，小谷俊介，青山博之：3 方向の変動力を受ける R/C 柱の挙動に関する研究　その 2. 解析，日本建築学会関東支部研究報告集，pp. 157-160, 1986.5

6.2.2.2.6) 星野和也，北山和宏：曲げ降伏時の変形に着目した鉄筋コンクリート柱部材の解析モデルに関する研究，コンクリート工学年次論文集，Vol. 37, No. 2, pp. 181-186, 2015.7

6.2.2.2.7) Kang-Ning Li and S. Otani : Multi-Spring model for 3-dimensional analysis of RC members, Journal of Structural Engineering and Mechanics, vol. 1, No. 1, pp. 17-30, 1993

6.2.2.2.8) 日本建築学会：鉄筋コンクリート構造計算規準・同解説，2018

6.2.2.2.9) 日本建築学会：建築耐震設計における保有耐力と変形性能，1990.10

6.2.2.2.10) 日本建築学会：鉄筋コンクリート造建物の靭性保証型耐震設計指針・同解説，1999

6.2.2.2.11) 林　静雄，大宮　幸，香取慶一：鉄筋コンクリート造円形断面部材のせん断終局強度式の適用性，日本コンクリート工学協会，コンクリート工学 vol. 42, No. 2, pp. 27-32, 2004.2

6.2.2.2.12) 桑田裕次，中山昭夫，南　宏一：600 キロ級の高強度コンクリートを用いた RC 柱の 2 軸曲げせん断耐力，コンクリート工学年次論文報告集　Vol. 16, No. 2, pp. 521-526, 1994

6.2.2.2.13) Hidetaka Umehara1 and James O. Jirsa, M., "Short Rectangular RC Columns Under Bidirectional Loadings", *J. Struct. Eng.* 110(3), ASCE, pp. 605-618, 1984

6.2.2.2.14) 木村秀樹，石川裕次，田邊裕介，宮内靖昌，前田匡樹，福山　洋，壁谷澤寿一：多数回繰り返し外力を受ける鉄筋コンクリート造柱の耐震性能　その 1〜3，日本建築学会学術講演梗概集，構造Ⅳ，pp. 167-172, 2011.8

6.2.2.2.15) 加藤大介：配筋法を考慮した鉄筋コンクリート造柱の変形能の評価法，日本建築学会構造系論文報告集，No. 408, pp. 21-30, 1990.2

6.2.2.2.16) 中村聡宏，勅使川原正臣：RC 造柱・梁部材の圧縮ヒンジ領域長さと曲げ降伏後のせん断破壊時変形の評価，コンクリート工学年次論文集，Vol. 36, No. 2, pp. 559-564, 2014

6.2.2.2.17) 日本建築学会：高強度コンクリートの技術の現状，2009

6.2.2.2.18) 石川裕次，木村秀樹：高強度材料を用いた RC 柱部材の限界変形に関する研究，コンクリート工学論文集，Vol. 16, No. 1, pp. 55-66, 2005.1

6.2.2.2.19) 谷昌典，大西健太，藤田有章，渡辺瞭，木村仁，井戸硲勇樹，真下智士，西山峰広ほか：高密配筋された実大および縮小 RC 柱試験体の構造性能に関する実験的研究（その 1〜5），日本建築学会大会学術講演梗概集，pp. 111-120, 2017.7

6.2.2.2.20) 日本建築学会：鉄筋コンクリート造建物の耐震性能評価指針（案）・同解説，2004

6.2.2.2.21) 建設省大臣官房技術調査室監修，建築研究振興協会編：鉄筋コンクリート造建築物の性能評価ガイドライン，2000.8

6.2.2.2.22) 日本建築学会：鉄筋コンクリート造建物の等価線形化法を用いた耐震性能評価法，日本建築学会大会　構造部門（鉄筋コンクリート造）パネルディスカッション資料，2013.9

6.2.2.2.23) 国土交通省建築研究所：改正建築基準法の構造関係規定の技術的背景，ぎょうせい，2001.3

6.2.2.2.24) 建築行政情報センター，日本建築防災：2020 年版建築物の構造関係技術基準解説書，2020.10

6.2.2.2.25) 柴田明徳：最新耐震構造解析，森北出版，2014

6.2.2.2.26) 加藤大介，中村友紀子：RC 造柱部材の降伏変形と等価粘性減衰の評価法，日本建築学会大

会学術講演梗概集，構造Ⅳ，pp. 323-324, 2004.9

6.2.2.2.27) 米澤哲尚，岸本一蔵：鉄筋コンクリート柱部材の等価粘性減衰定数算定式，コンクリート工学年次論文報告集，Vol. 35, No. 2, pp. 181-186, 2013.7

6.2.2.3 耐 震 壁

a) 部材のモデル化

耐震壁部材のモデル化は，無開口両側柱付き耐震壁（柱型省略も含む），袖壁付き柱，腰壁・垂壁付き梁の3つに分類して行う．

無開口耐震壁のモデル化は，両側柱と壁板を柱にモデル化する3本柱モデルまたは材軸直交分割モデルを主に想定しているが，これらのモデルで計算される曲げ変形成分とせん断変形成分が，本節で示す曲げまたはせん断ひび割れ点，曲げまたはせん断終局強度点で表される3折れ線と大きく異ならないことを確認する必要がある．

袖壁付き柱，腰壁・垂壁付き梁のモデル化は，柱部材または梁部材として行ってよい．すなわち，曲げひび割れ点，せん断ひび割れ点，曲げ降伏点（せん断破壊点）を，3折れ線で表現したトリリニアモデルによって行う．なお，これらの部材の挙動が無開口耐震壁に近い場合は，無開口耐震壁のモデル化に準じて行ってもよい．

ただし，以上の他に別途構造実験および構造解析に基づく研究によって，それぞれの部材の非線形性を考慮したモデル化を行うことも可能である．

b) 無開口両側柱付き耐震壁の復元力特性と終局変形

ひび割れ曲げモーメント，せん断ひび割れ強度，降伏点剛性低下率，降伏曲げモーメントおよび終局曲げモーメントなどの特性値は，材料の特性を考慮し，挙動を平均的に評価する式により求める．

せん断終局強度 Q_{su} およびそのときのせん断変形は，材料の特性を考慮し，強度を安全側に評価する式により求める．

曲げ降伏する部材の終局変形角 R_u は，曲げ降伏後のせん断強度の低下に依存する終局変形と曲げ降伏後の曲げ圧縮コンクリートの圧壊に依存する終局変形の小さい方とする．それぞれの終局変形は，材料の特性を考慮し，変形を安全側に評価する式により求める．

せん断破壊する部材の終局変形角 R_u は，せん断破壊時のせん断変形と曲げ変形の和により求める．

c) 袖壁付き柱の復元力特性と終局変形

ひび割れ曲げモーメント，せん断ひび割れ強度，降伏点剛性低下率，降伏曲げモーメントおよび終局曲げモーメントなどの特性値は，材料の特性を考慮し，挙動を平均的に評価する式により求める．

せん断終局強度 Q_{su} およびそのときの変形は，材料の特性を考慮し，強度を安全側に評価する式により求める．

曲げ降伏する部材の終局変形 R_u は，曲げ降伏後の曲げ圧縮コンクリートの圧壊に依存する終局変形とする．それぞれの終局変形角は，材料の特性を考慮し，変形を安全側に評価する式により求める．

d) 腰壁・垂れ壁付き梁の復元力特性と終局変形

ひび割れ曲げモーメント，せん断ひび割れ強度，降伏点剛性低下率，降伏曲げモーメントおよび終局曲げモーメントなどの特性値は，材料の特性を考慮し，挙動を平均的に評価する式により求める．

せん断終局強度 Q_{su} およびそのときの変形は，材料の特性を考慮し，強度を安全側に評価する式により求める．

曲げ降伏する部材の終局変形角 R_u は，曲げ降伏後の曲げ圧縮コンクリートの圧壊に依存する終局変形とする．それぞれの終局変形は，材料の特性を考慮し，変形を安全側に評価する式により求める．

e) 開口の影響の評価

開口の各種強度，降伏点剛性，各種変形に対する影響は，適切に評価する．

f） 等価粘性減衰定数
　等価粘性減衰定数は，部材変形に応じて適切に算定する．

　a） 部材のモデル化
　耐震壁部材のモデル化は，保有耐力規準[6.2.2.3.1]を参考に，無開口両側柱付き耐震壁，袖壁付き柱，腰壁・垂れ壁付き梁の3つに分類して行う．この分類は，開口の扱い方により決定される．まず，保有耐力規準では，開口が小さい場合（面積に関する開口による低減率 r_2[6.2.2.3.1]が 0.95 以上）は，その開口が剛性および耐力に与える影響を無視してよいとしている．次に，原則として，低減率 r_2 が1スパンごとに 0.6 以上の場合に有開口耐震壁，すなわち無開口耐震壁と同様の手法により設計してよいとしている．すなわち，r_2 が 0.6 を下回る場合は，耐震壁ではなく，梁（腰壁・垂れ壁付き梁）柱（袖壁付き柱）架構にモデル化することになる．しかしながら，保有耐力規準でも述べられているように，r_2 が 0.6 を下回るような場合でも，梁柱架構としてモデル化するよりも，壁としてモデル化した方が適切な場合がある．本来，モデル化は開口低減率で一義的に決めるべきものではなく，適切なモデル化を選択する必要がある．したがって，このような場合，全体崩壊形として設計できる場合は，有開口耐震壁としてよい．一方，これとは逆に，r_2 が 0.6 を上回るような場合に耐震壁としてモデル化した結果，全体崩壊形とはならずに，梁崩壊形や層崩壊形になる場合もある．このような場合は，耐震壁としてはせん断破壊と判定されているが，この崩壊形は本来架構モデルで検討することが望ましく，それにより高い変形能を使える可能性があることに注意が必要である．

　無開口耐震壁のモデル化は，解説図 6.2.2.3.1 に示す両側柱と壁板を柱にモデル化する3本柱モデルを主に想定しているが，これらのモデルで計算される曲げ変形成分とせん断変形成分が，次項以降で示す曲げあるいはせん断ひび割れ点，曲げあるいはせん断終局強度点で表される3折れ線と大きく異ならないことを確認する必要がある[6.2.2.3.1]．なお，柱型が省略されている場合でも，RC 規準[6.2.2.3.2]に従って柱端部が拘束されている場合には，無開口両側柱付き耐震壁としてよい．

　袖壁付き柱，腰壁・垂れ壁付き梁のモデル化は，柱部材または梁部材として線材によるモデル化を行ってよい．すなわち，曲げひび割れ点，せん断ひび割れ点，曲げ降伏点（せん断破壊点）

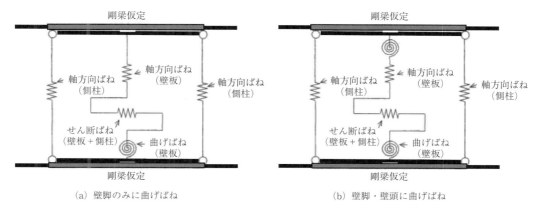

(a) 壁脚のみに曲げばね　　　　　　　　(b) 壁脚・壁頭に曲げばね

解説図 6.2.2.3.1　耐震壁の3本柱置換モデルの例[6.2.2.3.4], [6.2.2.3.22]

を，3折れ線で表現したトリリニアモデルによって行う．なお，これらの部材の挙動が無開口耐震壁に近い場合は，無開口耐震壁のモデル化に準じて行ってもよい．

いずれの場合も，開口がある場合は，その影響を適切に考慮する必要がある．また，別途構造実験および構造解析に基づく研究によって，それぞれの部材の非線形性を考慮したモデル化を行うことも可能である．

b）無開口（両側柱付き）耐震壁の復元力特性と終局変形

両側柱付き無開口耐震壁の復元力特性は，断面の曲げ変形と層のせん断変形に分離して設定する．本節で示す曲げ変形の評価法が直接適用できない解析モデルを用いる場合には，その解析モデルによる曲げ降伏時の各層の水平変形が，本節で示す算定法による結果と大きく異ならないことを確認することを原則とする．柱型がない場合でも，RC規準に従って柱拘束域が有効に拘束された場合は対象としてよい．

以下に，曲げ変形成分とせん断変形成分の復元力特性の評価法および部材（層）の終局変形の評価法の例を示す．なお，曲げとせん断変形成分の復元力特性は，保有耐力規準による方法である．せん断終局強度点については，靱性保証指針[6.2.2.3.3]を示す．さらに，性能評価指針[6.2.2.3.4]によるせん断強度の評価方法も併せて示す．また，終局変形は，靱性保証指針および性能評価指針による方法に若干の修正を加えている．

b1）曲げ変形成分（曲げモーメント―曲率関係）[6.2.2.3.1]

（1）ひび割れ曲げモーメントと曲率（M_1, ϕ_1）

$$M_1 = {}_fM_{cr} = (\sigma_t + \sigma_0)Z_e \qquad \text{(解 6.2.2.3.1)}$$

$$\phi_1 = {}_f\phi_{cr} = {}_fM_{cr}/{}_fK_e = {}_fM_{cr}/(E_cI_e) \qquad \text{(解 6.2.2.3.2)}$$

記号　M_1, ${}_fM_{cr}$：両側柱付き無開口耐震壁のひび割れ曲げモーメント（N·mm）

　　　　σ_0：両側柱付き無開口耐震壁の軸方向応力度（全断面積に対する値：圧縮を正）（N/mm²）

　　　　σ_t：コンクリート引張強度（N/mm²）で，次式による．

$$\sigma_t = 0.56\sqrt{F_c} \qquad \text{(解 6.2.2.3.3)}$$

　　　　F_c：コンクリート設計基準強度（正値）（N/mm²）

　　　　Z_e：両側柱付き無開口耐震壁の等価断面係数（mm³）

　　　　ϕ_1, ${}_f\phi_{cr}$：両側柱付き無開口耐震壁の曲げひび割れ発生時曲率（1/mm）

　　　　${}_fK_e$：両側柱付き無開口耐震壁の曲げ弾性剛性（N·mm²）で，$E_c \cdot I_e$ より算定する．

　　　　E_c：コンクリートのヤング係数（N/mm²）

　　　　I_e：両側柱付き無開口耐震壁の等価断面二次モーメント（mm⁴）

（2）終局曲げモーメントと曲率（M_2, ϕ_2）

$$M_2 = M_{fu} = {}_ca_{gc}\sigma_yl_w + 0.5{}_wa_{vw}\sigma_yl_w + 0.5Nl_w \qquad \text{(解 6.2.2.3.4)}$$

$$\phi_2 = \phi_y = \frac{{}_c\varepsilon_y}{l_{aw} - \dfrac{D_c}{2} - x_n}$$

(解 6.2.2.3.5)

記号　$M_2,\ M_{fu}$：両側柱付き耐震壁の終局曲げモーメント時モーメント（N・mm）

　　　　$_ca_g$：引張側柱全主筋の断面積（mm²）

　　　　$_c\sigma_y$：引張側柱全主筋の材料強度（N/mm²）

　　　　$_wa_v$：壁縦筋全断面積（mm²）

　　　　$_w\sigma_y$：壁縦筋の材料強度（N/mm²）

　　　　N：両側柱付き無開口耐震壁の全軸方向力（N）

　　　　l_w：両側柱心々間距離（柱型がない場合は両側の柱に相当する部分に配筋された帯筋心々間距離）（mm）

　　　　j：応力中心距離（$= l_e \times 7/8$）（mm）

$$l_e = \begin{cases} l_{aw} - D_c/2 & \text{I 型断面の場合} \\ 0.95\,l_{aw} & \text{矩形断面の場合} \end{cases}$$

　　　　$\phi_2,\ \phi_y$：両側柱付き無開口耐震壁の曲げ降伏時曲率（1/mm）

　　　　$_c\varepsilon_y$：引張側柱全主筋の降伏時ひずみ

　　　　t_w：壁厚（mm）

　　　　l_{aw}：壁全長（mm）

　　　　D_c：柱せい（mm）

　　　　B_c：柱幅（mm）

　　　　x_n：両側柱付き無開口耐震壁の曲げ降伏時の圧縮縁から中立軸位置までの距離（mm）で，次式による．

$$x_n = \frac{{}_ca_{gc}\sigma_y + {}_wa_{gw}\sigma_y + N - \dfrac{B_cD_cF_c}{2}}{\dfrac{t_wF_c}{2}} + D_c \geq D_c + t_w$$

(解 6.2.2.3.6)

（3）　曲げ降伏後の剛性

$$_fK_3 = {}_fK_e/1\,000$$

(解 6.2.2.3.7)

記号　$_fK_3$：両側柱付き無開口耐震壁の曲げ降伏後の剛性（N・mm²）

b2)　せん断変形成分（せん断力―せん断変形角関係）[6.2.2.3.1)]

（1）　せん断ひび割れ点（$Q_1,\ \gamma_1$）

$$Q_1 = {}_sQ_{cr} = {}_s\tau_{cr}t_wl_w/\kappa_s$$

(解 6.2.2.3.8)

$$\gamma_1 = {}_s\gamma_{cr} = {}_sQ_{cr}\kappa_e/(G_cA_{all})$$

(解 6.2.2.3.9)

記号　$Q_1,\ {}_sQ_{cr}$：両側柱付き無開口耐震壁のせん断ひび割れ強度（N）

　　　　$_s\tau_{cr}$：両側柱付き無開口耐震壁のせん断ひび割れ発生時せん断応力度（N/mm²）で，次式による．

$$_s\tau_{cr} = \sqrt{(\sigma_t{}^2 + \sigma_t\sigma_0)}$$

(解 6.2.2.3.10)

σ_t：コンクリート引張強度（N/mm²）で，次式による.

$$\sigma_t = 0.33\sqrt{F_c} \tag{解 6.2.2.3.11}$$

κ_s：両側柱付き無開口耐震壁の応力度法によるせん断に対する形状係数で，次式による.

$$\kappa_s = 3(1+u)[1-u^2(1-\nu)]/\{4[1-u^3(1-\nu)]\} \tag{解 6.2.2.3.12}$$

$$u = l'_w/(l'_w + \textstyle\sum D_c)$$

$$\nu = t_w/B_c$$

l'_w：壁板の柱内法長さ（mm）

$\sum D_c$：耐震壁に取り付く全ての柱せいの合計（mm）

κ_e：エネルギー法によるせん断に対する形状係数で，次式による.

$$\kappa_e = \frac{13}{15}\eta + \frac{1}{3} \tag{解 6.2.2.3.13}$$

$$\eta = A_{all}/t_w l_{aw} \qquad \eta \leq 2.2$$

矩形断面の場合は，$\kappa_e = 1.2$

G_c：コンクリートのせん断弾性係数（N/mm²）

A_{all}：両側柱付き無開口耐震壁の全断面積（mm²）

（2）せん断終局強度点（Q_2, γ_2）

・保有耐力規準による方法

$$Q_2 = Q_{su} = \left\{\frac{0.068 p_{cg}{}^{0.23}(F_c + 18)}{\sqrt{M/(Ql_{aw})} + 0.12} + 0.85\sqrt{p_{whe}\sigma_{why}} + 0.1\sigma_0\right\} b_e j \tag{解 6.2.2.3.14}$$

$$\gamma_2 = Q_{su}/(\alpha_{ss}K_e) = Q_{su}/(\alpha_{ss}Q_{cr}/{}_s\gamma_{cr}) \tag{解 6.2.2.3.15}$$

記号　Q_2, Q_{su}：両側柱付き無開口耐震壁のせん断終局耐力（N）

p_{cg}：両側柱付き無開口耐震壁の等価引張主筋比（%）で，次式による.

$$p_{cg} = 100 {}_c a_g/(b_e l_e)$$

${}_c a_g$：引張側柱の全主筋断面積（mm²）

b_e：等価壁厚さ（mm）で，次式による.

$$b_e = \frac{A_{all}}{l_{aw}} \text{ かつ } b_e \leq 1.5 t_w$$

l_e：両側柱付き無開口耐震壁の有効壁長さ（mm）で，次式による.

$$l_e = \begin{cases} l_{aw} - D_{cc}/2 & \text{I 型断面の場合} \\ 0.95 l_{aw} & \text{矩形断面の場合} \end{cases}$$

D_{cc}：両側柱付き無開口耐震壁の圧縮側柱せい（mm）

$M/(Ql_{aw})$：両側柱付き無開口耐震壁のせん断スパン比で，1未満の時は1，3を超える場合は3とする.

M, Q：保証設計時の計算対象層の両側柱付き耐震壁の最大曲げモーメント（N·mm）とせん断力（N）

p_{whe}：両側柱付き無開口耐震壁板の等価横補強筋比で，（解 6.2.2.3.16）式による．連層耐震壁の場合は，解説図 6.2.2.3.2 のように中間梁主筋とスラブ筋を加算する．ただし，考慮するスラブ筋は，壁表面から両側に壁厚の 3 倍の範囲に位置する鉄筋とする．この場合，壁板の等価横補強筋比に換算して，鉄筋比の合計の上限を 1.2 ％とする．なお，計算上考慮できる壁板の横補強筋比が，縦補強筋比の 2 倍以下とする．

$$p_{whe}=a_{wh}/(b_{e}s) \text{ かつ } p_{whe}\leqq 0.012 \tag{解 6.2.2.3.16}$$

σ_{why}：同上鉄筋の信頼強度（N/mm^2）

σ_0：軸方向応力度（N/mm^2），引張の場合は 0 とする．

j：応力中心距離（$l_e \times 7/8$）（mm）

γ_2：両側柱付き無開口耐震壁板のせん断終局強度時のせん断ひずみ

α_s：両側柱付き無開口耐震壁板のせん断ひび割れ後のせん断剛性低下率で，次式による（log：常用対数）．

$$\alpha_s=a+b\log(K_x) \tag{解 6.2.2.3.17}$$

a：α_s 算定用係数で，次式による．

$$a=-0.174+c\sigma_0$$

b：α_s 算定用係数で，次式による．

$$b=0.088+d\sigma_0$$

c：α_s 算定用係数で，次式による．

$$c=-0.017+7.0\times 10^{-5}F_c$$

d：α_s 算定用係数で，次式による．

$$d=0.010-7.0\times 10^{-5}F_c$$

K_x：せん断ひび割れ後の両側柱によるせん断抵抗剛性（N/mm^2）で，次式による．

$$K_x=\frac{\omega E_c I_c l_w}{t_w h_w{}^4}+p_{wh}E_s \tag{解 6.2.2.3.18}$$

$$\omega=\left\{\begin{array}{ll} 360 & \text{一層耐震壁の場合} \\ 22.5 & \text{連層耐震壁の場合} \end{array}\right.$$

I_c：柱の断面二次モーメント（mm^4）

h_w：壁板内法高さ（連層耐震壁の場合は解説図 6.2.2.3.2 に従う）（mm）

E_s：壁板横筋のヤング係数（N/mm^2）

・靱性保証指針と性能評価指針によるせん断終局強度 Q_2 の評価法

$$Q_2=t_w l_{wb} p_{sx}\sigma_y \cot\phi+\tan\theta(1-\beta)t_w l_{wa}\nu\sigma_B/2 \tag{解 6.2.2.3.19}$$

記号　t_w：壁厚さ（mm）

l_{wb}，l_{wa}：トラス機構とアーチ機構の有効壁長さ（mm）（靱性保証指針による）

$p_{sx}\sigma_y$：各層の壁板横筋とスラブ筋および梁主筋の鉄筋比に応じた等価な壁筋比と材料強度の積で，解説図 6.2.2.3.2 のように，壁上下のスラブ筋と梁主筋の合計の半分を考慮

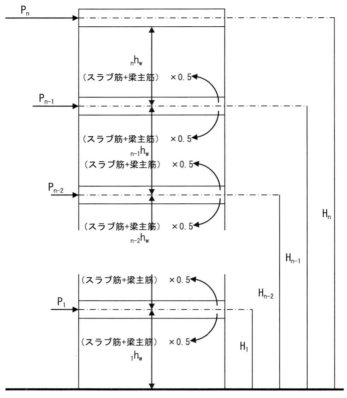

解説図 6.2.2.3.2　連層耐震壁の場合の各層の h_w と中間梁主筋とスラブ筋の考慮方法

する．ただし，$\nu_0\sigma_B/2$ を超える場合は $\nu_0\sigma_B/2$ とする（N/mm²）．

ν_0：コンクリートの圧縮強度の有効係数で，以下による．

$$\nu_0 = \begin{cases} 0.8 - \sigma_B/200 & \sigma_B \leq 70 \text{ N/mm}^2 \\ 1.907\sigma_B^{-0.34} & \sigma_B \geq 70 \text{ N/mm}^2 \end{cases} \quad (解 6.2.2.3.20)$$

ν：ヒンジ形成時のコンクリートの圧縮強度の有効係数で，以下による．

$\nu = \nu_0$　　　　　　　　　　　　$R_u < 0.005$
$\nu = (1.2 - 40R_u)\nu_0$　　　$0.005 \leq R_u < 0.02$
$\nu = 0.4\nu_0$　　　　　　　　　　$0.02 \leq R_u$

R_u：部材の終局変形

σ_B：コンクリート圧縮強度（N/mm²）

θ：各層の連層アーチ機構の角度で l 階の角度 θ_i は以下による．

$$\tan 2\theta_i = \sum_{j=i}^{n}(\alpha_j \sin 2\psi_j/\tan \psi_j) \Big/ \sum_{j=i}^{n}(\alpha_j \cos 2\psi_j/\tan \psi_j)$$

$$\tan \psi_j = \sqrt{(_jh_w/_1l_{wa})^2 + 1} - _jh_w/_1l_{wa}$$

α_i：各層に作用する水平力比

n：全層数

$_jh_w$：最下層脚部から j 層の水平力作用位置までの相対高さ（mm）

cot ϕ：トラス機構の角度で cot ϕ＝1 とする．

β：トラス機構の負担比で以下による．

$$\beta=(1+\cot^2\phi)p_{sx}\sigma_y/(\nu_0\sigma_B)$$

（3）せん断終局強度到達後

せん断変形成分に関しては第二折れ点までとし，これに達した時点で，当該部材は水平耐力を喪失するものとする．

b3）終局変形

（1）曲げ降伏する部材の終局変形

曲げ降伏する部材の終局変形角 R_u は，曲げ降伏後のせん断強度の低下に依存する終局変形と曲げ降伏後の曲げ圧縮コンクリートの圧壊に依存する終局変形の小さい方とする．以下に2つの終局変形の算定法を示す．

曲げ降伏後のせん断強度の低下に依存する終局変形の算定に関しては，靱性保証指針に記された方法を用いる．すなわち，（解6.2.2.3.21）式に示す部材角（R_u）とコンクリート有効圧縮強度係数（ν）の関係を用い，低下したせん断終局強度と終局曲げモーメントが一致した時の変形を曲げ降伏後にせん断破壊する時の変形とする．ここで，ν_0 は（解6.2.2.3.20）式によるコンクリート有効圧縮強度係数である．

$$
\begin{aligned}
\nu &= \nu_0 & R_u &< 0.005 \\
\nu &= (1.2-40R_u)\nu_0 & 0.005 &\leq R_u < 0.02 \\
\nu &= 0.4\nu_0 & 0.02 &\leq R_u
\end{aligned}
\qquad \text{（解 6.2.2.3.21）}
$$

曲げ降伏後の曲げ圧縮コンクリートの圧壊に依存する終局変形の算定に関しては，せん断変形を無視し，曲げ変形のみを考慮する．曲げ変形は性能評価指針に示された方法に若干の修正を加えて算定する．この方法は，終局曲げモーメント時の曲率分布を求め，それを積分することにより，変形を求めるものであり，最大曲げモーメント位置の曲率は，終局曲げモーメント時せん断力と圧縮側柱のコア内コンクリートの拘束効果を考慮して算定する．この際，引張側柱主筋の引張ひずみが破断ひずみの 0.5 倍を超える場合は，その時点を曲げ降伏後の曲げ圧縮コンクリートの圧壊に依存する終局曲率とする．

その曲率算定式を（解6.2.2.3.22）式に示す．性能評価指針では，靱性保証指針で示された曲げ変形性能確保のための耐震壁の横拘束法の考え方を取り入れ，定式化している．（解6.2.2.3.22）式は，それを若干修正したものである．具体的には，曲率を計算する際に評価した中立軸位置をそのまま適用した点，および圧縮領域周辺のコンクリートに作用する等価軸力 N_{cc} を算定する際に，いったん作用軸力 T に引張主筋による軸力を加えた上で等価な軸力を評価し，コンクリートに作用する等価軸力 N_{cc} は，そこから圧縮主筋分を減じた点である．これは，軸力と壁縦筋が極端に少ない場合にも（解6.2.2.3.22）式を適用可能とするためである．

なお，引張側柱主筋の引張ひずみが破断ひずみの 0.5 倍に達する時は，その時点を曲げ終局変形点とする．引張側柱主筋の引張ひずみは，（解6.2.2.3.22）式の ϕ_u の分母が中立軸位置，分子が

圧縮側コンクリートの圧縮ひずみであり，ひずみ分布を線形仮定することにより算定する．引張側柱主筋の引張ひずみが破断ひずみの 0.5 倍の時の曲率は，（解 6.2.2.3.22）式の ϕ_u の分母の中立軸位置と破断ひずみの 0.5 倍の引張ひずみによって算定できる．引張側柱主筋のひずみの限界値を破断ひずみ度の 0.5 倍としたのは，大変形時における耐震壁脚部では，引張側柱主筋および壁縦筋が軸筋としてのみならずダボ筋としても水平力に抵抗し，破断ひずみは材料引張試験の結果よりも小さくなることを考慮したためである．破断ひずみは，JIS G 3112 に記載の鉄筋の機械的性質に示されている伸びの下限値とする．

$$\phi_u = \begin{cases} \dfrac{c\varepsilon_B}{x_{ne}} & (x_{ne} \leq J_D) \\[2mm] \min\left(\dfrac{c\varepsilon_B}{X_n + D}, \dfrac{w\varepsilon_B}{X_n}\right) & (x_{ne} > J_D) \end{cases} \qquad (\text{解} 6.2.2.3.22)$$

$$x_{ne} = \frac{N_{cc}}{0.9_c\sigma_{cB}J_B}, \quad X_n = \frac{N_{cc} - C_c}{\sigma_B t_w}$$

$$N_{cc} = \frac{T^2 + {}_bV_u{}^2}{T} - \sum_c a_{yc}\sigma_y, \quad T = \sum a_{ww}\sigma_y + N + \sum_t a_{yt}\sigma_y, \quad C_c = 0.9_c\sigma_{cB}J_B J_D$$

記号　$_c\sigma_{cB}$：New RC 式による最大応力度（N/mm²）

σ_B：コンクリート圧縮強度（N/mm²）

$_c\varepsilon_B$：New RC 式において最大応力度 $_c\sigma_{cB}$ の 0.9 となった点のひずみ

$_u\varepsilon_B$：壁板の終局時ひずみで特に拘束しない場合は 0.003 としてよい

J_D：圧縮側柱のコアせいで外周の帯筋の心々間距離（mm）

J_B：圧縮側柱のコア幅で外周の帯筋の心々間距離（mm）

t_w：壁厚さ（mm）

$_bV_u$：壁の曲げ終局時せん断力（N）

$\sum_c a_y, _c\sigma_y$：圧縮側柱の全主筋断面積（mm²）とその材料強度（N/mm²）

$\sum_t a_y, _t\sigma_y$：引張側柱の全主筋断面積（mm²）とその材料強度（N/mm²）

$\sum a_w, _w\sigma_y$：壁板の全壁縦筋断面積（mm²）とその材料強度（N/mm²）

　曲げと軸力に依存する変形能の評価の問題点は，圧縮側コンクリートの圧壊領域の高さ h_{pc} である．靭性保証指針では，壁全高さの 1/6 と壁長さの大きい方をヒンジ領域の高さとして，そのヒンジ領域の高さの 1/3 とするとしている．一方，性能評価指針では，シアスパン高さの 0.15 倍とすると実験と適合するとしている．ここでは，袖壁付き柱の曲げ終局変形の考え方に合わせ，コンクリートの圧壊高さは側柱の幅に比例するとした．一方，解説図 6.2.2.3.3 は，靭性保証指針と性能評価指針における曲げ変形能算出用の圧壊長さと柱幅の関係を示したものである．傾向は異なるが，性能評価指針の設定は明らかに安全側すぎると判断できるので，靭性保証指針と性能評価指針の中間程度になるように設定したのが（解 6.2.2.3.23）式である．

$$h_{pc} = 1.5 B_c \qquad (\text{解} 6.2.2.3.23)$$

記号　h_{pc}：圧縮側コンクリートの圧壊領域の高さ（mm）

B_c：圧縮側柱の幅（mm）

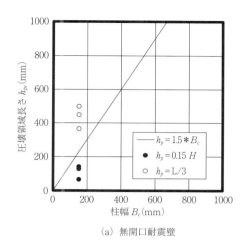 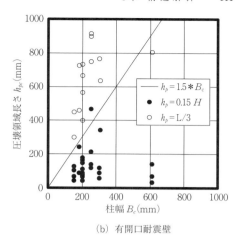

解説図 6.2.2.3.3 靱性保証指針と性能評価指針における曲げ変形能算出用の圧壊長さと柱幅の関係

　終局変形は，曲げひび割れ時曲率を無視して曲率分布を仮定し，これを積分して曲げ変形を算定する．例えば，片持梁型の耐震壁の場合は，解説図 6.2.2.3.4 のように曲率分布を仮定する．圧壊領域直上の曲率は，引張側柱主筋引張降伏時と圧縮側柱コンクリート圧縮強度時（拘束効果無視）の小さい方の曲率（ϕ_y）とする．

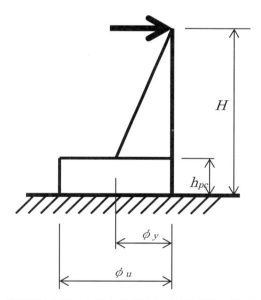

解説図 6.2.2.3.4 仮定曲率分布（片持梁型の場合）

　以上に示した曲げ降伏後のせん断強度の低下に依存する終局変形と曲げ降伏後の曲げ圧縮コンクリートの圧壊に依存する終局変形について，既往実験結果（32 体）を用いて検証した結果を解説図 6.2.2.3.5，6.2.2.3.6 に示す．縦軸が限界変形の実験値，横軸が計算値であるが，いずれもこの手法による結果は，ほぼ安全側の算定結果となっている．

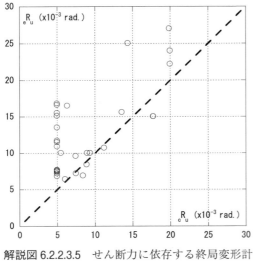
解説図 6.2.2.3.5 せん断力に依存する終局変形計算値と実験値の比較

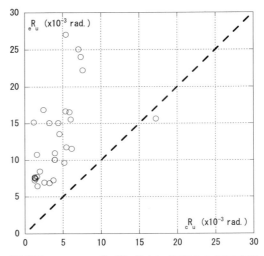
解説図 6.2.2.3.6 曲げと軸力に依存する終局変形計算値と実験値の比較

（2） せん断破壊する部材の終局変形

曲げ降伏前にせん断終局強度に達する場合は，せん断に対するスケルトンカーブの第二折れ点到達時をせん断破壊する部材の終局変形とし，この時点のせん断変形と曲げ変形の和により求める．曲げ変形は，曲率を積分することにより求める．

c） 袖壁付き柱の復元力特性と終局変形[6.2.2.3.1)]

袖壁付き柱の復元力特性は，保有耐力規準に示された方法を適用する．また，その終局変形は，同規準の解説に示された方法を適用する．以下に各評価式を同規準から引用するが，同規準では，以下の条件を満足する袖壁が柱の両側または片側に連続する袖壁付き柱に適用している．袖壁が以下の条件を満足しない場合は，壁を無視して柱として設計する．また，袖壁の端部に 9.4.3 項に示す柱の条件を満足する拘束領域を設ける場合は，耐震壁として設計することになる．

$$\sum L_W \geq L_{min} \qquad (解 6.2.2.3.24)$$

記号 $\sum L_W$：袖壁の長さの和（mm）

L_{min}：構造計算で考慮する袖壁の最小長さ（＝450 mm としてよい）

c1） 初期剛性

袖壁付き柱部材の曲げ変形，せん断変形および軸方向変形に対する初期剛性は，全断面について算定した断面積および断面二次モーメントで算定する．

c2） ひび割れ曲げモーメント

袖壁付き柱部材のひび割れ曲げモーメントは，（解 6.2.2.3.25）式により算定することができる．

$$M_c = (0.56\sqrt{F_c} + N/A) \cdot Z + N \cdot e \qquad (解 6.2.2.3.25)$$

記号 M_c：袖壁付き柱のひび割れ曲げモーメント（N・mm）

F_c：コンクリートの設計基準強度（N/mm^2）

N：袖壁付き柱に生じるひび割れ曲げモーメント時軸方向力（N）

A：袖壁付き柱の全水平断面積（mm²）

Z：袖壁付き柱水平断面の図心まわりの断面係数（mm³）で，次式による．

$Z=I/y_{\max}$

I：袖壁付き柱水平断面の図心まわりの断面二次モーメント（mm⁴）

$y_{\max}$：袖壁付き柱の図心からの引張縁までの距離（mm）

e：図心に対する軸方向力算定位置の座標（mm）で，圧縮軸力によってひび割れ曲げモーメントが増大する側を正，反対側は負の値とする．

c3)　終局曲げモーメント

袖壁付き柱部材の終局曲げモーメントは，コンクリートの応力度—ひずみ関係に基づいて，断面の曲げ理論により算定することができる．以下の（解 6.2.2.3.26）[6.2.2.3.5]式，あるいは断面を要素分割する数値解析など，終局曲げモーメントを適切に評価できる算定法を用いてよい．

$$M_u=\sum(a_t\cdot\sigma_y\cdot j_t)+N\cdot j_N \qquad\text{（解 6.2.2.3.26）}$$

記号

a_t：引張鉄筋の断面積（mm²）で，原則として，コンクリート圧縮域および圧縮域近傍以外に配置された壁縦筋，柱主筋をすべて考慮する．

σ_y：引張鉄筋（壁縦筋，柱主筋）の材料強度（N/mm²）

j_t（$=d_t-L_{cc}$）：引張鉄筋（壁縦筋，柱主筋）とコンクリート圧縮域の応力中心間距離（mm）

d_t：コンクリート圧縮縁から引張鉄筋までの距離（mm）

L_{cc}：コンクリート圧縮縁からコンクリート圧縮域中心までの距離（mm）

N：袖壁付き柱に作用する軸力（N）

j_N：軸力作用位置（通常柱心）とコンクリート圧縮域の応力中心間距離（mm）で，解説図 6.2.2.3.7 により算定する．

A_{cc}：コンクリート圧縮域の面積で，以下の方法で算定してよい．

$$A_{cc}=\frac{\sum(a_t\cdot\sigma_y)+N}{\beta_{cc}F_c}$$

$\beta_{CC}=0.85$（ただし，圧縮領域の縦筋比が 0.01 以上である場合は $\beta_{CC}=1.0$ としてよい）

L_{cc}：コンクリート圧縮域中心の圧縮縁からの距離で，

$A_{cc}\leqq A_{w1}=(t_w\cdot L_{w1})$ の場合は，$L_{cc}=A_{cc}/(2t_w)$

$A_{cc}>A_{w1}=(t_w\cdot L_{w1})$ の場合は，柱断面（幅 b）が圧縮力の一部を負担することを考慮して，

$$L_{cc}=\frac{A_{w1}}{A_{cc}}\cdot\frac{L_{w1}}{2}+\left(1-\frac{A_{w1}}{A_{cc}}\right)\left(L_{w1}+\frac{A_{cc}-A_{w1}}{2b}\right)\text{ としてよい．}$$

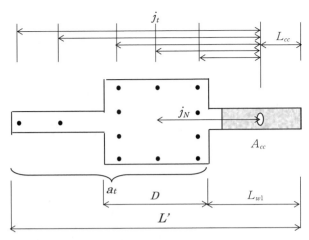

解説図 6.2.2.3.7　終局曲げモーメントの算定用の記号

c4) せん断終局強度

　袖壁付き柱部材の終局せん断強度は，袖壁と壁厚さの柱断面を含む壁要素とそれ以外の柱要素に分割して，それぞれが寄与する強度の累加として安全側に算定することができる．保有耐力規準では，強度式としては慣用的な実験式を適用しているが，文献 6.2.2.3.6），6.2.2.3.7）では強度式としてトラス・アーチ式を適用する方法も示されている．ここでは，これらの2つの方法を紹介する．

（1）　保有耐力規準による方法

$$Q_{su} = Q_{suw} + Q_{suc} + 0.1N \quad (解\ 6.2.2.3.27)$$

$$Q_{suw} = \left\{ \frac{0.053 p_{twe}^{0.23}(F_c+18)}{M/Qd_w+0.12} + 0.85\sqrt{p_{wh}\sigma_{why}} \right\} t_w j_w \quad (解\ 6.2.2.3.28)$$

$$Q_{suc} = \left\{ \frac{0.053 p_{tce}^{0.23}(F_c+18)}{M/Qd_{ce}+0.12} + 0.85\sqrt{p_{cwe}\sigma_{cwy}} \right\} b_{ce} j_{ce} \quad (解\ 6.2.2.3.29)$$

記号

　　Q_{su}：袖壁付き柱の終局せん断強度（N）
　　Q_{suw}：袖壁付き柱の終局せん断強度に対する壁要素の寄与分（N）
　　Q_{suc}：袖壁付き柱の終局せん断強度に対する柱要素の寄与分（N）
　　N：袖壁付き柱に作用する軸力（N）
　　F_c：コンクリートの設計基準強度（N/mm²）
　　t_w：袖壁厚さ（mm）
　$j_w = 0.8L'$：柱を含む壁要素の応力中心距離（mm）
　$L' = D + L_{w1} + L_{w2}$：柱を含む壁要素の全長さ（mm）
　　$L_{w1},\ L_{w2}$：袖壁長さ（mm）
　　D：柱せい（mm）

$b_{ce} = b - t_w$：柱要素の断面幅（mm）

$j_c = 0.8D$：柱要素の応力中心距離（mm）

b：柱幅（mm）

$p_{twe} = \dfrac{a_{tw}}{t_w d_w} \times 100$（%）：壁要素の引張鉄筋比

$p_{tce} = \dfrac{a_{tc} - a_{tw}}{(b - t_w) d_{ce}} \times 100$（%）：柱要素の引張鉄筋比

a_{tw}：引張端部壁縦筋の断面積（mm^2）で，端部 $0.2L'$ 範囲内の縦筋断面積としてよい．

a_{tc}：引張側端部の柱主筋断面積（mm^2）で，1段目または $0.2D$ 範囲内の主筋断面積としてよい．

$d_w = 0.95L'$：柱を含む壁部材全長さの有効せい（mm）

$d_{ce} = 0.95D$：柱部分の有効せい（mm）

$p_{cwe} = \dfrac{a_w - p_{wh} t_w s}{b_{ce} s}$：柱等価帯筋比（袖壁横筋が柱に定着されている場合）

$p_{cwe} = \dfrac{a_w}{b_{ce} s}$：柱等価帯筋比（袖壁横筋が柱を通して配筋されている場合）

a_w：柱帯筋1組の断面積（mm^2）

s：柱帯筋間隔（mm）

p_{wh}：袖壁横筋比

σ_{cwy}：柱帯筋の信頼強度（N/mm^2）

σ_{why}：袖壁横筋の信頼強度（N/mm^2）

M/Q：袖壁付き柱の崩壊形形成時応力のせん断スパン

ただし，せん断強度の算定では，$0.5 \leqq \dfrac{M}{Q d_w} \leqq 2$，$1 \leqq \dfrac{M}{Q d_{ce}} \leqq 3$ とする．すなわち，これらの下限値を下回る場合は下限値，上限値を上回る場合は上限値とする．

（2）　柱要素・壁要素に靱性保証指針よるトラス・アーチ式を適用する場合[6.2.2.3.6), 6.2.2.3.7)]

文献 6.2.2.3.6) では，解説図 6.2.2.3.8 に示すように分割後の柱要素と壁要素に（解 6.2.2.3.30）式および（解 6.2.2.3.31）式を適用することにより，（解 6.2.2.3.27）式より安全率は減少するが，実験値を精度良く評価することを示している．また，文献 6.2.2.3.7) では，壁要素に対する（解 6.2.2.3.31）式を修正し，修正式のトラスの角度を $\cot\phi = 1$ に固定し，さらに，片持梁試験体の場合は，部材の内法長さ L をシアスパン長さの2倍に置き換えることにより，より精度良く評価できることを示している．

・分割後の柱要素のせん断強度：V_c

$$V_c = \min(V_{c1}, V_{c2}, V_{c3}) \tag{解 6.2.2.3.30}$$

$$V_{c1} = \mu p_{we} \sigma_{wy} b_e j_e + \left(\nu \sigma_B - \frac{5 P_{we} \sigma_{wy}}{\lambda} \right) \frac{bD}{2} \tan\theta$$

$$V_{c2} = \frac{\lambda \nu \sigma_B + P_{we}\sigma_{wy}}{3} b_e j_e$$

$$V_{c3} = \frac{\lambda \nu \sigma_B}{2} b_e j_e$$

$$\mu = 2 - 20R_p$$

$$p_{we} = \frac{a_w - p_{ws}b_s s}{b_e s}$$

$$\nu = (1 - 20R_p)\nu_0$$

$$\nu_0 = 0.7 - \frac{\sigma_B}{200}$$

$$\lambda = 1 - \frac{s}{2j_e} - \frac{b_s}{4j_e}$$

$$b_s = \frac{b_e}{N_s + 1}$$

$$\tan \theta = 0.9 \times \frac{D}{2L} \quad : \ (L/D \geqq 1.5 \ \text{の場合})$$

$$\tan \theta = \frac{\sqrt{L^2 + D^2} - L}{D} \quad : \ (L/D < 1.5 \ \text{の場合})$$

・分割後の壁要素のせん断強度：V_s

$$V_s = \min(V_{s1}, V_{s2}, V_{s3}) \tag{解 6.2.2.3.31}$$

$$V_{s1} = \mu p_{wes}\sigma_{wys}b_{es}j_{es} + \left(\nu \sigma_B - \frac{5P_{wes}\sigma_{wys}}{\lambda}\right)\frac{b_s D_s}{2}\tan \theta$$

$$V_{s2} = \frac{\lambda \nu \sigma_B + P_{wes}\sigma_{wys}}{3} b_{es}j_{es}$$

$$V_{s3} = \frac{\lambda \nu \sigma_B}{2} b_{es}j_{es}$$

$$\mu = 2 - 20R_p$$

$$p_{wes} = \frac{a_{ws}}{b_{es}s_s}$$

$$\nu = (1 - 20R_p)\nu_0$$

$$\nu_0 = 0.7 - \frac{\sigma_B}{200}$$

$$\lambda = 1 - \frac{s_s}{2j_{es}} - \frac{b_{ss}}{4j_{es}}$$

$$b_{ss} = \frac{b_{es}}{N_s + 1}$$

$$\tan \theta = 0.9 \times \frac{D_s}{2L} \quad : \ (L/D_s \geqq 1.5 \ \text{の場合})$$

$$\tan \theta = \frac{\sqrt{L^2 + D_s^2} - L}{D_s} \quad : \ (L/D_s < 1.5 \ \text{の場合})$$

記号　σ_B：コンクリートの圧縮強度（N/mm^2）

$\sigma_{wy},\ \sigma_{wys}$：柱，袖壁のせん断補強筋の信頼強度

$b,\ b_s$：分割後の柱要素，壁要素の部材幅

$b_e,\ b_{es}$：分割後の柱要素，壁要素の有効幅（横補強筋のせん断力直交方向への心々距離）

$D,\ D_s$：分割後の柱要素，壁要素のせい

$j_e,\ j_{es}$：分割後の柱要素，壁要素の有効せい（横補強筋のせん断力方向への心々距離）

p_{we}：分割後の柱要素の有効等価横補強筋比

p_{ws}：袖壁の横補強筋比

p_{wes}：分割後壁要素の有効横補強筋比

$a_w,\ a_{ws}$：分割後の柱要素，壁要素の一組の横補強筋の断面積

$s,\ s_s$：分割後の柱要素，壁要素の横補強筋間隔

N_s：中子筋の本数

μ：トラス機構の角度を表す係数

R_p：終局限界状態でのヒンジ領域の回転角でせん断強度算出時は0とする．

ν：コンクリート圧縮強度の有効係数

λ：トラス機構の有効係数

L：内法高さ

θ：アーチ機構の作用角度

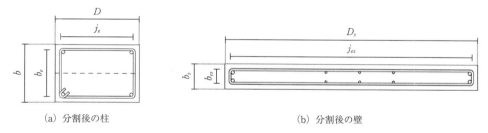

解説図 6.2.2.3.8　せん断強度算定用の記号

c5) 降伏点剛性

袖壁付き柱の曲げ降伏時の変形（割線剛性）は，曲げ変形およびせん断変形を考慮して評価された初期剛性を（解 6.2.2.3.32）式による剛性低下率で低減して算定することができる．

$$\alpha_y = \left(0.043 + 1.64 n \cdot p_t + 0.043 \frac{a}{L} + 0.33 \eta_0\right)\left(\frac{d}{L}\right)^2 \quad \text{（解 6.2.2.3.32）}$$

記号　α_y：袖壁付き柱の降伏点剛性の低下率

n：ヤング係数比（＝15〜9，RC規準12条による）

p_t：引張鉄筋比（終局曲げ強度算定に用いた引張側鉄筋比とする）

a：せん断スパン長さ（mm）（原則として崩壊形形成時応力に基づくが，階高としてもよい）

L：袖壁を含む部材全せい（mm）

η_0：部材の全水平断面とコンクリート設計基準強度を用いて算定された軸力比（降伏時の軸力とするが，長期軸力を用いてもよい）

d：部材の有効せい（圧縮縁から引張主筋の重心位置までの距離としてよい）（mm）

c6）　曲げ終局変形

保有耐力規準の解説では，曲げ理論に基づいて終局（塑性）変形性能を（解 6.2.2.3.33）式のように定式化している．これは圧縮側コンクリートに一定の曲率 ϕ_u と長さ l_h の塑性ヒンジ領域による曲げ変形（に比例する変形）として算定されたものである．

$$R_u = c \times l_h \times \phi_u \qquad\qquad (\text{解 } 6.2.2.3.33)$$

ここで，c は実験から決めた係数，l_h は塑性ヒンジ領域の長さであるが，保有耐力規準の解説では，以下のように仮定している．

$$c = 6$$
$$l_h = 2t_w$$

また，ϕ_u は，圧縮側コンクリートの圧縮縁から中立軸位置 x_n と圧縮縁のコンクリートのひずみ ε_{cu} によって，以下のように表される．

$$\phi_u = \varepsilon_{cu}/x_n$$

ここで，中立軸位置は c3）で示した A_{cc} により算定される．

$$(A_{cc} \leqq A_{w1}) \qquad x_n = 2L_{cc} = A_{cc}/t_w$$

$$(A_{cc} > A_{w1}) \qquad x_n = L_{w1} + \frac{A_{cc} - A_{w1}}{b}$$

さらに，圧縮縁のコンクリートのひずみ ε_{cu} は，以下としている．

$$\varepsilon_{cu} = 0.003 \text{（端部拘束の場合は 2 倍にして } \varepsilon_{cu} = 0.006）$$

保有耐力規準の解説によれば，実験に適合する係数 c が大きいのは，① $\varepsilon_{cu} = 0.003$ がかなり控えめの仮定であること，②実際の変形には塑性ヒンジ領域の変形（曲げ塑性変形）以外の弾性変形や抜け出し変形などが加わる，③さらにせん断変形もかなりの比率を占めることなどによる．一方，塑性ヒンジ領域の長さや終局ひずみの仮定も実験で検証されているわけではない．実験による終局ひずみの計測値はこの 2〜3 倍程度以上になるが，計測値は必ずしも一定値ではないので，壁厚さによらず一定の終局ひずみを仮定するのが妥当かどうかについても，さらに検証する必要がある．ただし，一定区間のひずみの計測値によれば，t_w の増大により終局ひずみも増大する傾向があるので，実用的には塑性ヒンジ領域を壁厚さに応じて増大させるこのような簡略な定式化を採用しておくと，実験結果の変形能力の傾向は，結果としておおむね評価可能になるとしている．

d）　腰壁・垂れ壁付き梁部材の復元力特性と終局変形[6.2.2.3.1)]

腰壁・垂れ壁付き梁部材の復元力特性は，保有耐力規準の解説に示された方法を適用する．同規準では，腰壁等にスリットを設ける場合と設けない場合の双方について，いくつかの評価式が示されているが，本指針では，以下にスリットを設けない場合の評価式の例を同規準から引用する．スリットを設ける場合は，同規準を参照されたい．

d1) 初期剛性

腰壁・垂れ壁付き梁部材の曲げ変形およびせん断変形に対する初期剛性は，全断面について算定した断面積および断面二次モーメントで算定する．

d2) ひび割れ曲げモーメント

腰壁・垂れ壁付き梁部材のひび割れ曲げモーメント M_c は，（解 6.2.2.3.34）式を用いて計算を行う．なお，断面係数 Z には，腰壁・垂れ壁の影響を適切に考慮した値を用いることとする．

$$M_c = 0.56\sqrt{F_c} Z_e \qquad\qquad (解\ 6.2.2.3.34)$$

記号　F_c：コンクリート設計基準強度（N/mm²）

　　　Z_e：梁側面から 1 m 以内のスラブ断面および鉄筋を考慮した断面係数（mm³）

　　　A：腰壁・垂れ壁を含む梁断面積（mm²）

d3) 終局曲げモーメント

ここでは，高橋ら[6.2.2.3.8]による提案式である（解 6.2.2.3.35）式およびスラブ筋を考慮する場合の（解 6.2.2.3.36）式を示す．

$$M_u = \sum a_{ti} \sigma_{yi} (d_i - x_{n2}) \qquad\qquad (解\ 6.2.2.3.35)$$

ただし，$x_{n2} = \dfrac{A_{c2}}{2b_c} \quad (A_{c2} \leqq b_c L_c)$

$$x_{n2} = \frac{b_c L_c{}^2 + cb(2L_c + c)}{2A_{c2}} \quad (A_{c2} \geqq b_c L_c)$$

$$c = \frac{A_{c2} - b_c L_c}{b}$$

ここで，$A_{c2} = \dfrac{N + \sum a_{ti} \sigma_{yi}}{0.85 F_c}$

記号　a_{ti}：以下により求めた x_n を圧縮縁から中立軸までの長さとした時に引張領域にある鉄筋グループの断面積（mm²）．圧縮領域は，解説図 6.2.2.3.9 に示す領域である．

$$x_n = \frac{A_{c1}}{b_c} \quad (A_{c1} \leqq b_c L_c)$$

$$x_n = L_c + \frac{A_{c1} - b_c L_c}{b} \quad (A_{c1} \geqq b_c L_c)$$

$$A_{c1} = \frac{N + \sum a_i \sigma_{yi}/2}{0.85 F_c}$$

記号　$\sum a_i \sigma_{yi}$：断面内の全鉄筋の断面積と降伏強度との積の和

　　　L_0：圧縮縁から構造心（梁中心）までの距離（mm）

　　　L_c：圧縮側の壁の長さ（圧縮側に壁がない場合は $L_c = 0$）（mm）

　　　b_c：圧縮側の壁の厚さ（圧縮側に壁がない場合は $b_c = 0$）（mm）

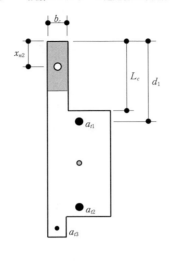
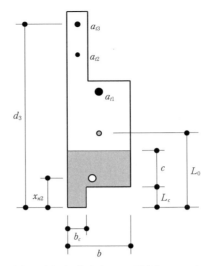

(a) 圧縮領域が壁のみの場合 $(A_{c2} \leq b_c L_c)$　　　(b) 圧縮領域が梁内まで及ぶ場合 $(A_{c2} \geq b_c L_c)$

解説図 6.2.2.3.9　断面の圧縮領域

（スラブ筋を考慮する場合）

$$M_u = \sum a_{ti} \sigma_{yi}(d_i - x_{n2}) + N(L_0 - x_{n2}) \qquad (\text{解 } 6.2.2.3.36)$$

ただし，$x_{n2} = \dfrac{A_{c2}}{2b_c}$　$(A_{c2} \leq b_c L_c)$

$x_{n2} = \dfrac{b_c L_c^2 + cb(2L_c + c)}{2A_{c2}}$　$(A_{c2} \geq b_c L_c)$

$c = \dfrac{A_{c2} - b_c L_c}{b}$

ここで，$A_{c2} = \dfrac{N + \sum a_{ti}' \sigma_{yi}'}{0.85 F_c}$

ただし，a_{ti}'：以下により求めた x_n を圧縮縁から中立軸までの長さとした時に引張領域にある鉄筋グループの断面積（mm²）．圧縮領域は，解説図 6.2.2.3.10 に示す領域である．

$x_n = \dfrac{A_{c1}}{b_c}$　$(A_{c1} \leq b_c L_c)$

$x_n = L_c + \dfrac{A_{c1} - b_c L_c}{b}$　$(A_{c1} \geq b_c L_c)$

$A_{c1} = \dfrac{N + \sum a_i \sigma_{yi}/2 + \sum a_{sis} \sigma_{wyi}}{0.85 F_c}$

記号

　　$\sum a_{sis} \sigma_{wyi}'$：梁側面から 1 m 以内のスラブ筋の断面積と降伏強度の和

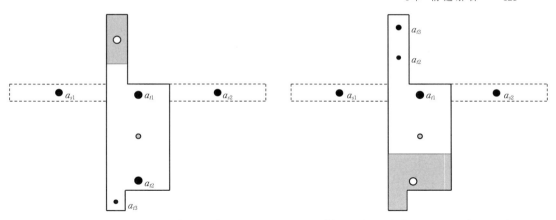

(a) 圧縮領域が壁のみの場合 ($A_{c2} \leq b_c L_c$)　　　(b) 圧縮領域が梁内まで及ぶ場合 ($A_{c2} \geq b_c L_c$)

解説図 6.2.2.3.10 スラブ筋を考慮する場合

d4) せん断強度

保有耐力規準では，腰壁・垂れ壁付き梁部材のせん断強度の計算式は，袖壁付き柱の計算式を準用するとしている．

d5) 降伏変形

保有耐力規準では，腰壁・垂れ壁付き梁部材の曲げ降伏時変形角 R_y は，性能評価指針にならい，梁主筋が降伏する時の以下の4つの変形成分による部材角を考慮して算出することを原則としている．

（1） 弾性曲げ変形による部材角
（2） 斜めせん断ひび割れが発生する塑性ヒンジ領域のせん断変形とその他の領域の弾性せん断変形との和による部材角
（3） 梁主筋の柱梁接合部からの抜け出しによる付加変形による部材角
（4） 梁部材の曲げひび割れや主筋に沿った付着劣化に起因する付加変形による部材角

一方，保有耐力規準では，降伏点剛性低下率を用いて計算する方法も実験結果と比較検討されている．ここでは，既往の降伏時変形角の評価法として，以下のRC規準による算出方法を示しておく．

$$\alpha_{y1} = \left(0.043 + 1.64 \sum n p_t + 0.043 \frac{M}{QL} + 0.33 \eta_0 \right)\left\{\frac{d}{L}\right\}^2 \qquad (\text{解 } 6.2.2.3.37)$$

記号　引張鉄筋は，中立軸位置 x_n より引張側にある鉄筋グループとする．

$$\sum n p_t = \sum \frac{n_i a_{ti}}{A_0}$$

n_i：引張鉄筋グループのヤング係数比（＝引張鉄筋のヤング係数／コンクリートのヤング係数）
a_{ti}：引張鉄筋グループの断面積（mm^2）
A_0：腰壁・垂れ壁を含めた全断面積（mm^2）

―122―　鉄筋コンクリート造建物の等価線形化法に基づく耐震性能評価型設計指針　解説

x_n：中立軸位置（mm）　　$x_n = \dfrac{2}{5}(L - y_{max})$

$M/(QL)$：シアスパン比

L：腰壁・垂れ壁を含む断面のせい（mm）

y_{max}：腰壁・垂れ壁を含めた断面の図心 － 引張縁間距離（mm）

η_0：軸力比（＝0）

d：有効せい（mm）　　$d = \dfrac{\sum a_{ti}(d_i - x_n)^2}{\sum a_{ti}(d_i - x_n)} + x_n$

d6）　曲げ終局変形

保有耐力規準では，終局変形角は，袖壁付き柱の評価式を準用して（解 6.2.2.3.38）式を適用し，実験結果と比較した例を示している．ここで，実験結果と計算値が適合するよう変形係数 c を決めているが，袖壁付き柱では $c=6$ 程度としていたが，二次壁付き梁試験体では $c=8$ とすると，より精度が良くなるとしている．また，コンクリートの終局ひずみ ε_{cu} は，袖壁付き柱と同様に $\varepsilon_{cu}=0.003$ として計算しているが，せん断補強筋間隔が 100 mm 以下のものは $\varepsilon_{cu}=0.004$ としてよいとしている．

$$R_u = c \times 2t_w \times \varepsilon_{cu}/x_n \qquad\qquad (解\ 6.2.2.3.38)$$

記号　c：変形係数（＝8）

t_w：壁厚さ（mm）

ε_{cu}：圧縮縁コンクリートひずみ（$\varepsilon_{cu}=0.003$，せん断補強筋間隔が 100 mm 以下のものでは $\varepsilon_{cu}=0.004$）

x_n：圧縮縁―中立軸位置間距離（mm）

e）　開口の影響の評価

開口の復元力特性および終局変形に対する影響は，適切に評価する必要がある．以下に壁部材の曲げ変形成分とせん断変形成分の復元力特性への影響を示すが，これは保有耐力規準からの引用である．また，終局変形は，本指針 b）で示した無開口（両側柱付き）耐震壁用の方法に開口の影響を考慮した方法を示す．袖壁付き柱および腰壁・垂れ壁付き梁については，そのせん断強度に及ぼす影響は両側柱付き部材とは別に示したが，それ以外の復元力特性および終局変形に及ぼす影響は，無開口（両側柱付き）耐震壁の評価法に準じて評価することができる．

e1）　適用範囲

保有耐力規準では，原則として下記（1）または（2）を満たす場合に適用する方法が示されている．

（1）　両側柱付き耐震壁（柱拘束域を有効に拘束した場合も含む）に開口がある場合，（解 6.2.2.3.39）式で算定される開口による低減率 r_2 が 1 スパンごとに 0.6 以上の場合．

（2）　袖壁付き柱，腰壁・垂れ壁付き梁に開口がある場合は，低減率 r_2 が各部材ごとに 0.7 以上の場合．ただし，開口が袖壁等の端部に隣接していない場合，すなわち開口端と袖壁端部の距離が壁厚の 2 倍と開口長さの小さい方より大きい場合に限る〔解説図 6.2.2.3.11 参

照〕．

$$r_2 = 1 - 1.1 \times \sqrt{\frac{h_{0p} l_{0p}}{hl}} \tag{解 6.2.2.3.39}$$

記号　l_{0p}：開口部の水平断面への投影長さの和（mm）〔解説図 6.2.2.3.11 参照〕
　　　h_{0p}：開口部の鉛直断面への投影高さの和（mm）〔解説図 6.2.2.3.11 参照〕
　　　h：当該階の壁部材の高さ（mm）〔上階の水平力作用位置から下階の水平反力位置までの距離で，原則として下階床から上階床までの距離とする．解説図 6.2.2.3.11 参照〕
　　　l：柱（または梁）を含む壁部材の全せい（mm）〔解説図 6.2.2.3.11 参照〕

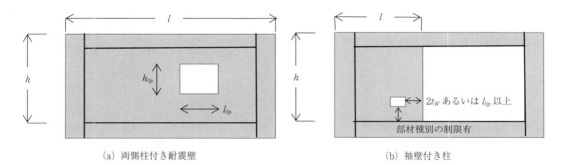

解説図 6.2.2.3.11　開口壁の記号

e2)　曲げ変形成分に及ぼす影響の評価

有開口壁部材の曲げ剛性およびひび割れ曲げモーメントの算定には，開口による断面の欠損を適切に考慮した等価断面二次モーメント I_e，等価断面係数 Z_e および軸応力度 σ_0 を用いて評価する．また，曲げ強度点（降伏曲げモーメント点および終局曲げモーメント点）の算定には，開口による断面と補強筋の欠損を適切に考慮する．

さらに，保有耐力規準では，開口によるひび割れ強度への影響を取り入れるために，コンクリートの引張強度 σ_t（N/mm²）は，b) b1)（1）の（解 6.2.2.3.3）式の代わりに以下の式を用いるとしている．

$$\sigma_t = 0.33 \sqrt{F_c}$$

e3)　せん断変形成分に及ぼす影響の評価

（1）　せん断ひび割れ点に及ぼす影響

有開口壁部材のせん断ひび割れ強度の算定には，無開口壁部材のせん断ひび割れ強度に本項（2）で示すせん断強度に対する開口低減率 r を乗じて評価する．ただし，軸力の効果には開口による低減はないと考えられるので，保有耐力規準では，開口による低減前の無開口壁部材のせん断ひび割れ強度を算出する際の軸応力度には，開口による欠損を考慮して高い応力度を用いるとしている．

有開口壁部材のせん断剛性は，（解 6.2.2.3.40）式に示す RC 規準 8 条による r_2' を用いて評価す

る.

$$r_2' = 1 - 1.1 \times 1.25 \sqrt{\frac{h_{op} l_{op}}{hl}} \qquad \text{(解 6.2.2.3.40)}$$

（2）　せん断強度に及ぼす影響

（2-1）　両側柱付き耐震壁に開口が1つの場合の開口低減率

　せん断強度に対する開口低減率 r は（解 6.2.2.3.41）式と（解 6.2.2.3.42）式のいずれかによってよい．ただし，両側柱付き耐震壁の場合は，r_1 と r_2 を用いる代わりに開口左右の袖壁付き柱の強度の和をせん断強度としてよい．なお，崩壊形形成時に算定する階の開口より上の腰壁・垂れ壁付き梁の破壊による梁崩壊の防止が確認されれば，r_3 または r_3' を適用しなくてよい．

$$r = \min(r_1,\ r_2,\ r_3) \qquad \text{(解 6.2.2.3.41)}$$

$$r = \min(r_1,\ r_2,\ r_3') \qquad \text{(解 6.2.2.3.42)}$$

r_1 は開口の幅による低減率で，（解 6.2.2.3.43）式による．

$$r_1 = 1 - 1.1 \times \frac{l_{op}}{l} \qquad \text{(解 6.2.2.3.43)}$$

r_2 は開口の見付面積による低減率で，（解 6.2.2.3.44）式による．

$$r_2 = 1 - 1.1 \times \sqrt{\frac{h_{op} l_{op}}{hl}} \qquad \text{(解 6.2.2.3.44)}$$

r_3' は層単位の開口の高さによる低減率で，（解 6.2.2.3.45）式によるが，開口上下の破壊が生じる可能性のない階では，r_3' を1としてよい．

$$r_3' = 1 - \frac{h_0}{h} \qquad \text{(解 6.2.2.3.45)}$$

　記号　h_0：当該層の開口部の鉛直断面の高さ（mm）〔RC 規準参照〕

　　　　　h：当該階の壁部材の高さ（mm）〔RC 規準参照〕

r_3 は当該階より上層を考慮した場合の開口の高さによる低減率で，ピロティの直上階では（解 6.2.2.3.46）式に，それ以外では（解 6.2.2.3.47）式による．

$$r_3 = 1 - \frac{\sum h_0}{\sum h} \qquad \text{(解 6.2.2.3.46)}$$

$$r_3 = 1 - \lambda \frac{\sum h_0}{\sum h} \qquad \text{(解 6.2.2.3.47)}$$

　記号　$\sum h_0$：開口上下の破壊の原因となりうる開口部高さの和（mm）〔RC 規準参照〕

　　　　　$\sum h$：当該階床から最上階までの高さ（mm）〔RC 規準参照〕

　　　　　λ：基礎梁の剛度による係数〔RC 規準参照〕であるが，当面は1としている．

（2-2）　両側柱付き耐震壁に複数開口がある場合の適用法

　1スパン内や1つの壁部材中に複数の開口部を有する場合，開口部が1つの場合と同じ手順で剛性や強度を算定する．ただし，開口部による各低減係数を算定する際の開口部の長さおよび高さは，RC 規準に従い，複数開口であることを考慮して，それぞれ開口部の投影長さおよび投影高さを用いる．

（2-3）　袖壁付き柱への適用法

　両側柱付き耐震壁と同様に，せん断強度に対する開口低減率 r は（解 6.2.2.3.41）式と（解 6.2.2.3.42）式のいずれかによってよい．また，開口低減率を（解 6.2.2.3.27）式の袖壁付き柱のせん断強度式に適用する際には，以下の（解 6.2.2.3.48）式に示すように，開口による低減率は，壁要素の負担分のみに乗ずればよい．文献 6.2.2.3.9) では，この方法でも十分安全側に強度が評価できることを示している．ところで，（解 6.2.2.3.27）式は，壁横筋の柱への定着が不十分な場合はその応力を柱の帯筋で負担させ，結果として柱のせん断強度負担分が減じられる式となっている．一般的には大きな問題はないが，例えば，耐震補強などのように柱に対して増設壁の壁筋が密に配されるような場合は，そのせん断強度を過小評価してしまう場合がある．文献 6.2.2.3.9) では，このような場合に壁筋を壁全長さ内で均す方法も示されているので，参考にされたい．

$$Q_{su}＝rQ_{suw}＋Q_{suc}＋0.1N \qquad\qquad （解 6.2.2.3.48）$$

e4)　終局変形に及ぼす影響の評価

　有開口壁部材の終局変形は，無開口部材と同様に評価する．すなわち，両側柱付き耐震壁については，せん断強度に依存する変形能と曲げと軸力に依存する変形能の 2 つの終局変形の小さい方として評価する．また，袖壁付き柱と腰壁・垂れ壁付き梁については，取り付く二次壁の圧壊で決定する終局変形として評価する．以下に，それぞれの評価法を示す．

（1）　有開口両側柱付き耐震壁のせん断強度に依存する変形能

　曲げ降伏後のせん断強度の低下に依存する終局変形の算定に関しては，無開口耐震壁と同様に，靱性保証指針に記された方法を用いる．すなわち，（解 6.2.2.3.21）式に示す部材角とコンクリート有効圧縮強度係数の関係を用い，低下した開口を考慮したせん断終局強度と，終局曲げモーメントが一致した時の変形を曲げ降伏後にせん断破壊する時の変形とする．

　文献 6.2.2.3.10) では，有開口連層耐震壁を対象にして，本会「鉄筋コンクリート造建物の終局強度型耐震設計指針・同解説」[6.2.2.3.11]（以下，終局強度指針という）のトラス・アーチを用いたせん断強度式に開口低減率を乗じた場合の変形能の評価方法を検討している．解説図 6.2.2.3.12（a）に有効係数と終局強度実験値の関係を示す．図中には，（解 6.2.2.3.21）式を終局変形能評価式と考えた時の線も実線で示したが，（解 6.2.2.3.21）式は，設計式としてすべての試験体についておおむね安全側であることがわかる．解説図 6.2.2.3.12（b）は，（解 6.2.2.3.21）式を終局変形能評価式と考えた時の計算値と実験値を比較したものであるが，（解 6.2.2.3.21）式は，終局変形が 0.02 rad で頭打ちされるので，この頭打ちは適用していない．その結果，2 体がわずかに危険側となった．解説図 6.2.2.3.12（c）は，終局変形実験値と軸力比との関係であるが，このデータでは特に軸力比が高いものであっても，変形能が悪くなっているものはなかった．

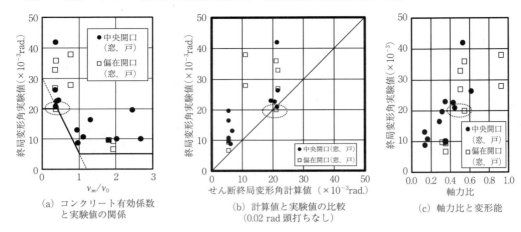

解説図 6.2.2.3.12 有開口連層耐震壁を対象にしたせん断強度に依存する変形能

(2) 有開口両側柱付き耐震壁の曲げと軸力に依存する変形能

曲げ降伏後の曲げ圧縮コンクリートの圧壊に依存する終局変形の算定に関しても，無開口耐震壁と同様の方法とする．すなわち，性能評価指針に示された方法に若干の修正を加えた（解6.2.2.3.22）式および（解6.2.2.3.23）式を適用して評価する．

解説図 6.2.2.3.12（a）では，全ての試験体について，（解6.2.2.3.21）式の設計式がおおむね安全側であることを示したが，このことは，これらの試験体については曲げと軸力に依存する変形能を導入する必要がないことを意味している．言い換えると，これらの試験体の内曲げと軸力により変形能が決まる可能性のある試験体は特定できない．しかしながら，解説図 6.2.2.3.12（c）を見てもわかるように軸力比の高い試験体は少なく，軸力が高い場合に対応するために，曲げと軸力に依存する変形能の導入は必要である．そこで，解説図 6.2.2.3.12（b）において，（解6.2.2.3.21）式の 0.02 rad の頭打ちをなくした場合に危険側となった2体に着目しつつ，曲げと軸力に依存する変形能の検討を行った．

解説図 6.2.2.3.13（a）は，（解6.2.2.3.22）式と（解6.2.2.3.23）式を適用して実験値と計算値を比較したものである．同じく図（b）が曲げ変形能の精度と軸力比の関係，解説図 6.2.2.3.13（c）が曲げとせん断の小さい方とした場合の実験値と計算値の比較である．破線で囲んだ前述の2体が安全側になっているのがわかる．しかしながら，この2体の試験体の軸力比は高くはなく，曲げと軸力に依存して変形能が決まったかどうかは不明であり，コンクリート圧壊領域 h_{pc} の設定には，今後の検討が必要である．

6章 構造解析 —127—

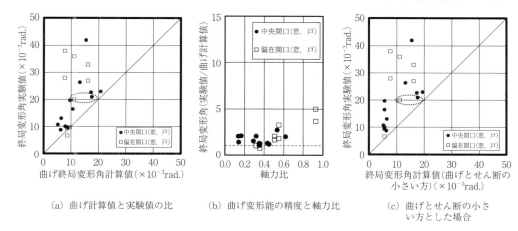

解説図 6.2.2.3.13 有開口連層耐震壁を対象にした曲げと軸力に依存する終局変形

(3) 有開口袖壁付き柱と腰壁・垂れ壁付き梁の二次壁の圧壊で決定する終局変形

文献 6.2.2.3.12)～6.2.2.3.14) では，曲げ降伏する有開口袖壁付き柱の静加力実験を行っている．開口をそれによる断面の欠損が曲げ強度を低下させる領域に設けると，当然のことながら曲げ強度だけではなく変形能力も低下する．その低下の程度を評価するのは困難なので，本指針では，袖壁付き柱等を曲げ降伏させる場合，e1)(2)項に示した制限に加えて，開口は曲げ強度と変形能力を低下させる領域には設けないこととする．具体的には，二次壁等が圧縮を受ける場合の曲げ強度を算出する際の圧縮領域内には設けないとする．

f) 等価粘性減衰定数

7.3.1項では，建物全体の等価粘性減衰定数の算出方法として，その(2)で各部材の塑性化に応じた等価粘性減衰定数をポテンシャルエネルギーで重み付けして平均することにより求める方法を示している．しかし，同解説で示されているとおり，本方法は個材を複数の非線形ばねでモデル化する場合などを含めて，いまだその手法と精度が十分に検証されていない．そこで，同じく(2)では，建物全体の性能曲線から直接，等価粘性減衰定数を算出する方法も示されており，この方法を用いることを本指針では想定している．そこで本節では，部材の等価粘性減衰定数について，現在の研究動向を紹介するのにとどめる．

文献 6.2.2.3.15)～6.2.2.3.18) では，曲げ降伏型の有開口両側柱付き耐震壁の静加力実験を行っている．主な実験パラメータは，開口の位置とその大きさおよび斜め筋の有無であるが，その他耐震壁の配筋や作用軸力などがパラメータとなっている．一方，文献 6.2.2.3.19) では，曲げ降伏型の無開口耐震壁の静加力実験を行っている．さらに，文献 6.2.2.3.12)～6.2.2.3.14) では，曲げ降伏型の有開口片側袖壁付き柱の静加力実験を行っている．これらの試験体の実験結果を用いて等価粘性減衰を検討した．なお，両側柱付き耐震壁については，文献 6.2.2.3.20) において個々のデータを詳細に示しているので，ここでは全体的な傾向を示す．

等価粘性減衰定数 h_{eq} の実験値は，(解 6.2.2.3.49)式および解説図 6.2.2.3.14 によった．すなわち，斜線で示した同一変位の2回目のサイクルの履歴面積を ΔW ($=\Delta W_p + \Delta W_n$) として，(解

6.2.2.3.49）式を適用した．また，ポテンシャルエネルギー W_{ep} と W_{en} は，そのサイクルまでの正負の最大強度を用いて計算している．さらに，偏在有開口試験体や片側袖壁付き柱の場合は正負で挙動が大きく異なることが予想されるため，正負別の等価粘性減衰定数 h_{eqp} と h_{eqn} も算出した．

なお，文献 6.2.2.3.15）～6.2.2.3.18）の有開口試験体は 2 層（加力は頂部一点）試験体であるが，本報告では，文献 6.2.2.3.15），6.2.2.3.16）の 8 体は 1 層部分のせん断力と水平変形を用いて等価粘性減衰を評価し，文献 6.2.2.3.17），6.2.2.3.18）は頂部の水平力と水平変位を用いている．文献 6.2.2.3.19）の無開口試験体は 1 層である．

$$h_{eq}=\frac{1}{4\pi}\left(\frac{\Delta W_p+\Delta W_n}{\frac{1}{2}(W_{ep}+W_{en})}\right) \quad h_{eqp}=\frac{1}{4\pi}\left(\frac{2\cdot\Delta W_p}{W_{ep}}\right) \quad h_{eqn}=\frac{1}{4\pi}\left(\frac{2\cdot\Delta W_n}{W_{en}}\right) \quad (解 6.2.2.3.49)$$

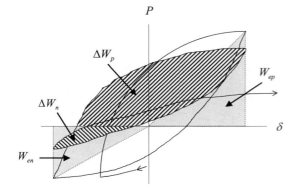

解説図 6.2.2.3.14 実験値の等価粘性減衰の算出法

解説図 6.2.2.3.15 に無開口両側柱付き耐震壁[6.2.2.3.17]～[6.2.2.3.19]の等価粘性減衰（2 回目のサイクルの正負の平均（解 6.2.2.3.47））と 1 層の変形角の関係を示す．（解 6.2.2.3.50）式を用いた柴田らによる評価値も併せて示している．なお，塑性率 μ を計算する際の降伏変形角は，1/250 rad に固定している．3 体の実験値は，いずれもこの評価式を上回っていることがわかる．なお，いずれの試験体も，加力初期の微小変形の際にも大きな等価粘性減衰を示している．これは，ピンやローラーなどの加力治具の摩擦抵抗の影響が大きいと考えられるが，ここでは全てデータとして示していることに注意されたい．

$$h_{eq}=\alpha\left(1-\frac{1}{\sqrt{\mu}}\right) \qquad \left(\alpha=\frac{1}{\pi}\right) \qquad\qquad (解 6.2.2.3.50)$$

解説図 6.2.2.3.16 は，文献 6.2.2.3.15）～6.2.2.3.18）で報告された全ての有開口試験体の等価粘性減衰（2 回目のサイクルの正負の平均（解 6.2.2.3.49））と 1 層の変形角を示したものである．開口の種類による挙動の違いは特に判断できなかった．ただ，全体的には（解 6.2.2.3.50）式を上回っているものの，いくつかの試験体で下回っている．特に，低下が目立っている試験体（WGO1）は偏在戸型開口（開口低減率 $r=0.6$）であるが，同じ形状をもつ試験体（WGO2）よ

6章 構造解析 —129—

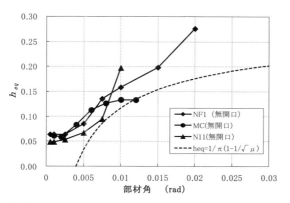

解説図 6.2.2.3.15　無開口耐震壁の等価粘性減衰の例（2回目の正負サイクルの平均）

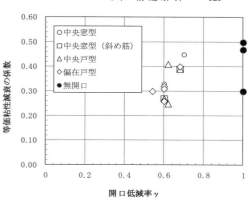

解説図 6.2.2.3.17　等価粘性減衰に及ぼす開口低減率の影響（2回目の正負サイクルの平均）

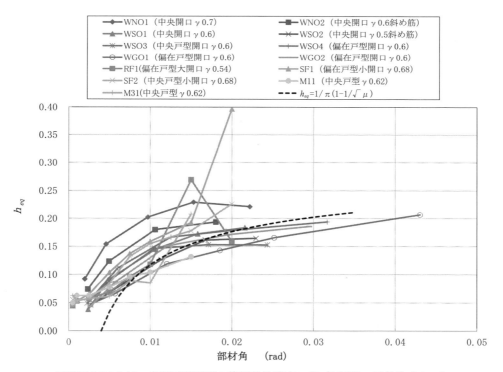

解説図 6.2.2.3.16　有開口耐震壁の等価粘性減衰の例（2回目の正負サイクル）

りも軸力が大きい試験体である．後述するが，偏在開口により独立柱となった側柱が高軸力となる加力方向（正方向）での低下が顕著で，そのために正負の平均でも大きく低下した試験体である．この試験体を除けば，ほぼ（解 6.2.2.3.50）式と同程度以上のエネルギー吸収性能を示していると判断できる．

開口の影響を検討するために，解説図 6.2.2.3.15，6.2.2.3.16 の各試験体のプロットに最も合致する等価粘性減衰の係数（（解 6.2.2.3.50）式の α）を求めた．解説図 6.2.2.3.17 は，この等価粘性減衰の係数 α を縦軸，開口低減率を横軸にとって示したものである．無開口耐震壁が大きめであり，傾向としては，無開口耐震壁に近い方（すなわち開口低減率が大きい方）が α は大きくなる傾向があることは推測できるが，明確ではない．さらに，開口の種類については，傾向は判断できない．

解説図 6.2.2.3.18 は，偏在開口の影響を見るために正負のサイクル別に等価粘性減衰を評価したものである．正方向で独立柱が圧縮側になるが，この方向で等価粘性減衰が小さくなる．前述したように，試験体 WGO1 は比較的高い軸力を受ける戸型偏在開口であるが，この場合は正方向加力で大きく低減し，正負の全体でも（解 6.2.2.3.50）式を下回る要因となっている．

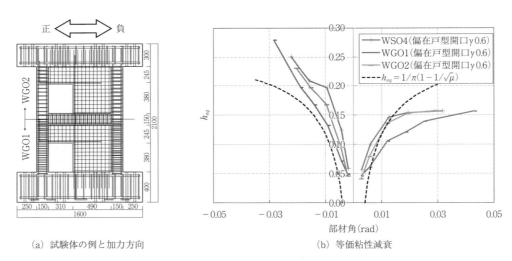

(a) 試験体の例と加力方向 　　　　(b) 等価粘性減衰

解説図 6.2.2.3.18 偏在有開口耐震壁の等価粘性減衰の例（2 回目の正サイクル，負サイクル別）

解説図 6.2.2.3.19 に有開口袖壁付き柱[6.2.2.3.12)～6.2.2.3.14)]の等価粘性減衰の例を示す．実験値と（解 6.2.2.3.50）式を比較すると，各試験体とも終局変形を超えた 0.015 rad より前のサイクルでは全て計算値を上回り，安全側となっている．また，柱の挙動よりも無開口耐力壁の挙動に近いグラフ形状を示しており，各試験体に大きな差は確認できなかった．なお，前述したように，ポテンシャルエネルギー W_{ep} と W_{en} は，そのサイクルまでの正負の最大強度を用いて計算している．すなわち，最大耐力後の大きく強度が低下した領域では，過去の最大強度で基準化した h_{eq} は計算値を下回るため，安全側の適用はできないことに注意を要する．

文献 6.2.2.3.21) では柱の等価粘性減衰について検討しており，これらは性能評価指針で示され

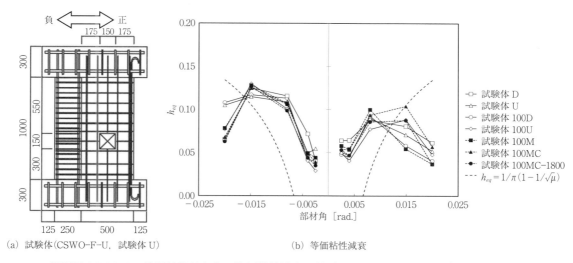

解説図 6.2.2.3.19 片側袖壁付き柱の等価粘性減衰の例（2回目の正サイクル，負サイクル別）

ている梁の等価粘性減衰では危険側の評価になること，また，それは軸力の影響であることを示している．さらに，軸力による水平力への寄与分が履歴面積をもたないことを考慮して，梁用の等価粘性減衰の評価式を低減する方法を提案している．ここでは，その軸力の効果の他にせん断変形の効果も考慮して，その影響を検討する．

解説図 6.2.2.3.20 は，等価粘性減衰計算値に及ぼす軸力の効果とせん断変形の効果の概念を示したものである．すなわち，履歴エネルギーの主体は曲げモーメントに対する主筋の降伏によるものであり，その意味でも，履歴エネルギーの評価法は梁が基本となる．したがって，軸力を無視した最大強度 P_f と曲げ変形 δ_f による履歴エネルギー ΔW は，梁の評価式で評価できると考えられる（同図（a））．これに対し，軸力は強度に寄与するがエネルギーは吸収せず（同図（b）），軸力を考慮した荷重―変形関係は同図（c）のようになる．このときの ΔW は，同図（a）と同じである．一方，せん断変形成分もエネルギーは吸収しないと仮定する（同図（d））．したがって，せん断変形を考慮した荷重―変形関係は，同図（e）のようになる．このときの ΔW も同図（a）と同じである．

これを定式化すると解説図 6.2.2.3.20 中の式となり，γ_a が軸力の効果，γ_s がせん断変形の効果となる．（解 6.2.2.3.51）式は，性能評価指針による梁の評価式を軸力の効果（γ_a）とせん断変形の効果（γ_s）により低減したものである．

$$h_{eq,cal} = \gamma_a \gamma_s \left(0.09 + \frac{0.1}{B_I^2}\left(1 - \frac{1}{\sqrt{\mu}}\right)\right) \quad （解 6.2.2.3.51）$$

$$B_I = \frac{\tau_{0,av}}{\tau_u} = \left(\frac{\frac{\sigma_y d_b}{4 D_c}}{0.7\left(1 + \frac{\sigma_0}{\sigma_B}\right)\sigma_B^{2/3}} \right)$$

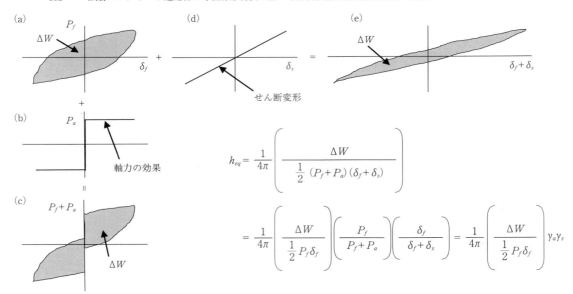

解説図 6.2.2.3.20 等価粘性減衰計算値に及ぼす軸力の効果（γ_a）とせん断変形の効果（γ_s）の概念図

$$\gamma_a = \left(\frac{M_{y0}}{M_y}\right) \qquad \gamma_s = \left(\frac{K_f}{K_f + K_s}\right)$$

$$K_f = \frac{3E_c I_e}{h^3} \qquad K_s = \frac{G_c A_{all}}{h \cdot \kappa_e}$$

記号　　σ_y：耐震壁の側柱の主筋の降伏応力度（袖壁が引張になる時は端部筋）（N/mm^2）

d_b：その主筋の公称直径（mm）

D_c：試験体の基礎スタブの高さ（mm）

σ_0：耐震壁の軸応力度（N/mm^2）

σ_B：コンクリート圧縮強度（N/mm^2）

M_{y0}：軸力を無視した降伏曲げモーメントであり，b) b1)（2）項の強度式により算定してよい．

M_y：軸力を考慮した降伏曲げモーメントであり，b) b1)（2）項の強度式により算定してよい．

h：試験体のシアスパン高さ（mm）

$E_c, I_e, G_c, A_{all}, \kappa_e$：b) b1)（1）および b) b2)（1）による

ここで，B_Iは性能評価指針に示されている主筋の定着の程度を示す指標であるが，$\tau_{0,av}$については，文献 6.2.2.3.21）の柱に適用するものと同じ変更を加えている．すなわち，梁に適用する場合は両側の梁の間の接合部に作用する最大の付着応力度であるが，ここでは，基礎スタブの下端で鉄筋の応力度が 0 となるものとして評価している．

6章 構造解析 —133—

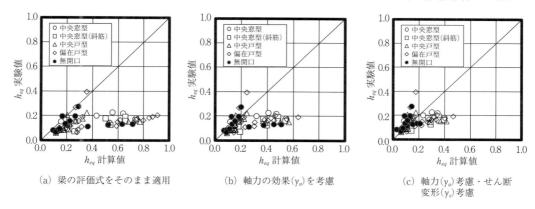

解説図 6.2.2.3.21　両側柱付き耐震壁の等価粘性減衰の実験値と評価式の比較（2回目の正負サイクル）

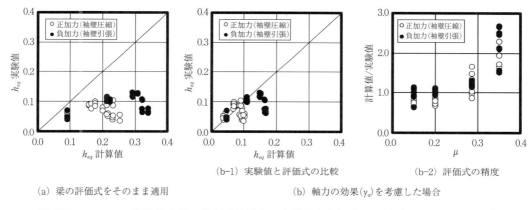

解説図 6.2.2.3.22　袖壁付き柱の等価粘性減衰の実験値と評価式の比較（2回目のサイクル）

　また，せん断変形による効果 γ_s であるが，各サイクルの最大値での評価は困難であるので，ここでは弾性時の値としている．

　解説図 6.2.2.3.21 は，両側柱付き耐震壁の実験による各変形角の2回目のサイクルを用いた等価粘性減衰を縦軸，（解 6.2.2.3.51）式による計算値を横軸にとって比較したものである．ここでは，降伏変形角を 1/250 rad と固定しているので，それ以前の実験データはプロットされていない．また，開口の曲げ強度と弾性剛性に対する影響は無視している．

　解説図 6.2.2.3.21（a）は梁の評価式をそのまま，すなわち $\gamma_a=\gamma_s=1$ として適用したものであり，かなり危険側になっていることがわかる．解説図 6.2.2.3.21（b）は軸力の効果のみを適用，すなわち，γ_a は（解 6.2.2.3.51）式を用い，$\gamma_s=1$ として適用したものである．文献 6.2.2.3.21）では柱はこれでほぼ評価できることを示したが，両側柱付き耐震壁では，それでもかなり危険側になっている．これは，両側柱付き耐震壁ではせん断変形の影響を無視できないことを示している．そこで，解説図 6.2.2.3.21（c）は，軸力の効果に加えてせん断変形の効果も適用，すなわち

γ_a, γ_s とも（解 6.2.2.3.51）式を用いて適用したものである．これでもばらつきが大きく危険側の
データが多いが，全体としてはかなり改善されていることがわかる．

　一方，解説図 6.2.2.3.22 は，袖壁付き柱の実験による各変形角の 2 回目のサイクルを用いた等
価粘性減衰を縦軸，（解 6.2.2.3.51）式による計算値を横軸にとって比較したものである．片側に
袖壁が取り付く試験体なので，正加力と負加力別に示している．解説図 6.2.2.3.21 と同じく 1/250
rad. 以前の実験データはプロットされておらず，また，袖壁が開口の曲げ強度と弾性剛性に対す
る影響も同じく無視している．なお，袖壁が引張側になる時の曲げ強度は，引張筋として袖壁厚
さと同じ柱型を想定して，その柱型のみの縦方向筋を考慮し，その他の縦筋は無視している．

　解説図 6.2.2.3.22（a）は梁の評価式をそのまま，すなわち $\gamma_a = \gamma_s = 1$ として適用したものであ
り，かなり危険側になっていることがわかる．解説図 6.2.2.3.22（b-1）は軸力の効果のみを適
用，すなわち γ_a は（解 6.2.2.3.51）式を用い，$\gamma_s = 1$ として適用したものである．また，解説図
6.2.2.3.22（b-2）は，塑性率と評価式の関係を見たものである．袖壁付き柱の場合，袖壁が圧縮
を受ける加力方向では，袖壁コンクリートの圧壊により，その反対の加力方向では大きな強制ひ
ずみを受けている袖壁内の軸方向筋の座屈により，それぞれ復元力の低下が激しい．この領域で
は実験値は評価式を大きく下回るが，それ以前では精度が良いことがわかる．なお，せん断変形
成分が無視できない場合は，γ_s も適用する必要があろう．

参 考 文 献

6.2.2.3.1)　日本建築学会：鉄筋コンクリート構造保有水平耐力計算規準・同解説，2021

6.2.2.3.2)　日本建築学会：鉄筋コンクリート構造計算規準・同解説，2018

6.2.2.3.3)　日本建築学会：鉄筋コンクリート造建物の靱性保証型耐震設計指針・同解説，1997

6.2.2.3.4)　日本建築学会：鉄筋コンクリート造建物の耐震性能評価指針・同解説（案）・同解説，2003

6.2.2.3.5)　日本建築防災協会：既存鉄筋コンクリート造建物の耐震診断基準・同解説，2017

6.2.2.3.6)　裵　根國，壁谷澤寿海，金　裕錫，壁谷澤寿一，袖壁付き柱の構造特性に関する実験的研
究，コンクリート工学年次論文集，Vol. 30, No. 3, pp. 115-120, 2010

6.2.2.3.7)　寺嶋　啓，加藤大介：RC 造有開口袖壁付き柱のせん断強度の評価法—トラスアーチ理論の
適用方法—，日本建築学会大会学術講演梗概集，構造Ⅳ，pp. 51-52, 2015.9

6.2.2.3.8)　高橋　之，上田博之，角　彰，市之瀬敏勝，祖父江美枝，田中弘臣：腰壁と袖壁を有する
鉄筋コンクリート部材の曲げ設計モデル，日本建築学会構造系論文集，No. 641, pp. 1321-
1326, 2009.7

6.2.2.3.9)　本多良政，坂上正裕，樋熊利亘，加藤大介：開口を有する RC 造袖壁付き柱のせん断強度
の評価法，コンクリート工学年次論文集，Vol. 37, No. 2, pp. 25-30, 2015

6.2.2.3.10)　加藤大介，綱島朋直：鉄筋コンクリート造有開口壁の終局強度と変形能の評価法，コンク
リート工学論文集，Vol. 24, No. 3, pp. 101-112, 2013

6.2.2.3.11)　日本建築学会：鉄筋コンクリート造建物の終局強度型耐震設計指針・同解説，1990

6.2.2.3.12)　渡邉哲央，中村孝也，田村良一，加藤大介：RC 造有開口袖壁付柱の曲げ破壊実験，コンク
リート工学年次論文集，Vol. 36, No. 2, pp. 283-288, 2014

6.2.2.3.13)　高松　恭，渡邉哲央，田村良一，加藤大介：RC 造有開口袖壁付柱の曲げ挙動に及ぼす開口
位置の影響に関する実験的研究，コンクリート工学年次論文集，Vol. 37, No. 2, pp. 115-120,
2015

6.2.2.3.14)　佐藤大典，高松　恭，小林正英，加藤大介：袖壁の拘束とシアスパンを変化させた有開口
RC 造袖壁付き柱の曲げ破壊実験，日本建築学会北陸支部研究報告集，No. 59, p. 9, 2016.7

6.2.2.3.15) 加藤大介，杉下陽一，小倉宏一，大谷裕美：鉄筋コンクリート造連層有開口耐震壁の変形能の評価方法，日本建築学会構造系論文集，No. 530, pp. 107-113, 2000.4

6.2.2.3.16) 小倉宏一，加藤大介，中村友紀子，土井希祐：鉄筋コンクリート造連層有開口耐震壁の静加力実験，構造工学論文集 Vol. 46B, pp. 539-546, 2000.3

6.2.2.3.17) 石川俊介，岡田勇佑，坂下雅信，河野　進：曲げ変形が卓越する有開口 RC 造耐震壁の終局性能評価，コンクリート工学年次論文集，Vol. 33, No. 2, pp. 463-468, 2011

6.2.2.3.18) 岡田勇佑，吉村純哉，坂下雅信，河野　進：有開口 RC 造連層耐震壁のせん断耐力評価方法の検討，コンクリート工学年次論文集，Vol. 34, No. 2, pp. 373-378, 2012

6.2.2.3.19) 杉本訓祥，増田安彦，木村耕三，小柳光生：プレキャストブロックを組積して構築した耐震壁の曲げ耐力性状に関する研究，コンクリート工学年次論文集，Vol. 25, No. 2, pp. 1465-1460, 2003

6.2.2.3.20) 日本建築学会：鉄筋コンクリート造建物の等価線形化法を用いた耐震性能評価法，2013 年度日本建築学会大会　構造部門（RC 構造）パネルディスカッション資料，pp. 18-33, 2013.8

6.2.2.3.21) 加藤大介，中村友紀子：RC 造柱部材の降伏変形と等価粘性減衰の評価法，日本建築学会大会学術講演梗概集，構造Ⅳ，pp. 323-324, 2004.9

6.2.2.3.22) 日本建築行政会議監修，建築物の構造関係技術基準解説書編集委員会編：2020 年度版建築物の構造関係技術基準解説書，全国官報販売組合，2020

6.2.2.4　柱梁接合部

> a）　部材のモデル化
> 　柱梁接合部は，柱梁強度比，通し主筋の付着，主筋の定着性能，所定の構造規定をすべて満たし，架構の安全限界時応答点に対して所定の余裕度を確保した保証設計点において，柱梁接合部内ではひび割れを除き損傷が生じないことを保証設計において確認し，剛域としてモデル化あるいは弾性のせん断パネルとしてモデル化してよい．

　従来，鉄筋コンクリート造の柱梁接合部は接合部パネルに生じるせん断力によって破壊が生じるとされ，一方，せん断破壊を防止することができれば柱梁接合部の変形は小さく，柱梁接合部に接続する梁および柱の強度は発揮するものと考えられてきた．そのため，本会の靭性保証指針[6.2.2.4.1)]でも，保証設計において，柱梁接合部に生じるせん断力をせん断強度以下とすることが求められている．

　しかし，柱梁接合部における破壊はせん断抵抗の劣化によるものではなく，柱梁接合部に作用するモーメントに対する抵抗機構が終局状態となることによって生じることが理論と実験により明らかにされた[6.2.2.4.2), 6.2.2.4.3)]．この柱梁接合部の破壊は，柱と梁の曲げ強度が近いと柱梁接合部内で梁と柱の主筋の降伏が生じ，コンクリートの圧壊が生じていなくても斜めひび割れの拡大によって柱梁接合部の変形が増大する現象であり，急激な耐力低下を伴わず変形が増加することから，接合部降伏破壊と呼ばれている[6.2.2.4.4)]．この接合部降伏破壊は，隅柱梁接合部の 2 方向加力実験[6.2.2.4.5)]や，実大 4 層建物[6.2.2.4.6)]および実大 10 層建物[6.2.2.4.7, 6.2.2.4.8)]の震動台実験などからも実証されている．

　接合部降伏が生じることにより，（1）梁の終局曲げモーメント時の架構の強度が発揮されない，（2）スリップ型で履歴吸収エネルギーの小さい復元力特性といった現象が生じる．さらに，（3）柱梁接合部の一体性が失われることや動的応答による特定層への層間変形の集中，（4）特定構面への剛性低下の集中による偏心が生じ，あるいは（5）軸力保持能力を失い，架構全体と

しての耐震性の低下が生じてしまう．

このうち，（1）については接合部降伏時の終局強度を算定する方法も提案され[6.2.2.4.9)]~[6.2.2.4.11)]，梁曲げ強度時の節点モーメントに対する低下率による略算法は，保有耐力規準[6.2.2.4.4)]にも採用されている．

一方，（2），（3），（4），（5）による架構全体の耐震性の低下の定量化について，（2）については，それほど頂部最大変位応答には影響しないこと[6.2.2.4.11)]が知られているが，これからの知見の蓄積が期待される段階である．（3）については，解説図 6.2.2.4.1 に示すように，ある層の上下の階の柱梁接合部にヒンジが形成され，柱頭および柱脚で柱主筋の降伏が生じ特定層の剛性低下と層間変形の集中と P-Δ 効果によって骨組が不安定になる現象が起こるので，望ましくない破壊モードであることが明らかにされている[6.2.2.4.12)]．（4）についてもねじれ振動モード応答の加速度的増大が予測され，架構の耐震性への影響が憂慮される．（5）については，二方向加力を受ける骨組の隅柱で，接合部降伏し，接合部横補強筋が十分でない場合には，接合部内コアコンクリートが圧壊し，柱梁接合部が容易に軸力保持能力を失うことが指摘されている[6.2.2.4.13)]．

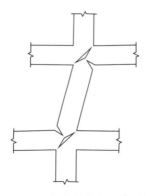

解説図 6.2.2.4.1　柱梁接合部の変形と層崩壊

さらに，接合部降伏時の強度が梁曲げ強度を上回ればおおむね梁の曲げ強度が発揮されるわけであるが，この場合，ただちに梁端にヒンジが形成される梁曲げ降伏型の破壊モードとなるわけではない．柱梁接合部の終局強度の梁曲げ強度に対する余裕度が 1.5 程度以上なければ，やはり接合部降伏が起こる．このときには，柱梁接合部の変形が層間変形角に占める割合はある程度大きく，復元力特性はスリップ性状が顕著となる．

接合部降伏も考慮できるようにコンクリート，鉄筋，付着を表す複数の1軸ばねで構成した柱梁接合部のマクロエレメントによりモデル化して行った平面架構の地震時応答の検討[6.2.2.4.12)]では，①柱梁強度比が小さく柱梁接合部の横補強筋が最小配筋程度では，最大層間変形角は梁曲げ降伏型の破壊モードの場合に対して数倍程度に達する場合があること，②柱梁強度比が小さく1.0に近いほど応答の最大層間変形角が急増する地震動の大きさは小さく，また骨組が崩壊する地震動のレベルも小さいこと，③接合部降伏により柱梁接合部に損傷・変形が集中すると，特定の層に変形が集中する層崩壊が起こり，倒壊に対する安全余裕度が小さくなることが指摘されている．

さらに，接合部降伏が生じる架構では，地震動により崩壊層が変化し，静的解析による崩壊系を保証できず，等価線形化法が適用できないことを鑑み，本指針では，保証設計で接合部降伏破壊が生じないことを確認した上で，柱梁接合部の変形は無視し剛域とするモデルを用いるものとする．

参 考 文 献

6.2.2.4.1)　日本建築学会：鉄筋コンクリート造建物の靱性保証型耐震設計指針・同解説．1999

6.2.2.4.2)　塩原　等：鉄筋コンクリート柱梁接合部：見逃された破壊機構，日本建築学会構造系論文集，Vol. 73，No. 631，pp. 1641-1648，2008.9

6.2.2.4.3)　楠原文雄，塩原　等，田崎　渉，朴　星勇：柱と梁の曲げ強度の比が小さい鉄筋コンクリート造十字形柱梁接合部の耐震性能，日本建築学会構造系論文集，Vol. 75，No. 656，pp. 1873-1882，2010.10

6.2.2.4.4)　日本建築学会：鉄筋コンクリート構造保有水平耐力計算規準（案）・同解説，2016

6.2.2.4.5)　片江　拡，北山和宏：3方向加力される鉄筋コンクリート立体隅柱梁接合部の耐震性能に関する実験研究，日本建築学会構造系論文集，Vol. 80，No. 713，pp. 1133-1143，2015.7

6.2.2.4.6)　長江拓也，田原健一，福山國夫，松森泰造，塩原　等，壁谷澤寿海，河野　進，西山峰広，西山　功：4階建て鉄筋コンクリート造建物を対象とした大型振動台実験，日本建築学会構造系論文集，Vol. 76，No. 669，pp. 1961-1970，2011.11

6.2.2.4.7)　土佐内優介，佐藤栄児，福山國夫，井上貴仁，梶原浩一，塩原等，壁谷澤寿海，長江拓也，福山洋，壁谷澤寿一，向井智久：大型震動台による10階建て鉄筋コンクリート造建物の三次元振動実験（2015），日本建築学会構造系論文集，Vol. 83，No. 750，pp. 1139-1149，2018.8

6.2.2.4.8)　梶原浩一，姜　在道，福山國夫，井上貴仁，壁谷澤寿海，塩原　等，長江拓也，壁谷澤寿一，福山洋，向井智久，土佐内優介：実大10階建て鉄筋コンクリート造建物を用いたE-ディフェンエス実験（2018年度）その1～その3，日本建築学会大会学術講梗概集，構造Ⅱ，pp. 605-610，2019.9

6.2.2.4.9)　楠原文雄，塩原　等：鉄筋コンクリート造十字形柱梁接合部の終局モーメント算定法，日本建築学会構造系論文集，Vol. 75，No. 657，pp. 2027-2035，2010.11

6.2.2.4.10)　楠原文雄，塩原　等：鉄筋コンクリート造ト形柱梁接合部の終局モーメント算定法，日本建築学会構造系論文集，Vol. 78，No. 693，pp. 1949-1958，2013.11

6.2.2.4.11)　塩原　等：鉄筋コンクリート柱梁接合部における接合部降伏の終局強度の実用的算定法，日本建築学会大会学術講演梗概集，構造Ⅳ，pp. 389-390，2014

6.2.2.4.12)　塩原　等，小林楓子，佐藤友佳，楠原文雄：鉄筋コンクリート造多層平面骨組の地震応答と柱梁接合部の耐震設計，日本建築学会構造系論文集，Vol. 82，No. 739，pp. 1437-1447，2017.9

6.2.2.4.13)　石塚裕彬，北山和宏：2方向水平力を受ける鉄筋コンクリート造立体隅柱梁接合部の耐震性能および立体破壊モデルに基づく曲げ終局耐力の評価，日本建築学会構造系論文集，Vol. 81，No. 729，pp. 1881-1891，2016.11

7章　地震応答評価

7.1　一般事項

> 　4章で規定される地震動に対する建物の地震応答は，静的非線形荷重増分解析を用いた等価線形化法により評価する.
> 　本地震応答評価法では，建物の地震応答において1つの振動成分が卓越する場合を適用範囲とする．また，建物のすべての層の偏心率が0.15以下の場合を平面的不整形性が小さい建物，これを満足しない場合を平面的不整形性が大きい建物と定義し，特に後者では，7.4節に従って建物のねじれ応答を適切に考慮する.

　地震応答評価では，4章で規定される地震動に対する建物全体および部材の動的応答（応力と変形）の最大値を以下の要因やばらつきを考慮して，十分な精度で算出しうる方法を用いることを原則とする.

- （a）　地震動の特性
- （b）　建物の固有周期，固有モードと動的な応答増幅
- （c）　建物および部材のモデル化，非線形特性
- （d）　建物および部材の破壊モード
- （e）　建物および部材の減衰特性
- （f）　基礎および地盤の支持条件
- （g）　地盤の応答増幅と地盤―建物系の相互作用

　なお，本指針では，上記項目を考慮して静的非線形荷重増分解析を用いた等価線形化法などによる準静的な地震応答評価法によって建物の地震応答の最大値を評価するものとする．ただし，地震応答評価で直接考慮できない要因やばらつきに関しては，応答の上限値を評価しうる簡略な評価手法を併用してもよい.

　（1）　静的非線形荷重増分解析を用いた等価線形化法

　静的非線形荷重増分解析を用いた等価線形化法による地震応答評価法（以下，等価線形化法という）では，多層建物の地震時における各層の最大応答値を，当該建物の構造特性を代表する等価1自由度系における最大応答値（以下，最大応答代表値という）に基づいて評価する．最大応答代表値は，静的非線形荷重増分解析から得られた等価1自由度系における等価荷重（代表荷重）―等価変位（代表変位）関係と設計用地震動に対する（擬似）加速度応答スペクトル―変位応答スペクトル関係（要求曲線）との交点により算定する．この際，応答スペクトルには最大応答時における建物の塑性化に伴う履歴吸収エネルギーによる減衰効果を適切に考慮するものとする．以下に，等価線形化法で考慮している「等価線形化」と「縮約等価1自由度系」についての考え方を示す.

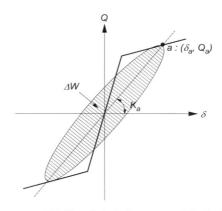

解説図 7.1.1 弾塑性1自由度系における等価線形系置換

[等価線形化]

　解説図 7.1.1 に示すような復元力特性を有する弾塑性1自由度系の地震応答を考えた場合，弾性応答時には履歴吸収エネルギーは0であり履歴減衰は生じないが，塑性化した場合には，履歴吸収エネルギーによる減衰を伴う．ここで，系が図中の a 点 (δ_a, Q_a) を通り振幅 δ_a で定常的に振動すると理想化した場合を考えると，履歴吸収エネルギー ΔW による履歴減衰を伴う剛性 K_a $(=Q_a/\delta_a)$ の弾性系とみなすことができる．すなわち，等価粘性減衰を伴う固有周期 T_a $(=2\pi\sqrt{M \cdot \delta_a/Q_a}$，$M$：質量) の等価弾性系に置換できる．定常振動状態の仮定の下では，このようないわゆる「等価線形化」は，弾塑性の骨格曲線上の任意の点において成り立つ．

　一方，弾性1自由度系における応答（加速度応答，速度応答および変位応答）値は，系の固有周期と粘性減衰を用いて応答スペクトルによって評価できる．したがって，上記の等価弾性系についても，その最大応答値は等価固有周期（T_a）と減衰（粘性減衰と履歴エネルギーによる等価粘性減衰の和）を用いて応答スペクトルによって推定することができる．なお，系の減衰が非常に小さな場合には，変位応答スペクトル S_d と（擬似）加速度応答スペクトル S_a の関係は，$S_a = \omega^2 \cdot S_d$（ω：円振動数（$=\sqrt{K/M}$，K は系の剛性を表す））で与えることができる．ここで，変位応答スペクトル S_d は系の最大応答変位 δ_{max} で，擬似加速度応答スペクトル S_a は最大応答変位時のせん断力を Q_{max} とすると，$S_a = Q_{max}/M$ で表される．すなわち，S_a-S_d 関係は Q_{max}/M-δ_{max} 関係に読み替えることができ，系の荷重―変形関係上の最大応答点を表していることが理解できる．

　等価線形化法は，上記の関係と前述の等価線形化の概念を利用し，解説図 7.1.2 に示すように，想定する地震動に対する弾塑性1自由度系の最大応答値を応答スペクトルを用いて推定しようとするものである．なお，多自由度を有する建物の地震応答を推定する場合には，建物を等価1自由度系に縮約し，建物全体の構造性能を表す等価荷重―等価変位曲線（性能曲線）と減衰特性（h_{eq}-δ 関係）を適切に評価し，設計用地震応答スペクトルと比較することによって，最大応答値を推定することになる．

[縮約等価1自由度系]

　多自由度を有する建物を縮約した等価1自由度系を用いて建物の地震応答性状を評価しようと

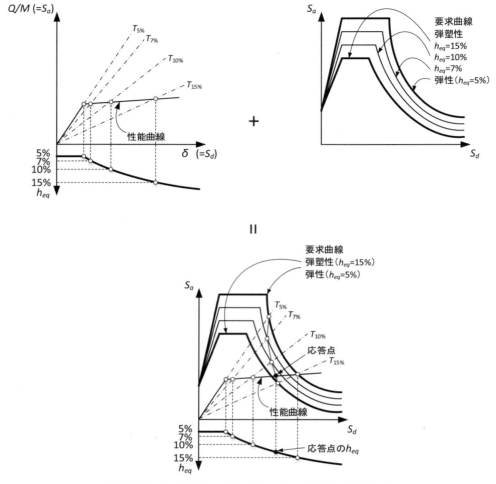

解説図 7.1.2 弾塑性1自由度系の最大応答値の推定方法

する研究は，これまでも数多く行われてきた．等価1自由度系への縮約方法としては，建物全体の地震応答において支配的な一次モードを重視し，多自由度系の応答から一次モード応答のみを抽出する方法[7.1.1)～7.1.3)]が一般的であったが，近年，高次モードの影響を考慮した方法[7.1.4)]や地震入力エネルギーと建物の吸収エネルギーの等価性に着目した方法[7.1.5)～7.1.7)]も提案されている．しかし，いずれの方法もモデル化の際に，多自由度系の振動モードは弾性時，弾塑性時にかかわらず弾性時の振動モードに等しいと仮定している．換言すれば，刺激関数 $\beta \cdot u$ は弾性時のものを用いている．しかし，上記の等価線形化法の基本仮定に基づけば，建物の最大地震応答時における各層および各部材の塑性化の度合に応じて縮約された等価1自由度系，すなわち，弾性状態または塑性状態にかかわらず，建物の最大地震応答時における振動モードを適切に反映した等価1自由度系を用いるほうがより合理的である．また，等価1自由度系の最大地震応答値に基づいて各層の最大応答値を評価する点からも，最大地震応答時における振動モードに基づいた縮約1自由度系であることがより有効である．

本指針で採用している等価1自由度系への縮約方法は，多層建物における塑性化後の振動モードの変化を考慮したものである[7.1.8]．なお，この方法は上記の一次モード重視型に属するものであり，静的非線形荷重増分解析を援用して等価荷重—等価変位曲線（性能曲線）を直接作成できるところにも特徴がある．ただし，一次モードのみに着目した方法であるがゆえに，高層建物等のように最大応答値に及ぼす高次モードの影響が無視できないものに対しては，別途その影響を適切に考慮する必要がある．また，一般の建物でも，最大応答せん断力に関しては必ずしも等価1自由度系の応答値が最大となるときに生じるとは限らず，むしろ異なる時刻において発生する傾向がある．したがって，高次モードに起因する層せん断力および部材せん断力の増大については，十分な注意を要する．以上を勘案して，本指針では，高次モードに起因する応答値の評価法も併せて提示している．

なお，等価1自由度系への縮約方法および高次モード応答の評価法については，7.3節および9.3節を参照されたい．

（2）平面的不整形性が大きい建物の取扱い方針

（1）に解説した縮約等価1自由度系を用いた等価線形化法は，建物の地震応答が一次モード応答により代表される場合に適する地震応答評価法である．したがって，複数のモードが卓越する建物や，建物（部材）の非線形化に伴い，複数のモードが卓越し始める，あるいは卓越する振動モードが変化するような建物は，評価法の適用範囲外である．

限界耐力計算を含む従来の構造設計体系では，偏心建物に対して偏心率に応じた数値 F_e を用いて必要耐力を割り増す方法が採用されている[7.1.9]．この方法は，弾性剛性偏心に立脚した実務上の取扱いが容易かつ簡略な方法ではあるものの，塑性化を許容する建物の地震応答に対して，必ずしも高い評価精度が期待できる方法ではない．偏心建物の非線形性を考慮した地震応答特性については，複数の既往の研究により分析が進んでいる．例えば，藤井ら[7.1.10]は，弾性等価一次質量が大きい偏心建物では，等価1自由度系により建物の地震応答を比較的精度良く推定できることを示している．倉本ら[7.1.11],[7.1.12]は，偏心建物の静的非線形荷重増分解析に基づく縮約等価1自由度系への適切な置換方法を提示するとともに，その適用範囲を分析している．偏心率が大きい建物では，建物（部材）の高次モード応答による非線形化が一次モード応答に影響を与えるため，等価1自由度系による地震応答評価が困難となる場合があることを指摘している．

偏心建物のねじれを伴う地震応答性状については今後も研究が必要であるが，本指針では，建物の地震応答評価法の適用範囲を建物の地震応答に対して一次モード応答が支配的な場合とする．この判断の閾値には引き続きの議論が必要であるが，本指針では，暫定的に7.2節の静的非線形荷重増分解析において一次等価質量比が終始0.5を上回る場合とする．また，この適用範囲を満足する建物でも，平面的不整形性が小さい場合（偏心率0.15以下）と，大きい場合（偏心率0.15超過）に区別し，特に後者では，静的非線形荷重増分解析において地震外力として水平力に加え，建物のねじれ応答に伴う慣性モーメントを同時に作用させるモード適応型荷重増分解析法[7.1.11]を適用することとしている．

なお，本地震応答評価法の適用可否を判断する閾値を上記の「一次等価質量比が0.5以上」と

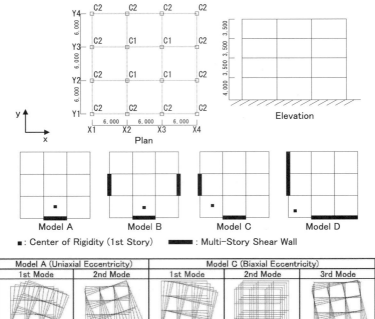

解説図 7.1.3　解析対象建物[7.1.12)]

解説表 7.1.1　等価質量比

モデル	等価質量比		
	一次	二次	三次
A	0.49	0.34	0.07
B	0.73	0.09	0.14
C	0.31	0.41	0.11
D	0.30	0.42	0.03

した理由の1つは，以下の解析例[7.1.12)]に基づいたものである．

　解析対象建物は，解説図7.1.3に示すような3スパン×3スパンの4層RC壁フレーム構造で，連層耐震壁の配置が異なる4モデル（モデルA～D）である．解説表7.1.1には，計算方向（X方向）に対する固有周期の長い方から3つのモードに対応した等価質量比を示している．同表に示されるように，モデルBでは一次等価質量比が0.7以上となっているが，モデルAでは0.5程度であり，さらにモデルCおよびDでは二次等価質量が一次等価質量を上回っている．

　各モデルに対する等価1自由度系の縮約結果を解説図7.1.4に示す．図中の黒線は，50 cm/sに基準化したEl Centro NS（1940）（Elc50）波を入力地震波とした地震応答解析から得られた

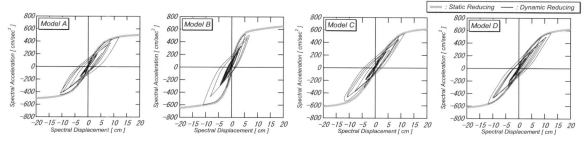

解説図 7.1.4 Elc50 による等価 1 自由度系への縮約結果[7.1.12)]

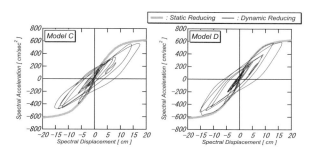

解説図 7.1.5 Elc75 による等価 1 自由度系への縮約結果[7.1.12)]

動的縮約結果であり，灰色線は，モード適応型荷重増分解析から得られた静的縮約結果を示している．静的縮約は，静的非線形荷重増分解析の結果を用いて後述の（7.4.1）式および（7.4.2）式により等価 1 自由度系の性能曲線（S_a-S_d 曲線）を求めたものであり，動的縮約は，時刻歴地震応答解析結果を用いて（7.4.1）式および（7.4.2）式と類似の関係式（詳細については，文献 7.1.12）を参照のこと）を用いて等価 1 自由度系の S_a-S_d 関係に相当する履歴曲線を描いたものである．なお，等価 1 自由度系縮約が適切な場合，静的縮約結果は動的縮約結果（履歴曲線）を包絡する曲線を描く．したがって，この両者の関係を比較することで，等価 1 自由度系縮約の妥当性を判断できる．同図より，一次等価質量比にかかわらず，各モデルの静的縮約結果は動的縮約結果の包絡線と良好な対応を示しており，静的縮約によって動的縮約の最大値を精度良く評価できることが示されている．

しかし，解説図 7.1.5 に示すように，入力地震波のレベルを 75 cm/s に基準化した縮約結果（Elc75）では，モデル C において静的縮約と動的縮約の対応関係が悪化していることが見てとれる．この原因は，モデル C では二次振動モードで Y1 構面の耐震壁が塑性化したため，その剛性低下が一次振動モードに影響したためであると推察される．一方，モデル D においても，二次等価質量比が一次等価質量比に比して大きいため同様な現象が生じても不思議ではないが，Y1 構面の耐震壁がモデル C に比べて 2 倍の断面せい（長さ）を有しているため，当該入力地震動レベルでは二次振動モードによる塑性化が生じず，静的縮約結果と動的縮約結果が良好な対応を示したものと考えられる．

以上に示したように，一次等価質量比が高次等価質量比に対して小さくなる場合には，高次振動モードによる応答が一次振動モードの振動性状に少なからず影響を与えることがある．そのため，ねじれ振動に対しても一次振動モードが卓越する建物を適用対象とすることを意図して，一次等価質量比が 0.5 以上であることという条件を暫定的に設けた．

参 考 文 献

7.1.1) 柴田明徳：最新 耐震構造解析 第 3 版，p.361，森北出版，2014

7.1.2) 塩原　等，小谷俊介，青山博之：縮約モデルによる構造物の弾塑性応答解析，構造工学シンポジウム論文集，Vol. 28, pp. 101-112, 1982.2

7.1.3) 堀　則夫，河本慎一郎，井上範夫，柴田明徳：梁降伏型 RC 造骨組の縮約 1 自由度系による耐震設計手法の検討，構造工学論文集，Vol. 42B, pp. 33-40, 1996.3

7.1.4) Paret T.F., Sasaki K.K., Eilbeck D.H. and Freeman S.A.: Approximate Inelastic Procedures to Identify Failure Mechanisms from Higher Mode Effects, Proceedings of 11th World Conference on Earthquake Engineering, Paper No. 966, 1996.6

7.1.5) 小川厚治，井上一朗，小野聡子：柱・梁を弾性域に留める履歴ダンパー付架構の設計耐力（多質点系のベースシヤー係数），日本鋼構造協会鋼構造論文集，Vol. 5, No. 17, pp. 29-44, 1998.3

7.1.6) 建設省総合技術開発プロジェクト／次世代鋼材による構造物安全性向上技術の開発「崩壊形と破壊分科会」：全体崩壊型鋼構造ラーメン部材の必要塑性変形性能，5. 多自由度系の等価 1 自由度系への置換，pp. 5-1-5-8，鋼材倶楽部，1999

7.1.7) 小川厚治：魚骨形骨組の等価 1 自由度系への置換に関する研究，日本建築学会構造系論文集，No 539, pp. 143-150, 2001.1

7.1.8) 松本和行，倉本　洋：多層 RC 造建物のモード適応型非線形荷重増分解析，コンクリート工学年次論文集，Vol. 24, No. 2, pp. 1111-1116, 2002.6

7.1.9) 日本建築行政会議監修，建築物の構造関係技術基準解説書編集委員会編：2020 年版建築物の構造関係技術基準解説書，全国官報販売協同組合，2020

7.1.10) 藤井賢志，中埜良昭，真田靖士：単層 1 軸偏心建物の非線形応答評価法に関する研究，構造工学論文集，Vol. 48B, pp. 173-182, 2002.3

7.1.11) 倉本　洋，三浦直之，星　龍典：単層偏心建物における等価 1 自由度系の地震応答特性と高次モード応答の予測，日本建築学会構造系論文集，No. 606, pp. 123-130, 2006.8

7.1.12) 星　龍典，倉本　洋：多層偏心建物における等価 1 自由度系の地震応答特性と高次モード応答の予測，日本建築学会構造系論文集，No. 616, pp. 89-96, 2007.6

7.2　静的非線形荷重増分解析

建物の等価 1 自由度系による地震応答評価において考慮する建物の性能曲線は，原則として，6 章に従いモデル化した架構の静的非線形荷重増分解析に基づいて評価する．建物の性能曲線は，架構の各主軸方向への静的非線形荷重増分解析による評価結果により代表させ，架構や部材の地震応答や保証設計用応力の評価において，各主軸方向への地震動入力の同時性を適切に考慮することとする．

静的非線形荷重増分解析を行うにあたっては，架構の高さ方向の外力分布を適切に評価，設定することとする．外力分布は，架構が弾性にあるか塑性にあるかの状態のいかんにかかわらず，任意の荷重ステップにおける各層の等価剛性に基づく一次モード比例分布を用いるものとする．ただし，架構の塑性化後の一次モードが弾性時とおおむね同等である場合は，弾性一次モード比例分布形を用いてもよい．

偏心が大きい建物の解析では，地震外力として水平力に加えて，ねじれ応答を想定した慣性モーメントを同時に作用させるものとする．

（1） 平面的不整形性が小さい建物（偏心率が 0.15 以下の建物）

静的非線形荷重増分解析における外力分布は，当該建物が弾性にあるか塑性にあるかの状態のいかんにかかわらず，原則として任意の荷重ステップにおける各層の等価剛性に基づいた一次モード比例分布（以下，弾塑性一次モード比例分布と略記）とする．ただし，全体崩壊機構を形成する架構のように，塑性化した後の一次モードが弾性時とおおむね同等である場合は，弾性一次モード比例分布形を用いてもよい．

7.3.1 項で示す静的非線形荷重増分解析の結果に基づいて等価 1 自由度系の等価荷重—等価変位関係（性能曲線）を算定する方法では，静的非線形荷重増分解析の際の外力分布が弾性時，塑性時にかかわらず，一次の刺激関数 $_1\beta \cdot {}_1u_i$ に比例したものである必要がある．建物の塑性化に伴うモード形の変化に応じて外力分布を逐一変化させる静的非線形荷重増分解析は，i 層に対する k ステップの外力 $_1P_{i,k}$ を（解 7.2.1）式のように設定すれば可能である[7.2.1]．

$$_1P_{i,k} = \frac{m_i \cdot {}_1\delta_{i,k-1}}{\sum\limits_{j=1}^{N} m_j \cdot {}_1\delta_{j,k-1}} \cdot ({}_1Q_{B,k-1} + d_1Q_B) \qquad （解 7.2.1）$$

ここで，m_i：i 層の質量，$_1\delta_i$：i 層の相対水平変位，$_1Q_B$：ベースシア，d_1Q_B：ベースシアの増分．

なお，$_1\delta_{i,k-1}$ の初期値は，固有値解析から得られる弾性一次モードの値を用いる．

文献 7.2.1）では，6 層ピロティ架構，4 層ラーメン架構および 12 層ラーメン架構に対して，外力分布形をそれぞれ弾塑性一次モード比例分布と A_i 分布とした場合の静的非線形荷重増分解析を行い，最大速度をそれぞれ 50 cm/s と 75 cm/s に基準化した El Centro NS（1940）波および JNA Kobe NS（1995）波（Elc50 と Elc75 および JMA50 と JMA75）に対する時刻歴地震応答解析結果と比較することで，両外力分布の応答評価精度を比較している．解説図 7.2.1 は，検討結果の一例を示したものである．同図では，静的非線形荷重増分解析結果における層せん断力—相対水平変形（地表に対する各層の相対水平変位）の関係と，時刻歴地震応答解析による各層の最大応答値を比較している．同図に見られるように，架構形式，建物階数にかかわらず，下層部では，外力分布形が静的非線形荷重増分解析による層せん断力—相対水平変位関係に及ぼす影響は小さいが，上層部では，A_i 分布によるものが弾塑性一次モード比例分布によるものに比べて層せん断力を大きく評価する結果となっている．一方，時刻歴地震応答解析結果は，弾塑性一次モード比例分布による結果と良好な対応を示しており，A_i 分布による結果は，上層部において地震応答解析による最大層せん断力を過大評価することが見てとれる．特に，その傾向は，塑性化後にモード形が変化するピロティ架構において顕著である．

以上の検討結果を参考に，本指針では，静的非線形荷重増分解析に弾塑性一次モード比例分布を用いることを原則とした．

（2） 平面的不整形性が大きい建物（偏心率が 0.15 を超える建物）

平面的な不整形性が大きい建物の静的非線形荷重増分解析では，建物のねじれ応答の誘因となる慣性モーメントの一次モード成分に相当する重心まわりのモーメント $_1M_z$ を各層の床に作用

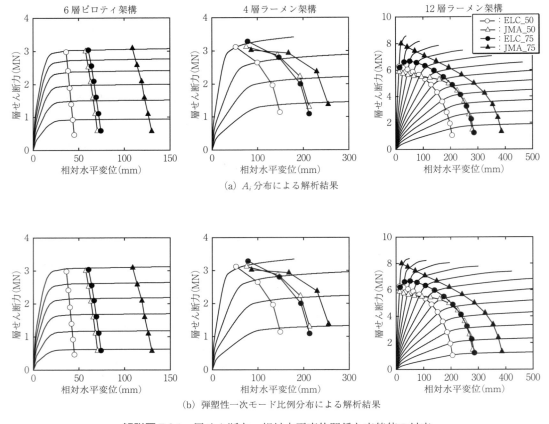

解説図 7.2.1 層せん断力―相対水平変位関係と応答値の対応

させる必要がある．偏心建物の静的非線形荷重増分解析の k ステップにおける一次モード応答の外力 $\{_1P_k\}$ は，一次モードの代表せん断力の増分 $d_1\bar{Q}$ を用いて，次式により表現される[7.2.2]．

$$\{_1P_k\} = \frac{[M]\{_1\delta_{k-1}\}}{\{_1\delta_{x,k-1}\}^T[M]\{1\}_x}(_1\bar{Q}_{k-1} + d_1\bar{Q}) \qquad (解\ 7.2.2)$$

ここに，$[M]$：質量マトリクス，$\{_1\delta\}$：変位ベクトルの一次モード成分，$_1\bar{Q}$：等価1自由度系のせん断力である．なお，$_1\bar{Q}$ は N 層偏心建物の x 方向のベースシア $_1Q_{Bx}$ に置換して表現できるため[7.2.2]，(解 7.2.2) 式は，次式に書き換えることができる．

$$\{_1P_k\} = \frac{[M]\{_1\delta_{k-1}\}}{\{_1\delta_{x,k-1}\}^T[M]\{1\}_x}(_1Q_{Bx,k-1} + d_1Q_{Bx}) \qquad (解\ 7.2.3)$$

静的非線形荷重増分解析の第1ステップについては，$\{_1\delta\}$ が得られていないため，固有値解析から求まる弾性一次モードの刺激関数 $_1\beta\{_1u\}$ を代入して外力分布を得る．

なお，解説図 7.2.2 に示すような単層二軸偏心建築物を例にとって，x 方向，y 方向および z 軸まわりの一次モード外力 $\{_1P\}(=\{_1P_x,_1P_y,_1P_z\}^T)$ を表すと，それぞれ次式となる．

$$_1P_x = _1Q_{Bx}$$

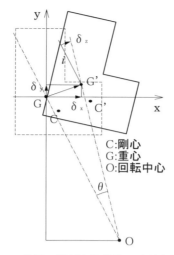

解説図 7.2.2 単層二軸偏心建築物の地震応答の概念図

$$_1P_y = \frac{_1\delta_y}{_1\delta_x} {_1Q_{Bx}} \left(= \frac{_1\delta_y}{_1\delta_x} {_1P_x} \right)$$

$$_1P_z = \frac{_1\delta_z}{_1\delta_x} {_1Q_{Bx}} \left(= \frac{_1\delta_z}{_1\delta_x} {_1P_x} \right)$$

なお，重心まわりのモーメント $_1M_z$ は，z 軸まわりの外力 $_1P_z$ と $_1M_z = {_1P_z} \cdot i$ の関係がある．ここで，i は回転半径である．

参 考 文 献

7.2.1) 松本和行，倉本 洋：多層 RC 造建物のモード適応型非線形荷重増分解析，コンクリート工学年次論文集，Vol. 24, No. 2, pp. 1111-1116, 2002.6

7.2.2) 星 龍典，倉本 洋：多層偏心建物における等価1自由度系の地震応答特性と高次モード応答の予測，日本建築学会構造系論文集，No. 616, pp. 89-96, 2007.6

7.3 平面的不整形性が小さい建物に対する応答評価

地震動に対する建物の動的な最大応答値を，応答スペクトルに基づいて算定する場合には，以下の方法による．ただし，十分な精度が得られることを確かめられている場合には，別の方法によることができる．

（1） 7.2 節に従う静的非線形荷重増分解析により，建物の各層の水平荷重—水平変形の関係を算出する．

（2） 静的非線形荷重増分解析の結果に基づいて，等価1自由度系の性能曲線を 7.3.1 項（1）に従い算定する．

（3） 性能曲線に基づいて，等価1自由度系の等価変位に対応した等価粘性減衰定数を 7.3.1 項（2）に従い算定する．

（4） 等価荷重—等価変位曲線と，耐損傷性および安全性の評価で用いる地震動の加速度応答スペクトル—変位応答スペクトル曲線を用いて，等価1自由度系の各地震動に対する損傷限界時応答点（Δ_d, Q_d），安全限界時応答点（Δ_s, Q_s）を評価する．このとき，安全限界時応答点の評価に

>　　　　おいては，応答点における等価1自由度系の等価な粘性減衰の効果を7.3.1項（3）により考
>　　　　慮する．
>　（5）　建物の各層・各部材の変形と応力は，上記（1）～（4）より算出した等価1自由度系の各応
>　　　　答値と静的非線形荷重増分解析結果に基づいて，7.3.2項により求める．

　建物の応答値は，後述の7.3.1項の評価法に基づく等価1自由度系による性能曲線（S_a-S_d曲線）と，同項に示す評価用の地震動の応答加速度―応答変位曲線（$_RS_a$-$_RS_d$曲線）に減衰補正係数F_hを考慮した要求曲線（応答移行曲線）との交点（応答点）によって評価される〔解説図7.3.1〕．

　解説図7.1.2に示したように，S_a-S_d曲線の塑性率に応じて建物の減衰（等価粘性減衰定数）が変化するので，応答点を求める際にはS_a-S_d曲線上の任意の点に対して異なる$_RS_a$-$_RS_d$曲線を対応させる必要がある．したがって，繰返し計算によって応答点を求めることが一般的であるが，以下のような手順を踏むことによっても解を得ることができる．

　すなわち，まず静的非線形荷重増分解析に相当するS_a-S_d曲線上の各の点における等価周期T_sを（解7.3.1）式で算定し，後述の7.3.1項の評価法に基づいて任意のT_sに対応する等価粘性減衰定数を求め，T_sと減衰補正係数F_hの関係を得る．

$$T_s = 2\pi\sqrt{\frac{S_d}{S_a}} \tag{解7.3.1}$$

　なお，建物の応答評価において，建物―基礎―地盤の相互作用を考慮する場合は，7.5節に示す方法により，同相互作用を考慮した建物の等価周期T_eおよび等価粘性減衰定数h_bを評価することができる．

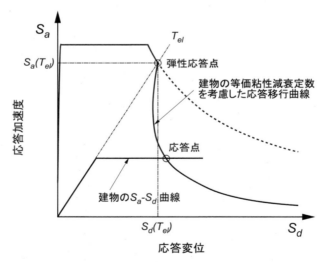

解説図7.3.1　等価1自由度系の減衰の変化を考慮した応答値の評価

　次に検証用加速度応答スペクトルにおける応答加速度$_RS_a$に対して当該周期に対応するF_hを乗じて低減し，建物の等価粘性減衰定数を考慮した加速度応答スペクトルを作成する．さらに，その応答加速度に$(T_s/2\pi)^2$を乗じて応答変位$_RS_d$を求めると，建物の塑性化に伴う周期および

等価粘性減衰定数の変化を考慮した応答加速度—応答変位曲線（$_RS_a$-$_RS_d$曲線）が得られる．このようにして補正された要求曲線（応答移行曲線）と建物の性能曲線との交点を求めることによって，評価用の地震動に対する等価1自由度系の応答点を求めることができる〔解説図7.3.1〕．

　以上のように求められるS_a-S_d曲線の応答点に対応する静的非線形荷重増分解析の荷重ステップにおいて，上部構造の各層，各部材の応答値および基礎構造の設計用応力がそれぞれ評価される〔7.3.2項〕．

7.3.1　等価1自由度系応答値

　地震動に対する建物の応答値は，静的非線形増分解析を併用した等価線形化法による以下の方法で評価してよい．

（1）　静的非線形荷重増分解析の結果に基づいて，等価1自由度系の性能曲線（$_1S_a$-$_1S_d$関係）を次式により算定する．

$$_1S_a = \frac{\sum\limits_{i=1}^{N} m_i \cdot {}_1\delta_i{}^2}{\left(\sum\limits_{i=1}^{N} m_i \cdot {}_1\delta_i\right)^2} \cdot {}_1Q_B \tag{7.3.1}$$

$$_1S_d = \frac{\sum\limits_{i=1}^{N} m_i \cdot {}_1\delta_i{}^2}{\sum\limits_{i=1}^{N} {}_1P_i \cdot {}_1\delta_i} \cdot {}_1S_a \tag{7.3.2}$$

ここに，m_i：i層の質量
　　　　$_1P_i$：i層の外力
　　　　$_1\delta_i$：i層の地表からの相対変位

（2）　建物全体の等価粘性減衰定数hは，原則として，静的非線形解析から得られた$_1S_a$-$_1S_d$曲線上の任意の点における各部材の等価粘性減衰定数$_mh_i$とそれに対応する等価ポテンシャルエネルギー$_mW_i$を用いて，次式により算定する．

$$h = \frac{\sum\limits_{i=1}^{N} {}_mh_i \cdot {}_mW_i}{\sum\limits_{i=1}^{N} {}_mW_i} + 0.05 \tag{7.3.3}$$

ここで，$_mh_i = \dfrac{\gamma}{\pi}(1 - 1/\sqrt{_m\mu_i})$ $\tag{7.3.4}$

ここに，Nは部材数および$_m\mu_i$はi部材の塑性率であり，γは非定常応答による低減係数で，0.80以下とする．

　ただし，$_1S_a$-$_1S_d$曲線を適切なバイリニア曲線にモデル化し，等価降伏変形を規定できる場合には，それから求まる塑性率μを用いて，次式により直接的に建物全体の等価粘性減衰定数hを求めてもよい．

$$h = 0.25(1 - 1/\sqrt{\mu}) + 0.05 \tag{7.3.5}$$

　また，建物—基礎—地盤の相互作用を考慮して地震応答を評価する場合は，7.5節により等価粘性減衰定数hを割り増して求めてもよい．

（3）　建物の代表加速度—代表変位曲線と耐損傷性と安全性を評価する地震動に対する加速度応答スペクトル—変位応答スペクトル曲線を用いて，等価1自由度系の最大応答値を評価する．両曲線の交点がそれぞれ耐損傷性，安全性を検証する地震動に対する応答点（それぞれ(Δ_d, Q_d)，(Δ_s, Q_s)）に相当する．ただし，後者では，応答点における等価1自由度系の減衰効果を次式で与えられる減衰補正係数F_hにより考慮して，安全性の評価に用いる加速度応答スペクトル—変位応答スペクトル曲線を低減してもよい．

$$F_h = \frac{1.5}{1+10h} \tag{7.3.6}$$

（1）　等価1自由度系における等価荷重―等価変位関係（性能曲線）

　等価1自由度系における性能曲線は，設計用地震動に対する応答スペクトルと同様に加速度―変位関係（以下，$_1S_a - {}_1S_d$ 関係という）で表現するものとし，当該建物に対する静的非線形荷重増分解析に基づいて，次式により評価する．

$$_1S_a = \frac{\sum\limits_{i=1}^{N} m_i \cdot {}_1\delta_i{}^2}{\left(\sum\limits_{i=1}^{N} m_i \cdot {}_1\delta_i\right)^2} \cdot {}_1Q_B \tag{7.3.1}$$

$$_1S_d = \frac{\sum\limits_{i=1}^{N} m_i \cdot {}_1\delta_i{}^2}{\sum\limits_{i=1}^{N} {}_1P_i \cdot {}_1\delta_i} \cdot {}_1S_a \tag{7.3.2}$$

　上式は，以下に示す仮定と誘導により得られる[7.3.1)].

　N 層の建物に対する多自由度系を考える．一般に，線形多自由度系における i 層の最大応答変位 $\delta_{i,\max}$ は，次式で近似できる．

$$\delta_{i,\max} \approx \sqrt{\sum_{s=1}^{N} |_s\beta \cdot {}_su_i \cdot {}_sS_d|^2} = \sqrt{\sum_{s=1}^{N} |_s\beta \cdot {}_su_i \cdot {}_s\overline{M} \cdot {}_sS_a/{}_s\overline{K}|^2} \tag{解 7.3.2}$$

　同様に，最大応答時のベースシア Q_B は，（解 7.3.3）式で近似できる．

$$Q_B \approx \sqrt{\sum_{s=1}^{N} \left\{\sum_{i=1}^{N} m_i \cdot {}_s\beta \cdot {}_su_i \cdot {}_sS_a\right\}^2} = \sqrt{\sum_{s=1}^{N} (_s\overline{M} \cdot {}_sS_a)^2} \tag{解 7.3.3}$$

ここに，　m_i：i 層の質量

　　　　　$_su_i$：s 次のモードベクトルの i 層成分

　　　　　$_s\beta$：s 次の刺激係数

　　　　　$_s\overline{K}$：s 次の等価剛性　（$=_s\beta\{_su\}^T[K]_s\beta\{_su\}$）

　　　　　$_s\overline{M}$：s 次の等価質量　（$=_s\beta\{_su\}^T[M]_s\beta\{_su\}$）

　　　　　$_sS_a$：s 次の応答加速度

　　　　　$_sS_d$：s 次の応答変位

　ここで，動的応答の最大値が静的外力による応答で代表できると仮定して，多自由度系の各質点に一次モード比例分布の静的外力が作用している場合を考えると，その時のベースシア $_1Q_B$ は，（解 7.3.3）式より次式で与えられる．

$$_1Q_B = {}_1\overline{M} \cdot {}_1S_a \tag{解 7.3.4}$$

　また，各層の変位 $\{_1\delta\}$ は，（解 7.3.2）式より

$$\{_1\delta\} = {}_1\beta\{_1u\}_1\overline{M} \cdot {}_1S_a/{}_1\overline{K} = {}_1\beta\{_1u\}_1Q_B/{}_1\overline{K} \tag{解 7.3.5}$$

となる．（解 7.3.5）式からも明らかなように，上記の静的外力が作用している多自由度系は振動モードが一次モードであるので，質量 $_1\overline{M}$ および剛性 $_1\overline{K}$ によって等価1自由度系に縮約することができる．このとき，等価1自由度系の水平変位 $_1\Delta$（以下，代表変位という）は，多自由度

系における一次の刺激関数 $_1\beta\{_1u\}$ が 1.0 に相当する建物高さ（代表高さ）での変位に相当する.すなわち，等価 1 自由度系におけるせん断力（以下，代表せん断力という）と代表変位の関係は，（解 7.3.5）式より

$$_1\Delta =\,_1Q_B/_1\bar{K} \tag{解 7.3.6}$$

で与えられ，代表せん断力は多自由度系における一次モードに対応するベースシア $_1Q_B$ に相当する.また，（解 7.3.4）式および（解 7.3.6）式より

$$_1\Delta =\,_1S_a\cdot{}_1\bar{M}/_1\bar{K}=\,_1S_a/_1\omega^2=\,_1S_d \tag{解 7.3.7}$$

の関係が得られる.ここで，$_1\omega$ は一次の固有円振動数を表す.すなわち，等価 1 自由度系における代表せん断力と代表変位の関係は，（擬似）加速度応答スペクトルと変位応答スペクトルの関係で表すことができる.

一方，多自由度系における i 層の変位 $_1\delta_i$ は，（解 7.3.2）式および（解 7.3.7）式より

$$_1\delta_i=\,_1\beta\cdot{}_1u_i\cdot{}_1S_d=\,_1\beta\cdot{}_1u_i\cdot{}_1\Delta \tag{解 7.3.8}$$

で与えられる.さらに，（解 7.3.3）式および（解 7.3.8）式から i 層の外力 $_1P_i$ は，

$$_1P_i=m_i\cdot{}_1\beta\cdot{}_1u_i\cdot{}_1S_a=m_i\cdot{}_1\delta_i\cdot{}_1S_a/_1\Delta \tag{解 7.3.9}$$

で与えられる.

また，（解 7.3.4）式および（解 7.3.9）式より $_1\bar{M}$ と $_1\delta_i$ の間には

$$_1\bar{M}=\,_1Q_B/_1S_a=\sum_{i=1}^{N}{}_1P_i/_1S_a=\sum_{i=1}^{N}m_i\cdot{}_1\delta_i/_1\Delta \tag{解 7.3.10}$$

の関係が成立し，同様に，（解 7.3.9）式の関係を用いると，次式も成り立つ.

$$_1\bar{M}=\,_1\beta\{_1u\}^T[M]_1\beta\{_1u\}=\{_1\delta\}^T[M]\{_1\delta\}/_1\Delta^2=\sum_{i=1}^{N}m_i\cdot{}_1\delta_i{}^2/_1\Delta^2 \tag{解 7.3.11}$$

$$_1\bar{K}=\,_1\beta\{_1u\}^T[K]_1\beta\{_1u\}=\{_1\delta\}^T[K]\{_1\delta\}/_1\Delta^2=\{_1\delta\}^T\{_1P\}/_1\Delta^2=\sum_{i=1}^{N}{}_1P_i\cdot{}_1\delta_i/_1\Delta^2 \tag{解 7.3.12}$$

したがって，一次固有周期 $_1T$ は，次式で与えられる.

$$_1T=2\pi\sqrt{\frac{_1\bar{M}}{_1\bar{K}}}=2\pi\sqrt{\frac{\sum\limits_{i=1}^{N}m_i\cdot{}_1\delta_i{}^2}{\sum\limits_{i=1}^{N}{}_1P_i\cdot{}_1\delta_i}}\,(=2\pi/_1\omega) \tag{解 7.3.13}$$

また，（解 7.3.10）式および（解 7.3.11）式より，一次の等価質量 $_1\bar{M}$ は，

$$_1\bar{M}=\frac{\left(\sum\limits_{i=1}^{N}m_i\cdot{}_1\delta_i\right)^2}{\sum\limits_{i=1}^{N}m_i\cdot{}_1\delta_i{}^2} \tag{解 7.3.14}$$

となり，一次の応答加速度および応答変位（$_1S_a$ および $_1S_d$）は（解 7.3.4）式，（解 7.3.14）式および（解 7.3.7）式，（解 7.3.13）式によって，それぞれ（7.3.1）式および（7.3.2）式で与えられる.

すなわち，（解 7.3.13）式および（解 7.3.14）式の関係を用いれば，外力分布を一次モード比例分布とした静的非線形荷重増分解析の各ステップにおける各層の外力と変位およびベースシアから，解説図 7.3.1 に示すように等価荷重—等価変位曲線を描くことができる.なお，代表変位

（(7.3.2) 式）は（解 7.3.7）式，（解 7.3.10）式および（解 7.3.14）式，あるいは（解 7.3.6）式，（解 7.3.7）および（解 7.3.12）式より，（解 7.3.15）式のように表すこともできる．

$$_1S_d = \frac{\sum_{i=1}^{N} m_i \cdot {}_1\delta_i{}^2}{\sum_{i=1}^{N} m_i \cdot {}_1\delta_i} \quad \text{or} \quad {}_1S_d = \frac{\sum_{i=1}^{N} P_i \cdot {}_1\delta_i}{{}_1Q_B} \tag{解 7.3.15}$$

上記の方法は，建物の塑性化に伴う等価質量の変動の影響を，（解 7.3.14）式によって等価荷重―等価変位曲線に考慮している．ちなみに，（解 7.3.14）式より明らかなように，弾性時の等価質量に対する塑性化後の等価質量の比率は，下層の塑性化が早い建物では大きく，逆に上層の塑性化が先行するものでは小さくなる．また，この方法で得られた等価荷重―等価変位曲線上の各点では，弾性範囲，塑性範囲のいかんにかかわらず，等価一次固有円振動数 $_1\omega$（（解 7.3.13）式）により $_1S_a = {}_1\omega^2 \cdot {}_1S_d$ の関係が常に成り立つ．換言すれば，任意の点で等価一次固有周期 $_1T$（（解 7.3.13）式）の等価線形系が成り立ち，その時の多自由度系における振動モードは，各層の基礎からの相対変位分布に対応する．

なお，上記方法を用いて縮約した等価 1 自由度系による地震応答予測精度に関しては，多自由度系の時刻歴応答解析結果との比較により検討されており，文献 7.3.1）に詳しいので参照されたい．

（2） 等価粘性減衰の評価法

前述したように，本評価法では，建物全体の構造性能を等価 1 自由度系における等価荷重―等価変位曲線とその減衰特性を用いて，設計用地震応答スペクトルとの対比によって応答値を推定しようとするものである．したがって，建物全体の減衰特性をいかに適切に評価するかもこの方法の重要なポイントである．

建物の振動で考慮される減衰としては，①内部摩擦減衰，②外部摩擦減衰，③すべり摩擦減衰，④逸散減衰および⑤塑性履歴減衰等が挙げられる．前四者は建物が弾性，塑性にかかわらず考慮されるべきものであり，後者の⑤は，建物の塑性化に伴う履歴エネルギー吸収に応じて考慮されるべきものである（厳密には④も建物の塑性化（周期）によって変化する）．したがって，ここでは，前四者を単に粘性減衰，後者を履歴減衰と分けて呼ぶことにする．粘性減衰については構造物の種類，規模等によって異なるが，通常，粘性減衰定数で数パーセントの一定値で与えられることが多い．本評価法でもこの考え方を踏襲し，建築基準法で採用している粘性減衰定数で 5％ という値を用いることとする．一方，履歴減衰は，定常応答に対しては建物の荷重―変形関係における履歴面積と最大応答値から求められる等価粘性減衰定数で評価が可能であるが，地震応答のような過渡応答の場合には，さらに，履歴過程を考慮した等価減衰 h_s（substitute damping）[7.3.2]を考慮する必要がある．鉄筋コンクリート造建物に対する等価減衰 h_s の評価式として，次式で与えられる柴田らの提案式[7.3.3]がある．

$$h_s = \alpha(1 - 1/\sqrt{\mu}) \tag{解 7.3.16}$$

ここで，μ：建物または部材の最大応答塑性率

α：非定常応答を考慮した係数（(7.3.3) 式における γ/π に相当）

本評価法では，(解7.3.16)式に基づいて，静的非線形荷重増分解析から得られた $_1S_a$–$_1S_d$ 曲線上の任意の点における各部材の塑性率 $_m\mu_i$ から，それらの部材の等価粘性減衰定数 $_mh_i$ を

$$_mh_i = \frac{0.8}{\pi}(1 - 1/\sqrt{_m\mu_i}) \approx 0.25(1 - 1/\sqrt{_m\mu_i}) \qquad (解7.3.17)$$

で評価し，さらに，建物全体の等価粘性減衰定数 h に対しては，粘性減衰定数5％を考慮して次式で評価するものとした．

$$h = \frac{\sum_{i=1}^{N} {_mh_i} \cdot {_mW_i}}{\sum_{i=1}^{N} {_mW_i}} + 0.05 \qquad (解7.3.18)$$

ここに，N は部材数を，$_mW_i$ は部材の最大ポテンシャルエネルギーをそれぞれ表す．

また，解説図7.3.2に示すように，性能曲線を適切な3折れ線あるいは2折れ線にモデル化し，等価降伏変形を規定できる場合には，それから求まる塑性率 μ を用いて，(解7.3.19)式により，直接的に建物全体の等価粘性減衰定数 h を求めてもよい．

$$h = 0.25(1 - 1/\sqrt{\mu}) + 0.05 \qquad (解7.3.19)$$

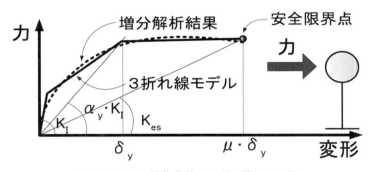

解説図7.3.2　性能曲線の3折れ線モデル化

なお，等価粘性減衰定数の算定式である(解7.3.17)～(解7.3.19)式は，限界耐力計算の告示（平成12年建設省告示第1457号）に示されている式を準用したものである．(解7.3.19)式（あるいは(解7.3.17)式）は，もともと鉄筋コンクリート造建物への適用を念頭に置いたものであり，右辺の $(1-1/\sqrt{\mu})$ 項は，Degrading Bi-linear型のCloughモデル（武田モデルでは，ひび割れ点と降伏点を同じとし，除荷剛性低下指数を0.5にした場合に相当）における定常ループの消費エネルギーに相当したものである．一方，(解7.3.19)式を鉄筋コンクリート構造のみならず，鉄骨構造，鉄骨鉄筋コンクリート構造および木質構造へも適用することを念頭に置いて，文献7.3.4)ではBi-linear型，Normal Tri-linear型，Degrading Tri-linear型，Slip型等の数種の復元力特性，固有周期および降伏耐力を解析変数とし，数種の地震波を用いた1自由度系の地震応答解析から得られた等価減衰―塑性率関係に基づいた補正係数 α を検討している．なお，通常の鉄筋コンクリート構造に対しては，解析結果のおおむね下限値を評価する値として，$\alpha=0.25$ が(解7.3.19)式に適用されている．しかしながら，解析結果に対する評価結果のばらつきは大

きく，（解 7.3.19）式による予測精度は良好であるとは言い難い．したがって，別途，特別な調査・研究に基づく適切な算定式がある場合には，それによってもよい．また，過大な μ を採用した場合は，応答が大きく低減されるため，注意が必要である．

等価粘性減衰定数と後述の減衰補正係数については，付 3. においても解析的な分析結果が報告されている．

（3）応答スペクトルに対する減衰補正係数

本評価法では，解説図 7.3.1 に示したように，前項（2）で求めた建物の等価粘性減衰定数を応答スペクトルに考慮して応答値を求める．したがって，設計用地震動を想定した 5％の応答スペクトル（以下，検証用地震応答スペクトルという）に対して等価粘性減衰定数による補正を行う必要がある．

減衰定数の違いによる応答スペクトルの変動率は，過去の地震記録の解析による経験式として与えられる場合が多い．応答スペクトルの減衰定数による変動率は，地震動の周期特性や継続時間に依存し，一般に周期により変化するが，設計においてはより安全側に設定することで，煩雑さを避け，使いやすさを重視して，周期によらずに一定値とすることが多い．減衰定数 5％ の応答スペクトルを基準とした減衰補正係数の評価式としては，次式がよく用いられる[7.3.5),7.3.6)]．

$$F_h = \frac{1.5}{1+10h} \tag{解 7.3.20}$$

本評価法においても（解 7.3.20）式を検証用地震応答スペクトルに対する減衰補正係数評価式に採用している．

7.3.2 各層，各部材の応答値

> 建物の各層・各部材の変形と応力は，7.3.1 項で算出した等価 1 自由度系の応答値に対応する静的非線形荷重増分解析結果を参照して求める．

7.3.1 項の手順で等価 1 自由度系の最大応答点を算定した後，静的非線形荷重増分解析における当該変形を記録する時点の解析結果に基づいて，各層の最大層間変形と最大層せん断力，ならびに各部材の応力と変形を算出する．これらは，8 章において，建物の損傷限界，安全限界をそれぞれ検証するための最大応答値である．

参 考 文 献

7.3.1) 倉本　洋ほか：多層建物の等価 1 自由度系縮約法と地震応答予測精度，日本建築学会構造系論文報告集，No. 546, pp. 79-85, 2001.8

7.3.2) 柴田明徳：最新 耐震構造解析 第 3 版，p. 361.，森北出版，2014

7.3.3) Shibata A. and Sozen M.A.：Substitute-Structure Method for Seismic Design in R/C, Journal of the Structural Division, Proceedings of ASCE, vol. 102, No. ST1, pp. 1-18, 1976.1

7.3.4) 五十田博：限界耐力計算の実際　建物の復元力特性／減衰，建築技術，No. 614, pp. 123-125, 2001.4

7.3.5) 日本建築学会：建築物荷重指針・同解説，2015

7.3.6) 勅使川原正臣：限界耐力計算の実際　応答値・応答スペクトルの補正・性能の検証，建築技術，

No. 614, pp. 134-140, 2001.4

7.4 平面的不整形性が大きい建物に対する応答評価法の補正

平面的不整形性が大きい建物の応答は，7.3 節の平面的不整形性が小さい建物の応答評価法に基づいて，7.4.1 項および 7.4.2 項に示す方法を適用することで評価することができる．ただし，建物の地震動継続時間にわたる応答において，1 つの振動モードが卓越せず，複数の振動モードが相互に影響しあう場合は，本指針の適用範囲外である．

現行の限界耐力計算による偏心建物の地震応答評価においては，従来の保有水平耐力計算で用いられてきた偏心率に応じた数値 $1/F_e$ を乗じて耐力を低減する方法が採用されている[7.4.1],[7.4.2]．この方法は，周知のように弾性剛性偏心に立脚した略算的なものであり，建物が塑性化を伴う場合等には，適切な等価 1 自由度系に縮約する方法であるとは言い難い．つまり，偏心建物に関しては，ねじれを考慮した等価 1 自由度系による応答評価手法が確立されていない状況にある．

本指針では，偏心建物の地震応答性状および縮約等価 1 自由度系による応答評価に関する近年の研究成果[例えば, 7.4.3],[7.4.4]に基づいて，建物の地震動継続時間にわたる応答において，一次モード応答が卓越する場合については，7.4.1 項の方法により地震応答を評価することとしている．したがって，偏心率が 0.15 を超過する建物に対しても，前述した従来の構造設計体系で採用されてきた F_e による必要耐力の割り増しは行わない．なお，7.1 節にも記述したように，一次モード応答が卓越する建物を判別する閾値については今後も引き続きの検討を要するが，本指針では，暫定的に 7.2 節で示した静的非線形荷重増分解析において，一次等価質量比が終始 0.5 を上回る場合とする．

7.4.1 等価 1 自由度系応答値

平面的不整形性が顕著な建物の等価 1 自由度系応答値は，立体モデルによるモード適応型静的非線形荷重増分解析（MAP 解析）から得られる変位ベクトルの一次モード成分（1 層床位置に対する相対変位）$\{_1\delta\}$ と一次モード外力ベクトル $\{_1P\}$ を用いて，次式により算定できる．

$$_1S_a = \frac{\{_1\delta\}^T\{_1P\}}{\{_1\delta\}^T[M]\{1\}_x} \tag{7.4.1}$$

$$_1S_d = \frac{\{_1\delta\}^T[M]\{_1\delta\}}{\{_1\delta\}^T[M]\{1\}_x} \tag{7.4.2}$$

ここに，$[M]$：質量マトリクス
$\{_1\delta\} = \{\{_1\delta_x\}^T, \{_1\delta_y\}^T, \{_1\delta_z\}^T\}^T$
$\{1\}_x = \{\{1\}^T, \{0\}^T, \{0\}^T\}^T$
$\{_1P\} = \{\{_1P_x\}^T, \{_1P_y\}^T, \{_1P_z\}^T\}^T$

ここで，立体モデルによる MAP 解析に用いられる k ステップでの一次の外力ベクトル $\{_1P_k\}$ は，地震動が作用している方向（この場合，x 方向と仮定）のベースシアの一次モード成分の増分 d_1Q_{Bx} を用いて，次式で与えられる．

$$\{_1P_k\} = \frac{[M]\{_1\delta_{k-1}\}}{\{_1\delta_{k-1}\}^T[M]\{1\}_x}(_1Q_{Bx,k-1} + d_1Q_{Bx})$$

N 層 2 軸偏心建物に対して x 方向から地震動が入力される場合の振動方程式は，次式によっ

て表される.

$$[M]\{\ddot{\delta}\}+[C]\{\dot{\delta}\}+[K]\{\delta\}=-[M]\{1\}_x\cdot\ddot{x}_0 \qquad (解 7.4.1)$$

ここに，$[M]$：質量マトリクス

$\quad\quad[C]$：減衰マトリクス

$\quad\quad[K]$：剛性マトリクス

$\quad\quad\{\delta\}$：変位ベクトル　$(=\{\{\delta_x\}^T,\{\delta_y\}^T,\{\delta_z\}^T\}^T)$

$\quad\quad\{1\}_x$：外力分布ベクトル　$(=\{\{1\}^T,\{0\}^T,\{0\}^T\}^T)$

$\quad\quad\ddot{x}_0$：地動加速度

また，z 軸まわりの変位 δ_z は，重心から回転半径 i の位置での回転角 θ による変位を表すため，j 層の z 軸まわりの変位 δ_{zj} と回転角 θ_j には，以下の関係がある〔解説図 7.2.2 参照〕.

$$\delta_{zj}=i_j\cdot\theta_j \qquad (解 7.4.2)$$

さらに，(解 7.4.1) 式の解はモードの重ね合わせによって (解 7.4.3) 式のように表すことができ，s 次の刺激係数 $_s\beta$ およびモードベクトル $\{_sU\}$ は (解 7.4.4) 式および (解 7.4.5) 式によって定義される[7.4.5].

$$\{\delta\}=\sum_{s=1}^{3N}{_s\beta}\{_sU\}\cdot{_sS_d} \qquad (解 7.4.3)$$

$$_s\beta=\frac{\{_sU\}^T[M]\{1\}_x}{\{_sU\}^T[M]\{_sU\}} \qquad (解 7.4.4)$$

$$\{_sU\}=\{\{_su_x\}^T,\{_su_y\}^T,\{_su_z\}^T\}^T \qquad (解 7.4.5)$$

ここで，$_sS_d$ は s 次の代表変位，$\{_su_x\}$，$\{_su_y\}$，$\{_su_z\}$ はそれぞれ s 次の x 方向，y 方向および z 軸まわりのモードベクトルを表している．変位ベクトルの一次モード成分 $\{_1\delta\}$ は，(解 7.4.3) 式より次式で表される.

$$\{_1\delta\}={_1\beta}\{_1U\}\cdot{_1S_d} \qquad (解 7.4.6)$$

したがって，一次のモードベクトル $\{_1U\}$ は

$$\{_1U\}=\frac{\{_1\delta\}}{_1\beta\cdot{_1S_d}} \qquad (解 7.4.7)$$

で与えられる．(解 7.4.4) 式における一次のモードスペクトル $\{_1U\}$ に (解 7.4.7) 式を代入すると，一次の代表変位 $_1S_d$ が次式で得られる.

$$_1S_d=\frac{\{_1\delta\}^T[M]\{_1\delta\}}{\{_1\delta\}^T[M]\{1\}_x} \qquad (解 7.4.8)$$

一方，復元力ベクトル $\{R\}$ を (解 7.4.9) 式のように定義すると，(解 7.4.1) 式は (解 7.4.10) 式のようになる.

$$\{R\}=[C]\{\dot{\delta}\}+[K]\{\delta\} \qquad (解 7.4.9)$$

$$[M]\{\ddot{\delta}\}+\{R\}=-[M]\{1\}_x\cdot\ddot{x}_0 \qquad (解 7.4.10)$$

さらに，(解 7.4.10) 式の両辺の各項左側に一次の刺激関数 $_1\beta\{_1U\}^T$ を乗じて，(解 7.4.3) 式とモードの直交性を考慮すると

$$
{}_1\overline{M}\cdot{}_1\ddot{S}_d + {}_1R_{eq} = -{}_1\overline{M}\cdot\ddot{x}_0 \tag{解 7.4.11}
$$

となる．ここで，${}_1R_{eq}$ は一次の等価復元力であり，（解 7.4.12）式で与えられる．

$$
{}_1R_{eq} = {}_1\beta\{{}_1U\}^T\{{}_1P\} = {}_1\beta\{{}_1U\}^T[M]{}_1\beta\{{}_1U\}\cdot{}_1S_a = {}_1\overline{M}\cdot{}_1S_a \tag{解 7.4.12}
$$

ここに，$\{{}_1P\}$：一次の外力ベクトル（$\{{}_1P\} = [M]{}_1\beta\{{}_1U\}\cdot{}_1S_a$）

$\qquad$ ${}_1S_a$：一次の代表加速度

（解 7.4.12）式より，一次の代表加速度 ${}_1S_a$ は

$$
{}_1S_a = \frac{{}_1R_{eq}}{{}_1\overline{M}} = \frac{{}_1\beta\{{}_1U\}^T\{{}_1P\}}{{}_1\overline{M}} \tag{解 7.4.13}
$$

で与えられる．ここで，一次の刺激関数 ${}_1\beta\{{}_1U\}$ は，（解 7.4.7）式に（解 7.4.8）式を代入することで，（解 7.4.14）式により表すことができる．また，一次の等価質量 ${}_1\overline{M}$ は，（解 7.4.15）式で与えられる．

$$
{}_1\beta\{{}_1U\} = \frac{\{{}_1\delta\}^T[M]\{1\}_x}{\{{}_1\delta\}^T[M]\{{}_1\delta\}}\{{}_1\delta\} \tag{解 7.4.14}
$$

$$
{}_1\overline{M} = \frac{(\{{}_1\delta\}^T[M]\{1\}_x)^2}{\{{}_1\delta\}^T[M]\{{}_1\delta\}} \tag{解 7.4.15}
$$

したがって，（解 7.4.13）式に（解 7.4.14）式および（解 7.4.15）式を代入すると，${}_1S_a$ は次式のように表現できる．

$$
{}_1S_a = \frac{\{{}_1\delta\}^T\{{}_1P\}}{\{{}_1\delta\}^T[M]\{1\}_x} \tag{解 7.4.16}
$$

立体モデルによる MAP 解析より得られる 1 層床位置に対する一次の相対変位 $\{{}_1\delta\}$ と一次の外力 $\{{}_1P\}$ を（解 7.4.8）式および（解 7.4.16）式に代入することにより，性能曲線（Capacity Spectrum）を描くことができる．なお，MAP 解析に用いられる k ステップでの一次の外力 $\{{}_1P_k\}$ は，一次の代表せん断力の荷重増分 $d_1\overline{Q}$ を用いて，（解 7.4.17）式で与えることができる[7.4)]．

$$
\{{}_1P_k\} = \frac{[M]\{{}_1\delta_{k-1}\}}{\{{}_1\delta_{k-1}\}^T[M]\{1\}_x}({}_1\overline{Q}_{k-1} + d_1\overline{Q}) \tag{解 7.4.17}
$$

一方，一次の等価 1 自由度系の代表加速度 ${}_1S_a$，等価質量 ${}_1\overline{M}$ およびそのせん断力 ${}_1\overline{Q}$ に ${}_1Q$ は（解 7.4.18）式の関係があり，それに対して，一次の外力 $\{{}_1P\}$ が作用する N 層偏心建物の x 方向のベースシア ${}_1Q_{Bx}$ は，（解 7.4.19）式で表すことができる．

$$
{}_1\overline{Q} = {}_1\overline{M}\cdot{}_1S_a \tag{解 7.4.18}
$$

$$
{}_1Q_{Bx} = \sum_{j=1}^{N}{}_1P_{xj} = \left(\sum_{j=1}^{N}m_j\cdot{}_1\beta_1 u_{xj}\right){}_1S_a = {}_1\overline{M}\cdot{}_1S_a \tag{解 7.4.19}
$$

すなわち，${}_1\overline{Q}$ と ${}_1Q_{Bx}$ の間には

$$
{}_1\overline{Q} = {}_1Q_{Bx} \tag{解 7.4.20}
$$

の関係があり，（解 7.4.17）式は，x 方向のベースシアの一次モード成分の増分 d_1Q_{Bx} を用いて，次式のように書き換えることができる．

$$
\{{}_1P_k\} = \frac{[M]\{{}_1\delta_{k-1}\}}{\{{}_1\delta_{k-1}\}^T[M]\{1\}_x}({}_1Q_{Bx,k-1} + d_1Q_{Bx}) \tag{解 7.4.21}
$$

— 158 —　鉄筋コンクリート造建物の等価線形化法に基づく耐震性能評価型設計指針　解説

7.4.2　各層，各構面および各部材の応答値

> 建物の各層（重心位置），各構面および各部材の変形と応力は，7.4.1 項で算出した等価 1 自由度系の応答値に対応する静的非線形荷重増分解析結果を参照して求める．

　7.3.2 項と同様の手順で等価 1 自由度系の最大応答点を算定した後，静的非線形荷重増分解析結果に基づいて各層の最大層間変形と最大層せん断力，ならびに各部材の応力と変形を算出する．これらは，8 章において，建物の損傷限界，安全限界をそれぞれ検証するための建物の最大応答値である．

参 考 文 献

7.4.1)　国土交通省建築研究所ほか：2001 年版 限界耐力計算法の計算例とその解説，p. 276，工学図書，2001

7.4.2)　国土交通省建築研究所：改正建築基準法の構造関係規定の技術的背景，p. 256，ぎょうせい，2001.3

7.4.3)　倉本　洋，三浦直之，星　龍典：単層偏心建物における等価 1 自由度系の地震応答特性と高次モード応答の予測，日本建築学会構造系論文集，No. 606, pp. 123-130, 2006.8

7.4.4)　星　龍典，倉本　洋：多層偏心建物における等価 1 自由度系の地震応答特性と高次モード応答の予測，日本建築学会構造系論文集，No. 616, pp. 89-96, 2007.6

7.4.5)　柴田明徳：最新 耐震構造解析，森北出版，p. 342, 1981

7.5　建物―基礎―地盤の相互作用を考慮した応答評価

> 　地震動に対する建物の応答値を，応答スペクトルに基づいて算定する際に建物―基礎―地盤の相互作用を考慮する場合は，以下の方法による．
> （1）　建物―基礎―地盤の相互作用を考慮した建物の等価周期（連成系周期）T_e は，建物の固有周期 T_b に次式によって計算した周期調整係数 r を乗じて算定する．
>
> $$T_e = r \cdot T_b \tag{7.5.1}$$
>
> $$r = \sqrt{1 + \left(\frac{T_{sw}}{T_b}\right)^2 + \left(\frac{T_{r0}}{T_b}\right)^2} \tag{7.5.2}$$
>
> ここに，T_b：建物固有周期
> 　　　　T_{sw}：スウェイ固有周期
> 　　　　T_{r0}：ロッキング固有周期
> （2）　建物―基礎―地盤の相互作用を考慮した等価変位は，基礎固定モデルの等価変位に周期調整係数 r の自乗を乗じることにより求める．
> （3）　建物―基礎―地盤の相互作用を考慮した建物全体の等価粘性減衰定数 h は，次式で算定する．ただし，建物の等価粘性減衰定数 h_b は，弾性時で 0.03 とする．
>
> $$h = h'_b \left(\frac{T_b}{T_e}\right)^2 + h'_{sw}\left(\frac{T_{sw}}{T_e}\right)^2 + h'_{r0}\left(\frac{T_{r0}}{T_e}\right)^2 \tag{7.5.3}$$
>
> $$h'_b = h_b\left(\frac{T_b}{T_e}\right), \quad h'_{sw} = h_{sw}\left(\frac{T_{sw}}{T_e}\right), \quad h'_{r0} = h_{r0}\left(\frac{T_{r0}}{T_e}\right) \tag{7.5.4}$$
>
> ここに，h'_b：連成系周期における建物の等価粘性減衰定数
> 　　　　h'_{sw}：連成系周期におけるスウェイ変位に対応する等価粘性減衰定数
> 　　　　h_{sw}：スウェイ固有周期における水平変位に対応した等価粘性減衰定数
> 　　　　h'_{r0}：連成系周期におけるロッキング変位に対応する等価粘性減衰定数
> 　　　　h_{r0}：ロッキング固有周期における回転変位に対応した等価粘性減衰定数
> （4）　連成系周期におけるスウェイ変位に対応する等価粘性減衰定数 h'_{sw} および連成系周期におけ

7章　地震応答評価　—159—

るロッキング変位に対応する等価粘性減衰定数 h'_{r0} には，以下の上限値を設ける．

$$h'_{sw} \leqq 0.3 \tag{7.5.5}$$

$$h'_{r0} \leqq 0.15 \tag{7.5.6}$$

（1）　相互作用の考慮

相互作用を考慮すべきかどうかについては，建物と地盤の硬さの相対関係を基本として，建物の規模，塔状比，埋込み深さなどから総合的に判断する．文献7.5.1）では，建物が平面的に大規模で剛性が高く地盤が軟弱な場合には，相互作用の影響は大きく，建物が平面的に小規模で剛性が低く地盤が強固な場合には，相互作用の影響は小さいと述べられている．前者の例としては，軟弱地盤に建つ壁式構造の建物，板状建物の張間方向などが挙げられ，後者の例としては，硬質地盤に建つ高層建物，純ラーメン構造の建物などが挙げられる．本指針では，簡単な関係式によって固有周期の伸びと減衰定数の変化を評価することにより，相互作用を考慮する．

（2）　等価周期の算定

1質点系の建物が地盤上の無質量基礎に支持され，水平と回転の2つの地盤ばねが取り付いた連成系のモデルを考えると，相互作用を考慮した建物の等価周期 T_e は，建物固有周期（基礎固定モデルの周期）T_b，スウェイ固有周期 T_{sw}，ロッキング固有周期 T_{r0} を用いて次式で表される．

$$T_e = \sqrt{T_b{}^2 + T_{sw}{}^2 + T_{r0}{}^2} \tag{解 7.5.1}$$

上部構造の変位で算定される周期に対する連成系の周期の伸びとして表現すると次式となり，周期調整係数 r が得られる．

$$r = \frac{T_e}{T_b} = \sqrt{1 + \left(\frac{T_{sw}}{T_b}\right)^2 + \left(\frac{T_{r0}}{T_b}\right)^2} \tag{解 7.5.2}$$

各固有周期（T_b, T_{sw}, T_{r0}）の算定にあたっては，文献7.5.1）〜7.5.3）に具体的な算定方法が示されているので参考とされたい．

（3）　相互作用による固有周期の伸び

連成系の変位は，建物の変位（基礎固定モデルの変位）とスウェイおよびロッキングによる変位からなり，相互作用を考慮した場合には，スウェイおよびロッキングの変位の大きさに応じて，基礎固定モデルの場合に比べて固有周期が伸びることとなる．

地震動に対する建物の応答値を応答スペクトルに基づいて算定する際には，7.3.1項（1）で求めた基礎固定モデルの等価変位 $_1S_d$ に周期調整係数 r の2乗を乗じることによって，相互作用による固有周期の伸びを考慮する．等価荷重—等価変位関係（$_1S_a$–$_1S_d$ 関係）には，建物の固有円振動数 ω_b との間に次式の関係がある．

$$_1S_a = \omega_b{}^2 \cdot _1S_d \tag{解 7.5.3}$$

一方，相互作用を考慮した場合，$_1S_a$–$_1S_d$ 関係には，相互作用を考慮した建物の等価固有円振動数 ω_e との間に周期調整係数 r を用いて，次式の関係が成り立つ．

$$_1S_a = \omega_e{}^2 \cdot r^2 \cdot _1S_d \tag{解 7.5.4}$$

したがって，7.3.1項（1）で求めた基礎固定モデルの等価変位 $_1S_d$ に周期調整係数 r の自乗を

乗じることによって，基礎固定モデルの $_1S_a-_1S_d$ 関係において等価変位が増大し，固有周期の伸びが表現される．相互作用を考慮した建物の等価荷重—等価変位関係（$_1S_a-_1S_d$ 関係）を得ることができる．

（4） 等価粘性減衰定数の算定

　鉄筋コンクリート造建物の減衰は，基礎固定モデルとした場合，等価粘性減衰定数を 0.05 と仮定するのが一般的である．これは，建物の減衰に加えて，地震時のエネルギーが地盤に逸散する影響を考慮しているからである．本指針で相互作用を考慮する場合は，スウェイおよびロッキングの減衰を別途評価しているため，過大評価とならないよう，建物の等価粘性減衰定数には 0.03 を用いることとしている．

（5） 等価粘性減衰定数の上限値

　連成系周期におけるスウェイ変位およびロッキング変位に対応する等価粘性減衰定数 h_{sw}' および h_{ro}' については，その大きさについてまだ十分な研究成果がまとめられていないことにより，過大評価とならないよう，上限値を設定している[7.5.2]．

参 考 文 献

7.5.1)　日本建築学会：建物と地盤の動的相互作用を考慮した応答解析と耐震設計，2006
7.5.2)　国土交通省住宅局建築指導課ほか：2001 年版　限界耐力計算法の計算例とその解説，工学図書，2001
7.5.3)　日本建築学会：入門・建物と地盤の動的相互作用，1996

8章 目標構造性能の確認

8.1 耐損傷性の確認

> 7章で示した損傷限界時応答点での代表変位 Δ_d が，5章で算出した損傷限界時代表変位 $_r\Delta_d$ を下回ることを確認する．

耐損傷性は，解説図 8.1.1 に示すように損傷限界用の要求曲線と性能曲線の交点である損傷限界時の応答代表変位 Δ_d と，建物のいずれかの部材あるいは層が初めて損傷限界状態に達する時の代表変位 $_r\Delta_d$ を比較することにより確認する．具体的には，Δ_d が $_r\Delta_d$ を下回ることを確認する．しかし，耐損傷性を確認する場合は，必ずしも $_r\Delta_d$ を求める必要はなく，損傷限界時応答点（代表変位が Δ_d）において，建物の全ての部材および層が損傷限界状態（具体的には短期許容耐力）に達していないことを確認すれば，自動的に Δ_d が $_r\Delta_d$ を下回ることとなる．

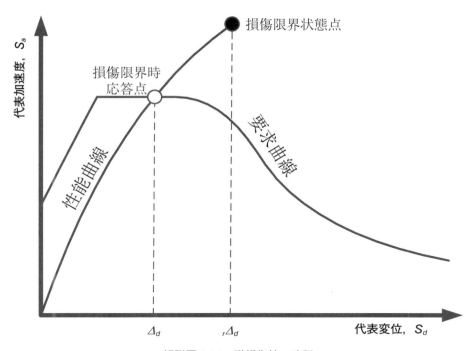

解説図 8.1.1　耐損傷性の確認

8.2 安全性の確認

> 7章で示した安全限界時応答点での代表変位 Δ_s が，5章で算出した保証設計点での代表変位 $_r\Delta_s$ を下回ることを確認する．

まず，安全性の評価に用いる要求曲線と性能曲線の交点である安全限界時の応答代表変位 Δ_s（7章）を算出する．建物のいずれかの部材または層の安全限界状態に対して所定の余裕度を有

する時の代表変位 $_r\Delta_s$（9 章）を保証設計点と呼ぶ．安全性は解説図 8.2.1 に示すように，この安全限界時の応答点と保証設計点を比較することにより確認する．具体的には，Δ_s が保証設計点での変位 $_r\Delta_s$ を下回ることを確認する．ここで，Δ_s は，建物の不整形性に応じて，7.3 節または 7.4 節に従い，適切に非線形性による付加減衰効果を考慮して求める．一方，建物の安全限界状態点は，建物のいずれかの部材または層が初めて安全限界状態に達する点である．9.1 節に示すように，実際に部材または層が初めて安全限界状態に達する可能性のある点は，安全限界状態点であり，$_r\Delta_s$ に対して，ひずみエネルギーで定義される余裕度を有する点となる．余裕度の詳細は，9.1 節による．

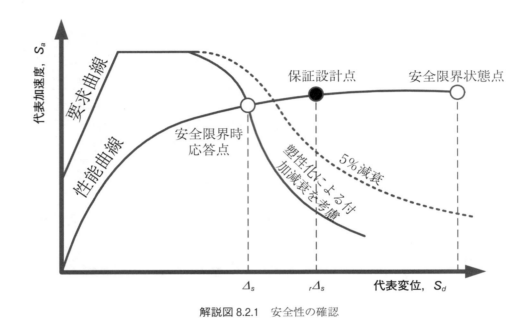

解説図 8.2.1　安全性の確認

3.2.2 項でも示したように，設計に用いる鉄筋の強度には信頼強度，平均強度および上限強度がある．ヒンジ想定部位以外の部位の主筋，スラブ筋，壁縦筋には平均強度を，せん断補強筋には信頼強度を用いる．ヒンジ想定部位の主筋，スラブ筋，壁縦筋には，平均強度を用いた場合と，上限強度を用いた場合の 2 つの場合について，解説図 8.2.2 に示すように，Δ_s が $_r\Delta_s$ を下回ることを確認するとともに，9 章に示す保証設計を行う．ただし，ヒンジ想定部位の主筋，スラブ筋，壁筋に平均強度を用い，さらに想定外の破壊が確実に起こらないように 9 章で示す所要のせん断余裕度を確保した場合には，上限強度を用いた場合の確認および保証設計を省略することができる．

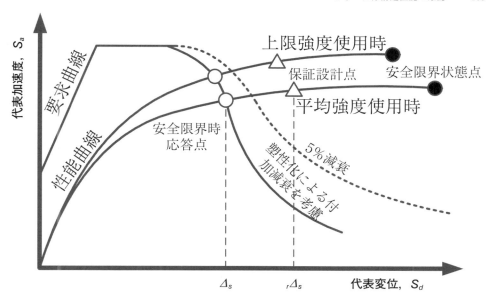

解説図 8.2.2　上限強度使用時と平均強度使用時の安全性の確認

8.3　その他の目標構造性能の確認

> その他，設計者が独自に限界状態を設定する場合は，その限界状態で想定する要求曲線を定義し，限界状態時応答点での代表変位 Δ_0 が，限界時代表変位 $_r\Delta_0$ を下回ることを確認する．

　設計者が，地震動に対して耐損傷性および安全性以外の建物の限界状態を個別に設定する場合は，その限界状態に対応した目標とする地震動レベルを決定し，要求曲線を定義する必要がある．定義された要求曲線と，7.3 節または 7.4 節に従って算出した建物の性能曲線の交点として，限界状態時応答点での代表変位 Δ_0 を計算することができる．一方，設定した限界状態に初めて建物のある部材あるいは層が到達した時の代表変位（限界時代表変位 $_r\Delta_0$）を性能曲線上で求めることができる．こうして求めた Δ_0 が $_r\Delta_0$ を下回ることを確認することにより，目標構造性能を満たすことを確認する．

　設定する限界状態によっては，耐損傷性のように，性能曲線の代表変位が Δ_0 に達した時に，建物のいずれの部材および層が想定する限界状態に達していないことを確認することで代用できる．しかし，安全性のように，建物が限界状態に達することを適切な安全率を加味して防止する必要がある場合は，安全率を考慮した $_r\Delta_0$ を算出する必要があろう．

　ここで想定される限界状態の例としては，復旧性能や事業継続性などが挙げられる．

9章　保証設計と構造規定

9.1　一般事項

保証設計では，7.2節の静的非線形荷重増分解析により評価される架構と部材の非線形状態が確実に形成・維持されることを検証する．

部材の保証設計では，7.2節の静的非線形荷重増分解析により得られた部材の破壊形式が確実に形成されることを検証する．ただし，塑性ヒンジが計画されない部材では，曲げ降伏およびせん断破壊に対して十分な余裕があることを検証する．

架構の保証設計では，7.2節の静的非線形荷重増分解析により得られた架構の崩壊機構が確実に形成・維持されることを検証する．

本指針の7章では，静的非線形荷重増分解析を用いた等価線形化法により建物の地震応答を評価し，8章では，この地震応答が建物の損傷限界状態と安全限界状態の範囲内に収まることを検証した．この検証結果は，建物の耐震性能とその要求値の算定において設定した各種仮定が満足される場合に成立する．したがって，これらの仮定の適否を保証設計において確認する必要がある．

（1）　保証設計変形と応力の設定

本指針では，大地震時における建物の安全性を確実に保証することを目的として，特に建物の安全限界状態の検証に関わる設計仮定の成否の確認を保証設計の対象とする．ここで，保証設計により設計で想定される建物の耐震性能を確実に実現するため，適切な安全率を考慮する必要がある．本指針では，建物各層において以下の項目（安全率）を考慮して，保証設計用の変形と応力を設定する．

【設計用地震動，架構と部材の解析モデルと限界値，算出される応答値のばらつきに対する安全率を考慮する保証設計変形】

・2章で解説したように，本指針では4章の設計用地震動，5章・6章の架構と部材の解析モデルと限界値，7章の評価法により算出される応答値のばらつきに対する安全率を考慮して保証設計用の変形を設定する．材料の平均強度に基づく建物の性能曲線（S_a–S_d曲線）によって囲まれる面積（ひずみエネルギー）が，7章と同様の評価法に基づいて算定される応答点の1.5倍となる変形を保証設計変形とする〔解説図9.1.1の保証設計変形〕．

【鉄筋の材料強度のばらつきに対する安全率を考慮する保証設計応力】

・7章では，建物の保有耐震性能および応答点を材料の平均強度および上限強度に基づいて評価した．建物を構成する部材や架構の脆性的な破壊を防止し，設計で想定した崩壊機構が確実に形成されることを保証するためには，材料の上限強度に基づいて評価される部材や架構の存在応力に対して保証設計を行う必要がある．したがって，材料強度のばらつきに対する安全率として上限強度／平均強度を見込む．本指針では，材料の上限強度に基づく静的非線形荷重増分解析を行い，保証設計用の応力を評価することを原則とする．上限強度に基づく静的非線形荷重増分解析における保証設計変形時の建物各部の応力を保証設計応力とする

〔解説図 9.1.1 の保証設計応力〕．

【斜め方向入力に対する安全率を考慮する保証設計応力】
・設計はあらゆる方向に対して行うことが原則である．したがって，上記の建物の地震応答評価（7章）において建物の主軸方向のみを独立して計算した場合，斜め方向入力に対する安全率を考慮して，保証設計応力を適切に割り増す必要がある．

【高次モード応答に対する安全率を考慮する保証設計応力】
・部材端で曲げ塑性ヒンジを形成せず，脆性的な破壊も計画しない部材にあっては，上記の保証設計応力を後述する 9.3 節の評価法に基づく高次モード応答を考慮した応力が上回る場合，高次モード応答を考慮した保証設計応力に対しても脆性的な破壊が生じないことを確認する．高次モード応答に対する安全率を考慮した保証設計応力は，材料の平均強度に基づく静的非線形荷重増分解析の応答点に対して算定する〔解説図 9.1.1 のただし書き〕．

上記のとおり，高次モードに対する応答応力の割増しには材料強度の上昇分を考慮しないこととした．これは，9.3 節による高次モードを含む応答が SRSS により一次モード応答と高次モード応答の平均的な重ね合わせ応答として求められることを考慮したためである．すなわち，一次モード応答により発生が想定される塑性ヒンジについて，高次モード応答により塑性ヒンジが発

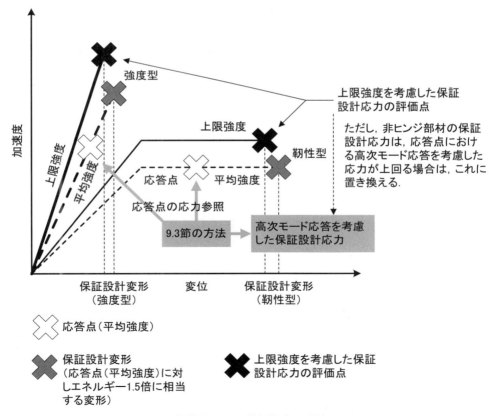

解説図 9.1.1　保証設計の原則

鉄筋コンクリート造建物の等価線形化法に基づく耐震性能評価型設計指針　解説

生しなくなる箇所が少なからず存在すると考えられ，材料の上限強度の影響が少ないと判断したためである．

（2）　保証設計の項目

本指針で保証設計の対象とする項目を以下にまとめる．

・建物の応答値のばらつきに対する安全率を考慮した保証設計変形が8章の安全限界時代表変位 $_r\Delta_s$ を下回ることを確認する．

設計用地震動，架構と部材の解析モデルと限界値，算出される応答値のばらつきに対する安全率を考慮するため，保証設計変形が8章で定義された安全限界時代表変位 $_r\Delta_s$ を下回ることを確認する．これは，7章の評価法に基づいて算定される応答変形を，安全限界時代表変位 $_r\Delta_s$ に対し，ひずみエネルギーで1.5倍の余裕度を確保して抑制することで，建物の安全性を満足させることを意味する．

・建物を構成する各構造部材が想定した破壊機構を実現することを確認する〔9.4節〕．

曲げ塑性ヒンジを計画する部材の場合

保証設計変形まで脆性的に破壊しないことを確認する．上限強度で解析しない場合は，材料強度上昇分の余裕度（一般に両端ヒンジ部材では安全率1.1倍）を有すること，斜め方向入力を考慮して解析しない場合は，9.2節の方法により，これを考慮する場合の余裕度を有することを確認する．

曲げ塑性ヒンジを計画しない部材の場合

保証設計応力を部材の種類に応じて適切な安全率（上限強度を考慮して解析しない場合は，梁1.20倍，柱：1.25倍，耐震壁：1.25倍，斜め方向入力を考慮して解析しない場合は9.2節の方法による余裕度）で割り増した応力，または，応答点において9.3節の方法で高次モード応答の影響を考慮した応力のうち，より大きいほうの応力に対して，脆性的に破壊しないことを確認する．なお，建物の崩壊機構において，脆性的な破壊があらかじめ想定された部材（脆性的な破壊を許容する部材）については，この限りでない．

・建物を構成する架構が想定した崩壊機構を実現することを確認する．

柱梁曲げ強度比の確認〔9.4節〕

柱梁接合部の破壊を回避し，想定した部材に曲げ塑性ヒンジが確実に形成されることを確認するため，9.4.4項に従い，互いに接合する柱梁に一定の強度比が確保されていることを確認する．

層せん断余裕率の確認〔9.5節〕

梁曲げ降伏型崩壊層や非崩壊層について，予期せぬ層崩壊の発生を確実に防止するため，当該層が層崩壊に対して一定の余裕率を有することを確認する．

9.2　保証設計用応力の算出

安全限界状態検討用の地震動に対する建物の安全性を確保するための保証設計において，保証設計用応力は，以下の方法により評価する．

（1）　7.3.1 項で算出した等価 1 自由度系の性能曲線（$_1S_a$–$_1S_d$ 関係）上の安全限界状態に対する応答点のひずみエネルギーに対して，一定の安全率を考慮した $_1S_a$–$_1S_d$ 関係上の点に相当する変形を保証設計変形として設定する．

（2）　架構および部材の保証設計応力は，材料の上限強度に基づく静的非線形荷重増分解析より得られる $_1S_a$–$_1S_d$ 関係上の保証設計変形に対応する各部位の応力とする．

（3）　両端ヒンジ部材の保証設計では，保証設計応力を用いる．両端ヒンジ部材以外の保証設計では，保証設計応力と高次モードの影響を考慮して割り増した応答点の部材応力のうち，大きい方を用いる．

（4）　建物の地震応答や保証設計応力の評価では，あらゆる方向からの地震入力を考慮する．

（1）　本指針では，建物の安全性を確保するための保証設計において，建物の性能曲線（S_a–S_d 曲線）によって囲まれる面積（ひずみエネルギー）が，7 章の評価法に基づいて算定される応答点の 1.5 倍となる変形を保証設計変形として設定する〔解説図 9.1.1 の保証設計変形〕．この安全率は，2 章で示したように，主として 4 章の設計用地震動，6 章の建物のモデル化，7 章の地震応答評価などに潜在するばらつきを考慮して設定された．靱性型の建物では，応答変形に対しておよそ 1.5 倍の余裕度を設定したことに相当する．一方，強度型の建物では，剛性を線形弾性とみなすと，応答点に対して，応答変形と応力ともに $\sqrt{1.5}=1.23$ 倍の余裕度を設定したことになる．

（2）　架構および部材の保証設計応力は，材料のばらつきに起因する応力上昇を考慮するため，上限強度に基づく静的非線形荷重増分解析に基づいて評価することを原則とする〔解説図 9.1.1 の保証設計応力〕．ただし，平均強度に基づく静的非線形荷重増分解析によって評価する場合には，平均強度に対する上限強度の比（一般に約 1.1 倍）を考慮して割り増したものを保証設計応力とする必要がある．

（3）　両端に曲げ塑性ヒンジを計画する部材（両端ヒンジ部材）では，部材に入力するせん断力がおよそ上限に達するため，保証設計変形において部材が脆性的に破壊しないこと，すなわち当該部材に想定しない破壊形式に対して想定される耐力が保証設計応力を上回ることを確認すればよい．ただし，上記に示したように，本指針では，保証設計応力を材料の上限強度に基づいて算出することを前提としている．したがって，保証設計応力を平均強度に基づく静的非線形荷重増分解析に基づいて評価する場合には，両端ヒンジ部材においても適切な安全率（一般に 1.1 倍）を確保する必要がある．

　一方，両端ヒンジ部材以外（非ヒンジ部材）では，解説（1），（2）で考慮したばらつきに加えて，非ヒンジ部材に作用する応力が建物の高次モード応答の影響により増大する場合があることを考慮する必要がある．そこで，本指針では，この効果を直接考慮するため，後述する 9.3 節において，高次モード応答の影響を考慮して部材応力を評価する方法を示した．なお，高次モード応答の影響は，解説（1），（2）で保証設計応力の算定において考慮したばらつきとは性格が異なり，一次モード応答を前提に評価される部材応力に対して必ず考慮される必要がある．ただし，9.3 節による高次モードを含む応答が SRSS により一次モード応答と高次モード応答の平均的な重ね合わせ応答として求められること，一次モード応答により発生が想定される塑性ヒンジについて，高次モード応答により塑性ヒンジが発生しなくなる箇所が少なからず存在すると考え

られることなどを踏まえ，材料の上限強度による応力上昇を同時に考慮する必要はないと判断した．したがって，高次モード応答の影響は，解説図9.1.1に示すように，7章の評価法に基づいて算定される応答点において評価することとし，解説（1），（2）のように算定した保証設計用応力と，9.3節の方法に従って算定した応力を比較し，大きい方を保証設計用応力として用いることとする．

（4）　解説（2），（3）に示した保証設計応力の算出にあたっては，建物に対する地震動入力方向の任意性を考慮する．したがって，7章において建物の主軸方向のみを対象に地震応答を評価する場合には，斜め方向の地震入力も想定して，保証設計応力を適切に割り増しする必要がある．これは，特に脆性的な破壊を想定しない部材において，斜め方向の地震力が部材応力を増大させ，想定する破壊機構が変化することを防止するためである．

　斜め方向入力に対する保証設計応力の算定にあたっては，考慮する方向（θ方向）に対応する静的非線形荷重増分解析を実施し，主軸方向の解析と同様に，建物の構造性能を表す性能曲線（$S_{a\theta}-S_{d\theta}$曲線）を作成し，地震応答スペクトルに対する応答点を求め，その応答点におけるひずみエネルギーの1.5倍に相当する変形を保証設計変形として設定する．さらに，その保証設計変形に相当する静的荷重増分解析の荷重ステップにおける各部材の応力を保証設計応力とすることを原則とする．

　ただし，主軸二方向の剛性・耐力が類似している比較的整形な建物に対しては，主軸方向の静的非線形荷重増分解析に基づいて，斜め方向入力を考慮した保証設計応力を算出してもよいものとする．その場合，検討方向の主軸X方向となす角度をθとすると，検討方向の代表加速度$S_{a\theta}$は，X方向の代表加速度S_{ax}を用いて$S_{a\theta}=S_{ax}/\cos\theta$で求めてよい．また，検討方向（$\theta$方向）の代表変位$S_{d\theta}$は，X方向の代表変位$S_{dx}$とY方向（直交方向）の代表加速度$S_{ay}$が$S_{a\theta}\cdot\sin\theta$に相当するときの代表変位$S_{dy}$を用いて，$S_{d\theta}=S_{dx}\cdot\cos\theta+S_{dy}\cdot\sin\theta$として求めてよい．このように，X方向の$S_{ax}-S_{dx}$曲線の各荷重ステップでこの作業を繰り返し，$\theta$方向の$S_{a\theta}-S_{d\theta}$曲線を作成すればよい．なお，Y方向の代表加速度$S_{ay}$を求めるためには，静的非線形荷重増分解析の荷重増分間隔を比較的細かくしておく必要があることに注意を要する．

9.3　高次モード応答の考慮

9.3.1　平面的不整形性が小さい建物に対する高次モードによる応力割増

　平面的不整形性が小さい建物では，主に建物高さ方向に対して高次モードが地震応答に影響する．建物各層の最大地震応答せん断力Q_iの評価においては，以下の方法によって計算方向に対する高次モードの影響を考慮するものとする．

$$Q_i=\sqrt{{}_1Q_i^2+{}_hQ_i^2} \tag{9.3.1}$$

$$_1Q_i=\sum_{j=i}^{N}m_j\cdot{}_1\beta\cdot{}_1u_j\cdot{}_1S_a \tag{9.3.2}$$

$$_hQ_i=\sqrt{{}_2Q_i^2+\left\{\sum_{j=i}^{N}m_j\left(1-\sum_{s=1}^{2}{}_s\beta\cdot{}_su_j\right)\cdot\ddot{x}_{0\max}\right\}^2} \tag{9.3.3}$$

$$_2Q_i=\sum_{j=i}^{N}m_j\cdot{}_2\beta\cdot{}_2u_j\cdot{}_2S_a \tag{9.3.4}$$

ここに，$_1Q_i$：i層の層せん断力の一次モード成分
$_hQ_i$：i層の層せん断力の高次モード成分
$_2Q_i$：i層の層せん断力の二次モード成分
m_i：i層の質量
$_1\beta \cdot {}_1u_i$：i層の等価一次刺激関数．7.3.1項で算出した等価1自由度系の応答値に対応する静的非線形増分解析結果（MAP解析結果）を用いて次式で算定してよい．

$$_1\beta \cdot {}_1u_i = \frac{\sum_{i=1}^{N} m_i \cdot {}_1\delta_i}{\sum_{i=1}^{N} m_i \cdot {}_1\delta_i^2} \cdot {}_1\delta_i \tag{9.3.5}$$

$_1\delta_i$：i層の1層床位置に対する相対変位（MAP解析値）
$_2\beta \cdot {}_2u_i$：i層の弾性二次刺激関数
N：層数
$_1S_a$：7.3.1項で算出した等価1自由度系の応答加速度（代表加速度）
$_2S_a$：弾性二次モードに対応する応答加速度
$\ddot{x}_{0\max}$：地動の加速度の最大値（$S_{a\max}/2.5$）
$S_{a\max}$：加速度応答スペクトルの最大値

各部材の応答値は，原則として7.3.2項で求めた各部材の応力の一次モード成分に，それぞれ上記で求めた応答層せん断力の一次モード応答値に対する比率 $Q_i/{}_1Q_i$ を乗じて算定してよい．ただし，両端ヒンジ部材の応力については，割り増さなくてよい．

建物の設計過程で想定された崩壊機構を確実に形成するため，建物を構成する各部材に作用するせん断力を高精度に予測することが肝要である．特に鉛直部材に作用する応力は，高次モード応答の影響を受けて，本指針の地震応答評価で仮定した一次モード応答から大きく乖離することが予測されるため，本指針では，高次モード応答による部材応力のばらつきを陽に評価する方法を示す方針とした．文献9.3.1）では，限界耐力計算における耐震性能評価法に対して高次モードの影響を考慮することを目的として，多層建物の最大層せん断力の評価式が（9.3.1）式のように提案されている．本指針では，この提案式を用いて，高次モード応答による層せん断力および鉛直部材の応答せん断力の変動を評価することとする．

解説図9.3.1に上記の文献で示されたTaft波75 cm/sec入力による12層フレームの（擬似）応答加速度―応答変位関係（S_a-S_d関係）を一例として示す．i層の層せん断力 Q_i は，等価1自由度系の応答加速度 $_1S_a$（解説図9.3.1の○印）を用いて（9.3.2）式により算定される一次モード

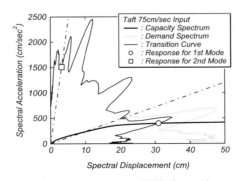

解説図9.3.1　12層フレームの S_a-S_d 関係（Taft波75 cm/sec入力）

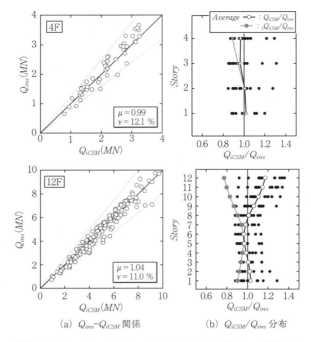

(a) Q_{ires}-Q_{iCSM} 関係　　(b) Q_{iCSM}/Q_{ires} 分布

解説図 9.3.2 （9.3.1）式による最大層せん断力の予測精度

成分 $_1Q_i$ と（9.3.3）式で与えられる高次モード成分 $_hQ_i$ に SRSS を適用して（9.3.1）式で与えられるものとする.

4 層および 12 層フレームに対して，入力地震波を El Centro NS（1940），Taft EW（1952），Hachinohe EW（1968）および JMA-Kobe NS（1995）の各最大速度を 25 cm/sec, 50 cm/sec および 75 cm/sec に基準化し計 12 波とした場合のすべての時刻歴地震応答解析結果から得られた各層の最大層せん断力 Q_{ires} と，（9.3.1）式から算定した層せん断力 Q_i（図中では Q_{iCSM} と表記）を比較したものを解説図 9.3.2 に示す．同図（b）は，層せん断力の解析値に対する計算値の比率 Q_{iCSM}/Q_{ires} の建物高さ方向の分布状況を表したものであり，図中の○印は各層の比率の平均値を示している．また，●印は解析値に対する一次モード成分のみによる計算値の比率 $_1Q_{iCSM}/Q_{ires}$ の各層における平均値を表している．解説図 9.3.2（a）に示されるように，Q_{iCSM}/Q_{ires} の平均値および変動係数は，それぞれ 4 層フレームに対して 0.99 および 12.1 %，および 12 層フレームに対して 1.04 および 11.0 % となっており，（9.3.1）式によって最大層せん断力をおおむね予測できている．また，各層における Q_{iCSM}/Q_{ires} の分布（同図（b））に着目すると，12 層フレームにおいて下層部と上層部でばらつきが大きくなる傾向が認められるが，両フレームともに Q_{iCSM}/Q_{ires} は 0.8〜1.4 の範囲に分布している．さらに，●印で示される解析値に対する一次モード成分のみによる計算値の比率 $_1Q_{iCSM}/Q_{ires}$ の平均値と比較すると，（9.3.1）式によって高次モード成分を考慮することにより，下層部および上層部における予測精度が改善されていることが認められる．

9.3.2 平面的不整形性が大きい建物に対する高次モードによる応力割増

平面的不整形性が大きい建物では，建物高さ方向に加えて，建物平面方向にも高次モードが地震応答に影響する．建物各層，各構面および各部材の最大応答せん断力の評価においては，以下の方法によって高次モードの影響を考慮するものとする．

$$Q_{xi} = \sqrt{{}_1Q_{xi}{}^2 + {}_hQ_{xi}{}^2} \tag{9.3.6}$$

$${}_1Q_{xi} = \sum_{j=i}^{N} m_j \cdot {}_1\beta \cdot {}_1u_{xj} \cdot {}_1S_a \tag{9.3.7}$$

$${}_hQ_{xi} = \sqrt{{}_2Q_{xi}{}^2 + \left\{ \sum_{j=i}^{N} m_j \left(1 - \sum_{s=1}^{2} {}_s\beta \cdot {}_su_{xj} \right) \cdot \ddot{x}_{0\max} \right\}^2} \tag{9.3.8}$$

$${}_2Q_{xi} = \sum_{j=i}^{N} m_j \cdot {}_2\beta \cdot {}_2u_{xj} \cdot {}_2S_a \tag{9.3.9}$$

ここに，Q_{xi}：i 層の層せん断力の x 方向成分

$\qquad$ ${}_1Q_{xi}$：i 層の層せん断力の x 方向一次モード成分

$\qquad$ ${}_hQ_{xi}$：i 層の層せん断力の x 方向高次モード成分

$\qquad$ m_i：i 層の質量

$\quad$ ${}_1\beta \cdot {}_1u_{xi}$：$i$ 層の一次刺激関数の x 方向成分．7.4.1 項で算出した等価 1 自由度系の応答値に対応する静的非線形増分解析結果（MAP 解析結果）を用いて，次式で算定してよい．

$$ {}_1\beta \cdot {}_1u_{xi} = \frac{\displaystyle\sum_{i=1}^{N} m_i \cdot {}_1\delta_{xi}}{\displaystyle\sum_{i=1}^{N} m_i \cdot {}_1\delta_{xi}{}^2} \cdot {}_1\delta_{xi} \tag{9.3.10}$$

$\qquad$ ${}_1\delta_{xi}$：i 層の 1 層床位置に対する相対変位の x 方向成分（MAP 解析値）

$\quad$ ${}_2\beta \cdot {}_2u_{xi}$：$i$ 層の弾性二次刺激関数の x 方向成分

$\qquad$ ${}_1S_a$：7.4.1 項で算出した等価 1 自由度系の応答加速度（代表加速度）

$\qquad$ ${}_2S_a$：弾性二次モードに対応する応答加速度

$\qquad$ $\ddot{x}_{0\max}$：地動の加速度の最大値（$S_{a\max}/2.5$）

各構面，各部材の応答値は，原則として 7.4.2 項で求めた各構面，各部材の応力の一次モード成分に上記で求めた層の応答せん断力の一次モード応答値に対する比率 $Q_{xi}/{}_1Q_{xi}$ を乗じて算定してよい．ただし，両端ヒンジ部材の応力については，この限りではない．

なお，上記は検討方向を x 方向とした場合である．したがって，y 方向の検討を行う場合には，x 方向成分を y 方向成分と読み替えるものとする．

平面的不整形性が大きい建物は，地震時においてねじれ振動が励起しやすく，複雑な地震応答性状を呈する．特に，高次モード応答については建物高さ方向への影響のみならず，各層に対して一次モード応答とは大きく異なる平面的なねじれ応答を生じさせるため，建物の構造性能を確保するための格段の注意が必要である．

このようなねじれ振動が卓越する建物に対する地震応答評価に関する研究は少ないが，文献 9.3.2）〜9.3.4）において限界耐力計算への導入を念頭に置いて，高次モード応答せん断力の影響を考慮した地震応答評価法の一案が示されている．それによれば，地震動の入力方向を x 方向とした場合，i 層の重心位置における x 方向，y 方向および z 軸まわりの慣性モーメントによる層せん断力 Q_{xi}，Q_{yi} および Q_{zi}（$= M_z/i$，M_z：慣性モーメント，i：回転半径）は，それぞれ一次モード応答成分 ${}_1Q_{xi}$，${}_1Q_{yi}$ および ${}_1Q_{zi}$ と，高次モード応答成分 ${}_hQ_{xi}$，${}_hQ_{yi}$ および ${}_hQ_{zi}$ によって次式で与えられるとしている．

$$Q_{xi} = \sqrt{{}_1Q_{xi}{}^2 + {}_hQ_{xi}{}^2}$$

$$Q_{yi} = \sqrt{{}_1Q_{yi}{}^2 + {}_hQ_{yi}{}^2}$$

— 172 —　鉄筋コンクリート造建物の等価線形化法に基づく耐震性能評価型設計指針　解説

$$Q_{zi}=\sqrt{{}_1Q_{zi}{}^2+{}_hQ_{zi}{}^2}$$

　ここで，層せん断力の一次モード成分および高次モード成分をベクトル表記 $\{{}_1Q\}$ および $\{{}_hQ\}$ によって，以下で与えられる.

$$\{{}_1Q\}=[\varPhi][M]_1\beta\{{}_1U\}\cdot{}_1S_a$$

$$\{{}_hQ\}=\sqrt{\{{}_2Q\}^2+\left\{[\varPhi][M]\left(\{1\}_x-\sum_{s=1}^{2}{}_s\beta\{{}_sU\}\right)\cdot\ddot{x}_{0\max}\right\}^2}$$

$$\{{}_2Q\}=[\varPhi][M]_2\beta\{{}_2U\}\cdot{}_2S_a$$

　ここに，$\{{}_1Q\}$：層せん断力の一次モード成分 $(=\{\{{}_1Q_x\}^T,\{{}_1Q_y\}^T,\{{}_1Q_z\}^T\}^T)$

　　　　　$\{{}_2Q\}$：層せん断力の二次モード成分 $(=\{\{{}_2Q_x\}^T,\{{}_2Q_y\}^T,\{{}_2Q_z\}^T\}^T)$

　　　　　$\{{}_hQ\}$：層せん断力の高次モード成分 $(=\{\{{}_hQ_x\}^T,\{{}_hQ_y\}^T,\{{}_hQ_z\}^T\}^T)$

　　　　　$[M]$：質量に関する行列で，次式による.

$$[M]=\begin{bmatrix}[m]&0&0\\0&[m]&0\\0&0&[m]\end{bmatrix},\quad[m]=\begin{bmatrix}m_1&0&\cdots&0\\0&m_2&\ddots&\vdots\\\vdots&\ddots&\ddots&0\\0&\cdots&0&m_N\end{bmatrix}$$

　　　　　$[\varPhi]$：層せん断力を表すための行列で，次式による.

$$[\varPhi]=\begin{bmatrix}[\phi]&[0]&[0]\\&[\phi]&[0]\\sym.&&[\phi]\end{bmatrix},\quad[\phi]=\begin{bmatrix}1&\cdots&1\\0&\ddots&\vdots\\0&0&1\end{bmatrix}$$

　　　　　$\ddot{x}_{0\max}$：地動の加速度の最大値 $(S_{a\max}/2.5)$

　　　　　${}_1\beta\{{}_1U\}$：等価一次刺激関数 $(={}_1\beta\{\{{}_1u_x\}^T,\{{}_1u_y\}^T,\{{}_1u_z\}^T\}^T)$

　　　　　${}_2\beta\{{}_2U\}$：弾性二次刺激関数 $(={}_2\beta\{\{{}_2u_x\}^T,\{{}_2u_y\}^T,\{{}_2u_z\}^T\}^T)$

　　　　　${}_1S_a$：7.4.1 項で算出した等価1自由度系の応答加速度（代表加速度）

　　　　　${}_2S_a$：弾性二次モードに対応する応答加速度

　以上のように，地震動の入力方向が x 方向であっても，層には x 方向のみならず，y 方向および z 軸まわりの慣性モーメントによるせん断力が生じる. しかしながら，本指針で適用範囲としている建物（一次等価質量が 0.5 を上回る場合）では，地震動入力方向の応答せん断力が卓越すること，また，設計においては地震動入力方向の構面（架構）が対象となること，さらには実務上の簡便さなどを勘案して，本指針では（9.3.6）式で与えられるように，建物各層，各構面および各部材の最大応答せん断力の評価において，地震動入力方向のみの高次モード応答せん断力を考慮することとした.

参 考 文 献

9.3.1)　倉本　洋：限界耐力計算による多層建物の最大地震応答評価における高次モード応答の考慮，日本建築学会構造系論文集，No. 587，pp. 69-76, 2005.1

9.3.2)　倉本　洋，三浦直之，星　龍典：単層偏心建築物における等価1自由度系の地震応答特性と高次モード応答の予測，日本建築学会構造系論文集，No. 606，pp. 123-130, 2006.8

9.3.3)　星　龍典，倉本　洋：多層偏心建築物における等価1自由度系の地震応答特性と高次モード応

9章　保証設計と構造規定　— 173 —

答の予測，日本建築学会構造系論文集，No. 616，pp. 89-96, 2007.6
9.3.4)　倉本　洋，星　龍典：多層偏心建築物における各構面の地震応答評価，日本建築学会構造系論文集，No. 624，pp. 251-257, 2008.2

9.4　部材の保証設計と構造規定

9.4.1　梁　部　材

（1）　曲げ降伏を想定した梁部材では，保証設計変形までにせん断破壊，付着割裂破壊などの脆性的な破壊を生じないことを確認し，変形性能を保証する．
（2）　曲げ降伏しない梁部材では，保証設計変形までに当該梁部材が曲げ降伏しないことを保証するとともに，当該梁部材にせん断破壊，付着割裂破壊などの脆性的な破壊を生じないことを保証する．
（3）　梁部材の構造規定は，「鉄筋コンクリート構造計算規準・同解説」（2018 年版）に従い，主筋については，（a）〜（e）の項目に，また，せん断補強筋については，（f）〜（j）の項目に従う．
　（a）　長期荷重時に正負最大曲げモーメントを受ける部分の引張鉄筋断面積は，$0.004bd$（b：梁幅，d：梁の有効せい）または存在応力によって必要とされる量の 4/3 倍のうち，小さい方の数値以上とする．
　（b）　主要な梁は，全スパンにわたり複筋梁とする．
　（c）　梁の主筋は，D13 mm 以上の異形鉄筋とする．
　（d）　梁の主筋のあきは，25 mm 以上，かつ鉄筋の径の 1.5 倍以上とする．
　（e）　梁の主筋の配置は，特別の場合を除き，2 段以下とする．
　（f）　梁のせん断補強筋は，直径 9 mm 以上の丸鋼，または D10 以上の異形鉄筋を用いる．
　（g）　梁のせん断補強筋比は 0.2 % 以上とする．
　（h）　梁のせん断補強筋の間隔は，梁せいの 1/2 以下，かつ 250 mm 以下とする．
　（i）　梁のせん断補強筋は主筋を包含し，主筋内部のコンクリートを十分拘束できるように配置し，その末端は 135°以上に曲げて定着するか，または相互に溶接する．
　（j）　幅の広い梁や主筋が一段に多数並ぶなどでは，副あばら筋を使用するなど，靱性を確保できるようにする．

　大地震時における建物の安全性を確実に保証するために，本項では，梁部材の保証設計を行う．保証設計点に到達する前に，せん断破壊や付着割裂破壊などの脆性的な破壊が生じ，想定と異なる崩壊機構が形成されないように，曲げ降伏を計画する部材では変形性能を，曲げ降伏を計画しない部材では十分な部材強度を確保する．そのための具体的な手法の一例を以下に説明する．

　（1）　曲げ降伏する部材の変形性能の確保

　曲げ降伏を計画する部材では，6.2.2.1 e）で算定される曲げ降伏後の終局変形角 R_u が，保証設計変形を上回ることを確認する．梁部材の曲げ降伏後の終局変形は，主に曲げ降伏後のせん断破壊あるいは付着割裂破壊によって決まる．いずれの検討でも，せん断補強筋の材料強度には，3.2.2 項で定義されるせん断補強筋の信頼強度を用いる．

　（a）　曲げ降伏後のせん断破壊の防止

　曲げ降伏後のせん断破壊時の変形が，9.1 節，9.2 節で定義される保証設計変形を上回ることを確認すればよい．曲げ降伏後のせん断破壊時の変形は，本会「鉄筋コンクリート造建物の靱性保

証型耐震設計指針・同解説」[9.4.1.1]（以下，靱性保証指針という）のせん断終局強度式（解6.2.2.1.6）を用いた（解6.2.2.1.8）式で求めることができる．また，（解6.2.2.1.14）式で表される中村，勅使川原の圧縮束モデルによってもよい．保証設計変形が25×10^{-3} rad以下で内法長さ比l_0/Dが2.0以上の場合には，（解6.2.2.1.15）式のせん断補強指標で，変形性能の確認を行ってもよい．なお，いずれの検討でも，（解6.2.2.1.6）式で算定されるせん断終局強度（$R_p=0$，曲げ降伏を計画しない場合）が保証設計応力を上回ることを確認し，曲げ降伏前のせん断破壊が起こらないことを事前に保証しておく必要がある．

（解6.2.2.1.8）式は，（解6.2.2.1.6）式で算定されるせん断終局強度が，保証設計応力まで低下する時のヒンジ領域の塑性回転角を算定し，降伏時の変形角と足し合わせたものである．降伏時の変形角は，梁主筋に平均強度を用いた場合の変形角としてもよい．

（b）　曲げ降伏後の付着割裂破壊の防止

曲げ降伏後の付着割裂破壊時の変形が，9.1節，9.2節で定義される保証設計変形を上回ることを確認すればよい．もしくは，梁主筋の付着信頼強度が，保証設計応力から算出される設計用付着応力度を上回ることを確認すればよい．

曲げ降伏後の付着割裂破壊時の変形は，（解6.2.2.1.10）式で算定される付着破壊を考慮したせん断終局強度が，保証設計応力まで低下する時のヒンジ領域の塑性回転角を算定し，降伏時の変形角と足し合わせた（解6.2.2.1.9）式とする．降伏時の変形角は，梁主筋に平均強度を用いた場合の変形角としてもよい．

梁主筋の付着信頼強度は（解6.2.2.1.11）式で，設計用付着応力度は（解6.2.2.1.13）式で算出する．式中の終局限界状態における部材両端部の主筋の応力度の差$\Delta\sigma$は，梁に作用する保証設計点の曲げモーメントを用いて，平面保持解析により求めることを原則とするが，両端に降伏ヒンジを計画する部材では$\Delta\sigma = 2\sigma_{yu}$（一段筋），$1.5\sigma_{yu}$（二段筋），片方のみに降伏ヒンジを計画する部材では$\Delta\sigma = \sigma_y + \sigma_{yu}$（一段筋），$0.5\sigma_y + \sigma_{yu}$（二段筋）としてもよい（$\sigma_y$は主筋の規格降伏点，$\sigma_{yu}$は主筋の上限強度）．

（2）　曲げ降伏を計画しない部材の強度の確保

曲げ降伏を計画しない部材では，部材のせん断終局強度や付着割裂強度が保証設計応力を上回ることを確認する必要がある．いずれの検討でも，せん断補強筋の材料強度には，3.2.2項で定義されるせん断補強筋の信頼強度を用いる．

（a）　せん断破壊の防止

曲げ降伏を計画しない部材では，6.2.2.1 d）で算定されるせん断終局強度（$R_p=0$，曲げ降伏を計画しない場合）が，9.1～9.3節で定義される保証設計応力を上回ることを確認すればよい．

（b）　付着割裂破壊の防止

（解6.2.2.1.10）式で算定される付着破壊を考慮したせん断終局強度（$R_p=0$，曲げ降伏を計画しない場合）が，9.1～9.3節で定義される保証設計応力を上回ることを確認すればよい．あるいは，梁主筋の付着信頼強度が，設計用付着応力度を上回ることを確認する．

梁主筋の付着信頼強度は（解6.2.2.1.11）式で，設計用付着応力度は（解6.2.2.1.13）式で算出す

る．式中の終局限界状態における部材両端部の主筋の応力度の差 $\Delta\sigma$ は，梁に作用する保証設計点の曲げモーメントを用いて，平面保持解析により求めることを原則とするが，$\Delta\sigma = 2\sigma_y$（一段筋），$1.5\sigma_y$（二段筋）としてもよい（σ_y は主筋の規格降伏点）．

（3）　その他の留意事項

2.1 節の耐震性能評価の基本原則や 9.1 節の保証設計の一般事項で説明されているように，本指針の保証設計応力や変形には，設計用地震動や応答値，材料強度，部材性能，非ヒンジ部材の応力（高次モード，2方向入力等）のばらつきが評価されているが，梁部材に作用する応力を増大させる他の要因として，①床スラブの有効幅の拡大，②曲げ降伏した鉄筋のひずみ硬化域への進展，③繰返し載荷によって生じる梁部材の伸びに起因する圧縮軸力，④中段筋等の計算外の鉄筋の存在などが考えられる．これらの影響が無視できない場合には，構造計算において，その影響を適宜反映させることが望ましい．

床スラブが取り付く梁部材では，原則として，床スラブが引張となる場合についてスラブ筋の効果を考慮する．ただし，この場合，スラブ筋として考慮できるのは，引張鉄筋として必要な定着長さが確保されているものに限る．スラブ筋が降伏する範囲は，従来の床スラブ付き十字形柱梁部分架構実験によれば，梁引張鉄筋が降伏した時点から，変形の増大に従って除々にスラブ幅方向に広がっていく．一方，スパン途中を抽出した 2×2 スパンの一体打ち部分架構実験では，スラブ筋は，変形の小さい段階からスラブ全幅にわたって一様に降伏することが確認されるとともに，終局曲げモーメントは，全スラブ筋を引張鉄筋として考慮することで実験結果と良好な適合性を示すことが報告されている[9.4.1.2]．これらは実験における梁の支持条件（固定，単純支持，連続）や，スラブ側辺の拘束条件（単独梁，並列梁）の違いなどに起因しており，後者の実験においては，特に当該梁に直交する梁の面外剛性やねじれ剛性の影響が想定されるが，現状ではこれらに対する明快な結論が得られていないのが実状である．本指針では，本会「建築耐震設計における保有耐力と変形性能」[9.4.1.3] を踏襲し，原則として梁側面から片側につき 1 m の範囲に配されたスラブ筋を有効と考えることとする．同様に，（D_s 値が小さい）靭性架構の大梁や，短スパン梁，連層耐震壁に取り付く境界梁のように，崩壊機構形成時の塑性ヒンジ部の回転角が特に大きくなることが予測される梁部材では，他の部材よりも床スラブの有効幅が広くなること，曲げ降伏した引張鉄筋がひずみ硬化域に入ることによって，終局曲げモーメントがさらに上昇する可能性があることに注意しなければならない．

地震時に繰返し変形を受けると，ひび割れの発生や主筋の降伏によって梁部材に伸びが生じるが，この伸びが柱や耐震壁などの周囲の構造部材に拘束されると，梁部材に圧縮軸力が作用し，終局曲げモーメントが上昇する．また，梁部材の伸びは，圧縮側に位置する柱の水平変位を増大させ，柱の入力せん断力を大きくする．1994 年の三陸はるか沖地震や 1995 年の兵庫県南部地震では，梁曲げ降伏型の構造物として設計されていたにもかかわらず，1階柱がせん断破壊や曲げ破壊を起こした RC 骨組構造物の構造被害が報告されており，想定と異なる崩壊機構が形成された一因として，梁部材の伸びが挙げられている[例えば9.4.1.4), 9.4.1.5)]．一般に RC 造建物では，床スラブが十分な面内剛性を有するため，階の床には同一の水平変形が生じると考え（剛床仮定），梁の

軸方向変形や軸力は無視して構造設計を行う．しかしながら，床スラブの面内剛性が十分でない場合や，吹抜けがある場合など，剛床仮定が成立しない場合には，梁に生じる軸力を適切に考慮して設計を行うことが必要である．骨組解析において，梁部材の伸びによる影響を評価するためには，一軸回転ばねの代わりに軸方向変形の評価が可能なマルチスプリング（MS）要素を梁部材の材端に設ける必要があるが，このような解析を行うことが難しい場合には，崩壊機構形成時のせん断力に対して，梁部材のせん断や付着割裂に対する終局耐力が十分に大きいこと，また，梁端にヒンジが確実に形成されるように，各節点における梁部材の節点モーメントの和に対する，柱部材の節点モーメントの和が充分大きくなっていることを確認しておく必要がある．

（4）梁部材の構造規定

本指針では，本会「鉄筋コンクリート構造計算規準・同解説」[9.4.1.6]（以下，RC規準という）に従って梁部材の構造規定を定めている．梁の主筋に関しては，（a）～（e）の規定が定められている．最小引張鉄筋量について定めた（a）は，ひび割れ発生と同時に鉄筋が降伏することや，曲げひび割れ幅が大きくなって急激な剛性低下を起こすことを防止するための規定である．また，複筋梁とする（b）の規定は，長期荷重によるクリープたわみの抑制と地震時に対する靱性の確保を意図している．主筋のあきに関する（d）の規定は，コンクリートが分離することなく密実に打ち込まれ，主筋とコンクリートの間の付着による応力伝達が十分に行われるために定められている．また，多段配筋の梁では，内側主筋が降伏するまでの部材変形が大きくなること，内側の主筋の付着は一般には劣化しやすいこと，現状では多段配筋の影響が必ずしも明らかにされていないことを踏まえ，原則として2段以下とする（e）の規定が設けられている．

梁のせん断補強筋は，せん断力への抵抗，主筋の座屈防止，コアコンクリートの拘束，付着割裂の防止を目的として配筋される．本指針では，（f）～（j）の規定が定められている．最小せん断補強筋比に関する（g）の規定は，建築物の不同沈下や乾燥収縮，温度変形，また，想定を上回る応力の作用によってせん断ひび割れが発生した場合に，ひび割れ幅が拡大し，破壊に至らないように定められたものである．また，せん断補強筋の最大間隔に関する（h）の規定については，本会「鉄筋コンクリート造建物の終局強度型耐震設計指針・同解説」（以下，終局強度指針という）[9.4.1.7]でも別途提案がなされている．解説表9.4.1.1に本指針（RC規準と同じ）と終局強

解説表 9.4.1.1 梁部材のせん断補強筋の最大間隔の比較（D：梁せい，d_b：主筋径）

せん断補強筋径	本指針（RC規準[9.4.1.6]と同じ）	終局強度指針[9.4.1.7]	
		ヒンジ領域[*1]	非ヒンジ領域[*2]
D10	$D/2$ 250 mm	150 mm	200 mm
D13 以上		$D/3$ 200 mm 8 d_b	$D/2$ 300 mm 10 d_b

[注] ＊1　ヒンジを想定する部材の柱面から中央に梁せいの1.5倍の長さの範囲
＊2　ヒンジを想定しない部材およびヒンジを想定する部材のヒンジ領域以外の範囲

9章　保証設計と構造規定　— 177 —

度指針の比較を示す．終局強度指針では，梁部材の保証変形として 1/50 程度を想定し，実験デ
ータを参照しながら，ヒンジ領域の配筋詳細を決定している．終局強度指針では，主筋の早期座
屈を抑制するために，せん断補強筋の最大間隔をヒンジ領域では主筋径の 8 倍以下，非ヒンジ領
域では主筋径の 10 倍以下に制限しており，その他の規定も全体的に本指針より厳しいものとな
っている．梁部材に要求する変形性能に応じて，これらの規定を適用すればよい．

参 考 文 献

9.4.1.1)　日本建築学会：鉄筋コンクリート造建物の靱性保証型耐震設計指針・同解説，1999
9.4.1.2)　壁谷澤寿一ほか：多数回繰り返し外力を受ける鉄筋コンクリート立体部分架構の静的繰返し実
　　　　　験，日本建築学会大会学術講演梗概集，pp. 741-744, 2011.9
9.4.1.3)　日本建築学会：建築耐震設計における保有耐力と変形性能，1990
9.4.1.4)　堀　伸輔，前田匡樹，長田正至：梁の軸力変動を考慮した 1994 年三陸はるか沖地震による被
　　　　　災 RC 造学校建物の地震応答解析，コンクリート工学年次論文報告集，Vol. 21, No. 3, pp. 7-12,
　　　　　1999
9.4.1.5)　北田朋子，田才　晃：梁の軸力変動を考慮した 1995 年兵庫県南部地震による被災 RC 造学校
　　　　　建物の地震応答解析，日本建築学会大会学術講演梗概集，pp. 509-510, 1997.9
9.4.1.6)　日本建築学会：鉄筋コンクリート構造計算規準・同解説，2018
9.4.1.7)　日本建築学会：鉄筋コンクリート造建物の終局強度型耐震設計指針・同解説，1990

9.4.2　柱　部　材

（1）　柱部材の上下に接続する梁部材の曲げ降伏を想定するような設計の場合には，保証設計変形ま
　　　で当該柱部材が曲げ降伏しないことを保証する．また，柱部材にせん断破壊，付着割裂破壊およ
　　　び軸圧壊などの脆性的な破壊を生じないことを保証する．
（2）　曲げ降伏を想定する柱部材では，当該柱部材において保証設計変形までせん断破壊，付着割裂
　　　破壊，軸圧壊および軸引張破断などの脆性的な破壊を生じないことを保証する．
（3）　釣合軸力を超える圧縮軸力が作用する場合には，釣合軸力時に柱の両端に塑性ヒンジが形成さ
　　　れる状況を想定し，保証設計応力ではなく，柱部材の終局曲げモーメントから求められるせん断
　　　力を設計用せん断力として，保証設計を行うことを原則とする．
（4）　柱の構造規定は本会「鉄筋コンクリート構造計算規準・同解説」（2018 年版）に従い，断面に
　　　ついては（a）の項目に，主筋については（b）〜（d）の項目に，また，せん断補強筋について
　　　は（e）〜（i）の項目に従う．
（a）　材の最小径とその主要支点間距離の比は，1/15 以上とする．ただし，柱の有効細長比を考
　　　慮した構造計算によって構造耐力上安全であることが確かめられた場合においては，この限り
　　　ではない．
（b）　コンクリート全断面積に対する主筋全断面積の割合は，0.8 ％ 以上とする．ただし，コンク
　　　リートの断面積を必要以上に増大した場合には，この値を減少させることができる．
（c）　柱の主筋は，D13 以上の異形鉄筋を 4 本以上とする．
（d）　柱の主筋のあきは，25 mm 以上，かつ異形鉄筋の径の 1.5 倍以上とする．
（e）　柱のせん断補強筋は，直径 9 mm 以上の丸鋼，または D10 以上の異形鉄筋を用いる．
（f）　柱のせん断補強筋比は 0.2 ％ 以上とする．
（g）　柱のせん断補強筋間隔は，100 mm 以下とする．ただし，柱の上下端より柱の最大径の 1.5
　　　倍または最小径の 2 倍のいずれか大きい方の範囲外では，帯筋間隔を前記数値の 1.5 倍まで増
　　　大することができる．
（h）　柱のせん断補強筋は主筋を包含し，主筋内部のコンクリートを十分に拘束できるように配置

し，その末端は 135° 以上に曲げて定着するか，または相互に溶接する.

（ⅰ）　せん断力や圧縮力が特に増大するおそれのある柱には，鉄筋端部を溶接した閉鎖型帯筋を主筋に包含するように配置したり，副帯筋を使用するなど，靱性を確保できるようにする.

　計画外の柱降伏や要求される限界変形より小さい変形での柱の脆性的な破壊は，建物の崩壊につながる可能性があり，これを防ぐ目的で保証設計は行われる．保証設計点に到達する前に，曲げ圧壊や主筋の座屈，せん断破壊や付着割裂破壊などの脆性的な破壊が生じ，想定と異なる崩壊機構が形成されないように，曲げ降伏を計画する部材では変形性能を，曲げ降伏を計画しない部材では十分な部材耐力を確保する．そのための具体的な手法の一例を以下に説明する.

（1）　曲げ降伏する部材の変形性能の確保

　曲げ降伏を計画する部材では，6.2.2.2 e）で算定される曲げ降伏後の終局変形角 R_u が保証設計変形を上回ることを確認する．柱部材の曲げ降伏後の終局変形は，主に曲げ降伏後のコンクリートの圧壊や主筋の座屈，せん断破壊，付着割裂破壊によって決まる．なお，いずれの評価でも，せん断補強筋の材料強度には，3.2.2 項で定義されるせん断補強筋の信頼強度を用いる.

（a）　曲げ降伏後の曲げ圧壊の防止

　最大圧縮軸力比が 0.35 以上の場合，あるいは最大圧縮軸力比が 0.35 を下回る場合で，本項に示す構造規定を満足できていない場合には，曲げ降伏後の曲げ圧壊時の変形が，9.1 節，9.2 節で定義される保証設計変形を上回っていることを確認する必要がある．柱の保証設計変形が R_u =1/40，1/50，1/67（=25，20，15×10^{-3}）rad 以下の場合には，せん断補強指標を用いた（解 6.2.2.2.15）式，（解 6.2.2.2.16）式および（解 6.2.2.2.17）式を満足することで，それぞれの限界変形を保証できる．ただし，軸力比が 0.55 を超える場合には，これらの式を適用することはできない．また，柱軸力比が 0.45 を超える場合には，解説表 6.2.2.2.1 に示すように各方向の副帯筋を 2 本以上とし，各辺の引張鉄筋を 4 本以上配筋すること，また，せん断補強筋間隔は 100 mm 以下，かつ最も小さい主筋径の 6 倍以下とすることなどが適用の条件となる．信頼性が検証された他の評価手法で曲げ降伏後の曲げ圧壊時の変形を求めてもよいが，この場合には，軸力比等の適用範囲に充分に注意する必要がある.

（b）　曲げ降伏後のせん断破壊の防止

　曲げ降伏後のせん断破壊時の変形が，9.1 節，9.2 節で定義された保証設計変形を上回っていることを確認すればよい．柱の保証設計変形が R_u =1/40，1/50，1/67（=25，20，15×10^{-3}）rad 以下の場合には，せん断補強指標を用いた（解 6.2.2.2.15）式，（解 6.2.2.2.16）式および（解 6.2.2.2.17）式を満足することで，曲げ降伏後のせん断破壊時の限界変形が保証できる．ただし，軸力比が 0.55 を超える場合には，これらの式を適用することはできない．また，柱軸力比が 0.45 を超える場合には，解説表 6.2.2.2.1 に示すように各方向の副帯筋を 2 本以上とし，各辺の引張鉄筋を 4 本以上配筋すること，また，せん断補強筋間隔は 100 mm 以下，かつ最も小さい主筋径の 6 倍以下とすることなどが適用の条件となる．曲げ降伏後のせん断破壊時の限界変形は，靱性保証指針[9.4.2.1)]のせん断終局強度式（解 6.2.2.2.8）を用いた（解 6.2.2.2.13）式あるいは（解

6.2.2.2.14）式の中村，勅使川原の圧縮束モデルで求めてもよい．いずれの検討でも，（解6.2.2.2.8）式で算定されるせん断終局強度（$R_p=0$，曲げ降伏を計画しない場合）が保証設計応力を上回ることを確認し，曲げ降伏前のせん断破壊が起こらないことを事前に保証しておく必要がある．

（解6.2.2.2.13）式では，（解6.2.2.2.8）式で算定されるせん断終局強度が，保証設計応力まで低下する時のヒンジ領域の塑性回転角を算定し，降伏時の変形角と足し合わせたものとする．降伏時の変形角は，柱主筋に平均強度を用いた場合の変形角としてもよい．

（c）　曲げ降伏後の付着割裂破壊の防止

曲げ降伏後の付着割裂破壊時の変形が，9.1節，9.2節で定義される保証設計変形を上回っていることを確認すればよい．あるいは，柱主筋の付着信頼強度が，保証設計応力から算出される設計用付着応力度を上回ることを確認する．

曲げ降伏後の付着割裂破壊時の変形は，（解6.2.2.2.10）式で算定される付着破壊を考慮したせん断終局強度が，保証設計応力まで低下する時のヒンジ領域の塑性回転角を算定し，降伏時の変形角と足し合わせた（解6.2.2.2.9）式とする．降伏時の変形角は，柱主筋に平均強度を用いた場合の変形角としてもよい．

また，柱主筋の付着信頼強度は（解6.2.2.2.11）式で，設計用付着応力度は（解6.2.2.2.12）式で算出する．式中の終局限界状態における部材両端部の主筋の応力度の差 $\Delta\sigma$ は，柱に作用する保証設計点の曲げモーメントを用いて，平面保持解析により求めることを原則とするが，両端に降伏ヒンジを計画する部材では $\Delta\sigma=2\sigma_{yu}$（一段筋），$1.5\sigma_{yu}$（二段筋），片方のみに降伏ヒンジを計画する部材では $\Delta\sigma=\sigma_y+\sigma_{yu}$（一段筋），$0.5\sigma_y+\sigma_{yu}$（二段筋）としてもよい（$\sigma_y$ は主筋の規格降伏点，σ_{yu} は主筋の上限強度）．

（2）　曲げ降伏を計画しない部材の強度の確保

曲げ降伏を計画しない部材では，部材のせん断終局強度や付着割裂強度が，保証設計応力を上回ることを確認する必要がある．いずれの検討でも，せん断補強筋の材料強度には，3.2.2項で定義されるせん断補強筋の信頼強度を用いる．

（a）　せん断破壊の防止

（解6.2.2.2.8）式で算定されるせん断終局強度（$R_p=0$，曲げ降伏を計画しない場合）が，9.1〜9.3節で定義される保証設計応力を上回ることを確認すればよい．

（b）　付着割裂破壊の防止

（解6.2.2.2.10）式で算定される付着破壊を考慮したせん断終局強度（$R_p=0$，曲げ降伏を計画しない場合）が，9.1〜9.3節で定義される保証設計応力を上回っていることを確認すればよい．あるいは，柱主筋の付着信頼強度が，保証設計応力から算出される設計用付着応力度を上回ることを確認する．

柱主筋の付着信頼強度は（解6.2.2.2.11）式で，設計用付着応力度は（解6.2.2.2.12）式で算出する．式中の終局限界状態における部材両端部の主筋の応力度の差 $\Delta\sigma$ は，柱に作用する保証設計点の曲げモーメントを用いて，平面保持解析により求めることを原則とするが，$\Delta\sigma=2\sigma_y$（一段

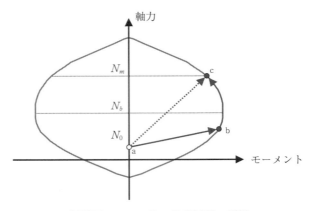

解説図 9.4.2.1　柱の載荷履歴の影響

筋），$1.5\sigma_y$（二段筋）としてもよい（σ_y は主筋の規格降伏点）．

（3）　釣合軸力を上回る高軸力が作用する柱部材の保証設計について

解説図 9.4.2.1 に示すように，柱部材に作用する圧縮軸力が釣合軸力 N_b を超える場合には，断面に生じる終局曲げモーメントが，軸力との相互作用によって釣合軸力時の終局曲げモーメントよりも低下する．例えば，長期荷重 N_0 が作用した柱部材（解説図 9.4.2.1 の a 点）が，早期に曲げ降伏し（解説図 9.4.2.1 の b 点），その後，変動軸力の増大に伴って，保証設計変形時に釣合軸力を上回る圧縮軸力が柱部材に作用する（解説図 9.4.2.1 の c 点）場合，柱部材に作用する曲げモーメントは，保証設計変形時ではなく，釣合軸力作用時に最大となる．この場合，他端の応力状態にもよるが，柱に作用するせん断力に関しても，釣合軸力作用時付近で最大となる可能性が高い．特に柱の材端ばねモデルとして一般的な剛塑性曲げばねを設けた場合，柱部材の N-M 相関関係上の載荷履歴を再現することができず（モデル上は解説図 9.4.2.1 の a 点と c 点を直接結ぶ載荷履歴を仮定することになる），柱部材に作用するせん断力を過小評価する可能性がある．

そこで，釣合軸力を上回るような高い軸力を受ける柱部材に関しては，釣合軸力時に柱の両端に塑性ヒンジが形成される状況を想定し，保証設計応力ではなく，柱部材の釣合軸力時の終局曲げモーメントから求められるせん断力を設計用せん断力として，保証設計を行うことを原則とする．なお，柱部材の終局曲げモーメントの算定時では，主筋の上限強度を用いることを原則とし，主筋の降伏強度を用いる場合には，材料強度の割り増しを考慮するものとする．

（4）　その他の留意事項

柱部材には軸力が作用しており，コンクリートの圧縮力負担が梁部材と比較して大きくなるため，一般に変形能力は小さくなる．これに加えて柱は鉛直荷重の支持部材であることから，計画外の柱に降伏が生じると，建物に大きな損傷を与える可能性がある．したがって，柱に降伏を想定しない部位では，確実に梁降伏ヒンジが形成されることを保証する必要がある．このためには，9.4.1 項で示したように，スラブの有効幅を梁部材の変形に応じて適切に評価する，梁部材に生じるひび割れによって梁部材に導入される圧縮軸力を必要に応じて考慮するなどして，梁部

材の終局曲げモーメントの増大に配慮する必要がある．一方，降伏を想定する柱，特に軸力が大きく変動する隅柱では，解説図 9.4.2.1 で示したように，保証設計変形時に想定される状態に対してだけではなく，そこに至る過程で柱が受ける曲げモーメントと軸力の組合せに対し，脆性的な破壊を生じないことを保証する必要がある．

（5）　柱部材の構造規定

本指針では，RC 規準[9.4.2.2]に従って柱部材の構造規定を定めている．柱の断面に関する（a）の規定は，最小径と比較して柱長さが長い時に生じる座屈を防止するためのものである．主筋に関する（b）〜（d）の規定のうち，最小主筋比に関する（b）の規定は，応力の不測の変動に対する安全性などを考慮して定められている．主筋のあきに関する（d）の規定は，コンクリートが分離することなく密実に打ち込まれ，主筋とコンクリートの間の付着による応力伝達が十分に行われるために定められている．

梁部材の場合と同じく，柱部材のせん断補強筋は，せん断力への抵抗，主筋の座屈防止，コアコンクリートの拘束，付着割裂の防止を目的として配筋される．本指針では，（e）〜（i）の規定が定められている．せん断補強筋の最大間隔に関する（g）の規定については，終局強度指針[9.4.2.3]でも別途，提案がなされている．解説表 9.4.2.1 に本指針（RC 規準と同じ）と終局強度指針の比較を示す．終局強度指針では，柱部材の保証変形として 1/50 程度を想定し，実験データを参照しながら，ヒンジ領域の配筋詳細を決定している．終局強度指針では，主筋の早期座屈を抑制するために，せん断補強筋の最大間隔を，ヒンジ領域では主筋径の 6 倍以下，非ヒンジ領域では主筋径の 8 倍以下に制限している．したがって，D19 以上の異形鉄筋を主筋に用いる場合には，100 mm 間隔の制限を満足することで，同指針の条件も満足できる．また，構造規定にあるように，特に圧縮力やせん断力が増大するおそれがある柱では，鉄筋端部を溶接した閉鎖型のせん断補強筋を主筋に包含するように配置したり，副帯筋を使用したりするなどして，十分な変形性能が確保できるように配慮する．

解説表 9.4.2.1　柱部材のせん断補強筋の最大間隔の比較（d_b：主筋径）

せん断補強筋径	本指針（RC 規準[9.4.2.2]と同じ）		終局強度指針[9.4.2.3]	
	端部[*1]	中央[*2]	ヒンジ領域[*3]	非ヒンジ領域[*4]
D10	100 mm	150 mm	100 mm	150 mm
D13 以上			150 mm $6\,d_b$	200 mm $8\,d_b$

［注］ ＊1　柱の上下端より柱の最大径の 1.5 倍または最小径の 2 倍のいずれか大きい方の範囲
　　　＊2　＊1 に示す以外の範囲
　　　＊3　ヒンジを想定する部材の梁面から中央に柱せいの 1.5 倍の長さの範囲
　　　＊4　ヒンジを想定しない部材およびヒンジを想定する部材のヒンジ領域以外の範囲

（6） 基礎梁側面の支圧破壊の防止

　高層建物では，軸力の増加に応じて柱断面を大きくせず，高強度のコンクリートが使われることが多く，1階柱より強度の低いコンクリートが基礎や基礎梁に使われることがある．このような場合，1階柱から伝達される曲げ圧縮力によって，基礎梁側面の支圧破壊が起こる可能性が指摘されている[9.4.2.4]．基礎梁側面の支圧破壊が起こると，柱から基礎への応力伝達に不具合が生じ，設計時に想定した柱の強度が発揮されない可能性がある．文献9.4.2.5）では，基礎梁の平面形状が十字形の場合には，基礎のコンクリート圧縮強度を柱のコンクリート圧縮強度の1/2以上とすること，基礎梁の平面形状がT字形やL字形の場合には，基礎梁部の支圧強度の検討および割裂応力に対する検討を行うこととしている．

参 考 文 献

9.4.2.1)　日本建築学会：鉄筋コンクリート造建物の靱性保証型耐震設計指針・同解説，1999
9.4.2.2)　日本建築学会：鉄筋コンクリート構造計算規準・同解説，2018
9.4.2.3)　日本建築学会：鉄筋コンクリート造建物の終局強度型耐震設計指針・同解説，1990
9.4.2.4)　日本建築センター：高層建築物の構造設計実務，2002
9.4.2.5)　国土開発技術研究センター：NewRC研究開発概要報告書，1993.3

9.4.3　耐　震　壁

（1）　曲げ降伏を想定しない耐震壁部材では，保証設計変形まで当該耐震壁部材が曲げ降伏しないことを保証する．また，耐震壁部材にせん断破壊，付着割裂破壊および軸圧壊などの脆性的な破壊を生じないことを確認する．

（2）　曲げ降伏を想定する耐震壁部材では，当該耐震壁部材に保証設計変形までせん断破壊，付着割裂破壊，軸圧壊および軸引張破断などの脆性的な破壊を生じないことを保証する．

（3）　次の構造規定に従うこと．
　（a）　壁板の厚さは，原則として120 mm以上，かつ壁板の内法高さの1/30以上とする．
　（b）　壁板のせん断補強筋比は，直交する各方向に関してそれぞれ0.25％以上とする．
　（c）　壁板の厚さが200 mm以上の場合は，壁筋を複筋配置とする．
　（d）　壁筋は，D10以上の異形鉄筋を用いる．見付面に対する壁筋の間隔は300 mm以下とする．ただし，千鳥状に複配筋とする場合は，片面の壁筋の間隔は450 mm以下とする．
　（e）　開口周囲および壁端部の補強筋は，D13以上（複配筋の場合は2-D13以上）の異形鉄筋を用いる．
　（f）　壁筋は，開口周囲および壁端部での定着が有効な配筋詳細とする．
　（g）　柱型拘束域の主筋は，本会「鉄筋コンクリート構造計算規準・同解説」（2018年版）の9.4.2項（4）（b）～（d）の規定に従う．ただし，壁縦筋以上の鉄筋比とする．
　（h）　梁型拘束域の主筋は，本会「鉄筋コンクリート構造計算規準・同解説」（2018年版）の9.4.1項（3）（b）～（e）の規定に従う．ただし，壁横筋以上の鉄筋比とする．また，特に検討をしない場合，梁型拘束域の主筋全断面積は，梁型拘束域の断面積の0.008倍以上とする．
　（i）　柱型拘束域および梁型拘束域のせん断補強筋は，本会「鉄筋コンクリート構造計算規準・同解説」（2018年版）に従い，柱型拘束域については9.4.2項（4）（e）～（i），梁型拘束域については，9.4.1項（3）（f）～（j）の規定に従う．
　（j）　開口に近接する柱（開口端から柱端までの距離が300 mm未満）のせん断補強筋比は，原則として0.4％以上とする．
　（k）　柱付き壁（袖壁付き柱）では，柱のせん断補強筋比は原則として0.3％以上とする．

（1）　軸力を負担させる柱なし壁（壁板）では，上記（a）～（f）のほか，原則として壁筋を複配筋とする．

　耐震壁を有する建物では，耐震壁に接続する梁の曲げ降伏を先行させ，保証変形まで耐震壁が曲げ降伏しない状態を保持すること，耐震壁の曲げ降伏を許容する場合には，必要な変形角まで耐震壁に脆性的破壊が生じないことの2つのうち，いずれかを保証する必要がある．いずれの場合にも，梁や柱部材と同じく，建物に要求される性能に応じて設定される保証変形まで，耐力が急激に低下するせん断破壊および付着割裂破壊などの脆性的な破壊が壁に生じないようにする．これを保証するためには，保証設計対象の変形または荷重まで，せん断終局強度および付着割裂破壊時のせん断終局強度が壁の設計用せん断力を上回ればよい．ここでは，保証設計点での壁の設計用せん断力と壁の終局時せん断力との比較について説明する．

（1）　設計用せん断力の算定

　設計用せん断力の算定は，保証設計点で壁が曲げ降伏する場合としない場合で異なるため，それぞれの場合について説明する．

　保証設計点で曲げ降伏する壁については，壁の終局曲げモーメントをせん断スパン長さで除して設計用せん断力を求める．保証設計点では，鉄筋強度のばらつき等によって，設計時の想定を上回る終局曲げモーメントを発揮し，せん断破壊や付着割裂破壊といった脆性的な破壊が引き起こされる可能性がある．そこで，保証設計で用いる壁の終局曲げモーメントは，保証変形までの間に降伏ヒンジ部において起こりうる終局曲げモーメントの上限の値として定義する必要がある．終局曲げモーメントに関しては，材料の上限強度を用いる．

　保証設計点で曲げ降伏しない壁については，保証設計点でのせん断力が十分安全側に予測できていることを確認する．簡略法として，応答点における壁のせん断力を1.22倍（＝$\sqrt{1.5}$倍）して，保証設計点における設計用せん断力を求めてもよい．これは，部材が弾性と仮定して，応答点が有するひずみエネルギーの1.5倍のエネルギーを有する点を保証設計点としたときのせん断力である．高次モードによる影響は，この割り増しで考慮されているものとする．境界条件によって，耐震壁に作用するせん断力がこの値以下に制限されることが確かめられる場合には，倍率を低減してよい．

　有開口・袖壁付き柱・腰壁付き梁・垂れ壁付き梁についても，同様の考え方で設計用せん断力を求める．

（2）　壁の脆性破壊を防止するために考慮する破壊性状

　壁の脆性破壊を防止するためには，次の3項目の確認を行う．

（a）　せん断破壊の防止

　トラス・アーチ理論に基づいた靱性指針式，または荒川min式を用いてせん断終局強度を算定し，壁に要求される変形に達する前に，曲げ降伏後のせん断破壊による耐力低下が生じないように，せん断終局強度を決定する．なお，この考え方は，壁に接続する梁の曲げ降伏を先行させる場合にも適用できる．有開口・袖壁付き柱・腰壁付き梁・垂れ壁付き梁についても，同じ考え方でせん断終局強度を求める．

（b）　柱主筋の付着割裂破壊防止の設計

靱性指針の 6.8 節[9.4.3.1)]を用いた柱主筋付着強度が，設計用付着応力度を超えていることを確認する．

（c）　柱の軸力による破壊防止のための設計

塑性ヒンジ位置などの危険断面における軸耐力が，設計用軸力を超えていることを確認する．

（3）　開口補強筋の考え方

有開口耐震壁では，開口隅角部に生じる斜張力または曲げ応力によって過大な損傷あるいは補強筋の降伏が生じないことを確認する必要がある．隅角部の斜張力は，開口を設けることによって失われる斜め引張力に基づいて算出する．曲げによる縁引張力は，開口部横の反曲点位置を中央に仮定して算出する．軸力の影響は無視する．反曲点位置の仮定は必ずしも安全側ではないが，軸力を無視する仮定により，終局状態に対しては，安全側の曲げ強度の和が確保されることになる．開口からの距離に応じて補強筋の有効度が減少する可能性が高いので，なるべく開口の近傍に補強筋を配置することが望ましい．

（a）　開口隅角部の付加斜張力に対する検討

RC 規準[9.4.3.2)]の 19 条 5 項の考え方に基づいて，付加斜張力を処理する．ただし，終局時の検討については，さらなる研究が必要である．

（b）　開口左右の付加曲げモーメントに対する検討

開口左右の袖壁付き柱の曲げ強度時のせん断力の和が，設計用せん断力を上回っていることにより行う．ただし，r_1 と r_2 を用いる代わりに開口左右の袖壁付き柱の強度の和をせん断強度とした場合は，この確認は不要である．

（c）　開口上下の付加曲げモーメントに対する検討

開口上下の横補強筋の確認は，各階の開口より上の垂れ壁・腰壁付き梁の曲げ強度時のせん断力の和が，設計用せん断力を上回っていることにより行う．ただし，①極端な縦型開口でない場合，すなわち，縦開口低減率 r_3' が 0.4 以上の階，または②メカニズム時に算定する階の開口より上の垂れ壁・腰壁付き梁の破壊による梁崩壊の防止が確認されている場合のいずれかの場合には，この確認は不要である．

（d）　開口の配置に対する留意事項

配置が不規則な複数開口の場合，応力伝達機構と破壊モードを考慮して配筋詳細を計画する．

（e）　靱性確保の配筋詳細

有開口耐震壁の靱性または補強筋による強度の増大を期待する場合は，開口左右の袖壁あるいは上下の梁または腰壁・垂れ壁付き梁に，せん断強度および曲げ強度のいずれにも有効な斜め補強筋を配筋することが推奨される．

（4）　構造規定

本構造規定は，原則として RC 規準に準じている．同規準では，2010 年の改定において柱型と梁型の最小断面の規定を緩和している．これにより，壁厚さと同じ幅をもつ柱型と梁型を有する壁が設計可能となっている．これらは見かけ上長方形壁となるが，いわゆる方立壁のような壁

（RC 規準では柱なし壁と呼んでいる）とは異なり，両側柱付き壁と同等として扱うために，柱または梁に当たる部分に拘束筋が要求されている．これらの部分を柱型拘束域または梁型拘束域と呼んでおり，RC 規準では，実際の壁厚 t の代わりに設計上必要な最小壁厚 t' を用いて従来と同じ評価式を適用することにより，必要断面積を算定している．

参 考 文 献

9.4.3.1）　日本建築学会：鉄筋コンクリート造建物の靱性保証型耐震設計指針・同解説，2013
9.4.3.2）　日本建築学会：鉄筋コンクリート構造計算規準・同解説，2018

9.4.4　柱梁接合部

柱梁接合部の保証設計においては，以下の項目を確認する．
（1）　接合部降伏破壊が生じないこと．
（2）　柱梁接合部の釣合破壊が生じないこと．
（3）　柱梁接合部を通過する主筋の付着劣化による変形の増大が生じないこと．
（4）　梁，柱の主筋を柱梁接合部内に定着する場合は，主筋の定着破壊が生じないこと．
（5）　次の構造規定に従うこと．
　（a）　直交梁が接続しない面の柱主筋は，当該面に 4 本以上を配置する．
　（b）　接合部横補強筋は，呼び名が D10 以上の異形鉄筋とする．
　（c）　接合部横補強筋比は，隣接する柱の帯筋比以上とする．ただし，柱梁接合部の 4 面に梁が接続する場合は，隣接する柱の帯筋比の 1/2 まで減ずることができる．また，横補強筋比は 0.3 ％を下回ってはならない．
　（d）　接合部横補強筋間隔は 150 mm 以下とし，かつ隣接する柱の帯筋間隔の 1.5 倍以下とする．
　（e）　柱梁接合部内に定着する主筋の折曲げ部および余長部は，接合部コア内に配する．
　（f）　柱梁接合部内に定着する主筋の投影定着長さは，投影定着長さは余長部を接合部コア内に収められる範囲内でできるだけ大きくする．また，鉄筋径の 8 倍以上かつ 150 mm を下回らないこと．
　（g）　柱のせいと梁のせいの比は 1/2 以上 2 以下とし，できるだけ 1 に近くなるようにする．

（1）　接合部降伏破壊の防止

従来，鉄筋コンクリート造の柱梁接合部は接合部パネルに生じるせん断力によって破壊が生じるとされ，靱性保証指針[9.4.4.1]でも，柱梁接合部に生じるせん断力をせん断強度以下とすることが求められている．接合部パネル内のせん断抵抗機構のモデル化についてもさまざまな提案がされているが，柱梁接合部に関わる多くの設計因子の影響すべてを考慮できるものではなく，種々のケースすべてに適応できる精度良いモデルはいまだに得られていない．

柱梁接合部で破壊が生じた柱梁接合部を含む部分架構の水平加力実験では，破壊過程はおおむね以下のようにまとめることができる[9.4.4.2], [9.4.4.3]．すなわち，①接合部パネルの入隅部から斜めひび割れの発生，②接合部パネル中央の対角線方向の斜めひび割れの発生，③接合部横補強筋の降伏，④梁主筋の降伏，⑤柱主筋の降伏，⑥接合部パネル中央のコンクリートの圧壊となる〔解説図 9.4.4.1〕．梁，柱の主筋量が多い場合は④または⑤の主筋降伏の過程は経ないで接合部パネルのコンクリートの圧壊が生じる．

このような柱梁接合部の損傷状況とそれに至る変形機構に適合するように，塩原によって提案

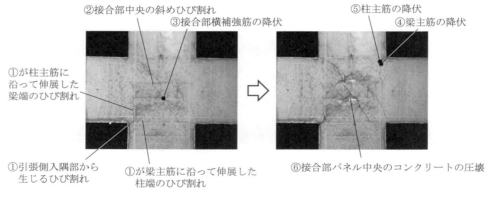

解説図 9.4.4.1　十字形柱梁接合部の破壊過程

された柱梁接合部パネルのモーメントに対する破壊機構が，以下に述べる9自由度モデル[9.4.4.4]～[9.4.4.6]と呼ばれるものである．柱，梁端からモーメントが作用する柱梁接合部では，柱および梁端と接する接合部パネルの4つの辺が並進と回転の自由度を持って変形し，柱梁接合部に作用するモーメントにより破壊が生じるとした破壊機構である．

　接合部パネルの柱面，梁面から作用するモーメントにより，接合部パネルの各辺は回転しようとする．そのため，解説図9.4.4.2に示すように，接合部パネルの中央において直交する対角方向のうち，一方向では部材端どうしは遠ざかり，他方では近づく．また，接合部パネルのコーナー付近のうち，2か所では部材端どうしは遠ざかり，他の2か所では部材端どうしは近づく．その結果，部材端どうしが遠ざかる方向では，引張ひずみによりひび割れが生じる．一方，部材端どうしが近づく方向では，圧縮ひずみが生じることになる．このようにして，柱梁接合部内に生じた斜めひび割れによって分割された4つの部分が互いに部分的に接触しつつ回転することによって柱梁接合部に変形が生じる．

　このような柱梁接合部の変形により，接合部パネルの対角線上には，解説図9.4.4.3のように鉄筋の引張力とコンクリートの圧縮力が生じている．

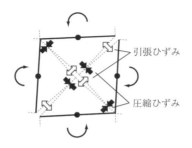

解説図 9.4.4.2　柱梁接合部の変形とコンクリートのひずみ

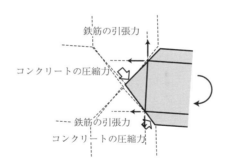

解説図 9.4.4.3　仮想断面上の応力

　梁・柱の主筋量が小さい場合は，モーメントが増大すると，梁と柱の両方の主筋が降伏し，柱梁接合部内の斜めひび割れが拡大して回転量が増大し，接触している部分のコンクリートの圧壊が進行し，まもなく終局状態に達する．梁と柱の曲げ強度の比（柱梁強度比）が 1.0 に近い場合に，必ずこのような破壊となる[9.4.4.4]．分割された三角形の部分に作用する力の釣合いより，モーメントは，斜め断面を横切る主筋の引張力とコンクリートの圧縮力からなる 2 組の偶力で伝達され，その強度は，主に柱と梁の主筋比に支配されるが，接合部内の補強筋量や柱梁接合部のアスペクト比の影響も受ける．

　接合部降伏破壊は，従来は見逃されてきた現象であるが，理論だけではなく，塩原らによってのべ 60 体以上の十字形・ト形・L 形の柱梁接合部の実験が実施され，その妥当性が検証されている[例えば 9.4.4.2), 9.4.4.3)] など．これらの実験により，接合部降伏破壊が生じることで柱梁接合部に損傷が集中し，履歴形状が著しいスリップ性状を示すことも明らかになった．解説図 9.4.4.4 は，柱梁強度比が 1.0～1.5 の代表的な柱梁接合部試験体の層せん断力と層間変形角の関係である[9.4.4.2), 9.4.4.3), 9.4.4.7)]．図中の破線は，梁曲げ終局時層せん断力の計算値を示している．これらはすべて梁と柱の主筋が降伏し，梁と柱の端部にはヒンジが形成されず，接合部降伏破壊が起こったものであり，梁主筋が降伏しているにもかかわらず最大層せん断力は梁曲げ終局時の層せん断力に達しないこと，さらに履歴性状は著しいスリップ形であるという顕著な特徴がある．

　また，これらの実験では，柱梁強度比が 0.8～1.8 程度の範囲では梁（または柱）主筋が降伏しているにもかかわらず，梁（柱）の曲げ強度の計算値より低い強度しか発揮されず，柱梁強度比がちょうど 1.0 の場合には，梁曲げ強度の計算値の 70～85 % 程度の強度しか発揮されないことが確認された．解説図 9.4.4.5 は，柱梁強度比を変動因子とした試験体群[9.4.4.2), 9.4.4.3), 9.4.4.7)] について，柱梁強度比と試験体の部分架構の最大層せん断力の関係を示している．同図が示すとおり，柱梁強度比が 1.0 に近い場合，実験値は，計算値（終局曲げモーメントによる層せん断力）より必ず低くなっている．

　このような接合部降伏破壊により，地震時の応答変形の増大，特定層への変形の集中といった著しい耐震性能の低下が生じるため[9.4.4.8)]，本指針では，保証設計において接合部降伏破壊が生じないことを確認することとした．

　ここで，接合部降伏破壊の強度が梁曲げ強度を上回れば，おおむね梁の曲げ強度が発揮される

— 188 —　鉄筋コンクリート造建物の等価線形化法に基づく耐震性能評価型設計指針　解説

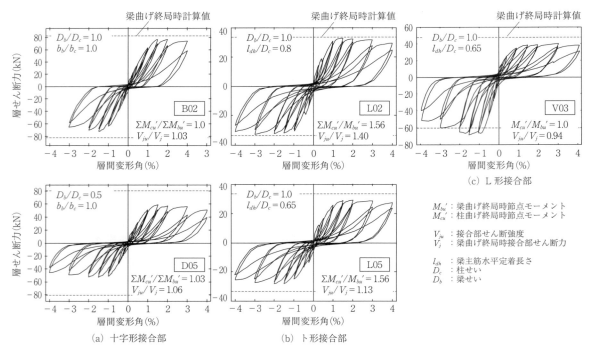

解説図 9.4.4.4　接合部降伏破壊が生じた部分架構の層せん断力と層間変形角の関係

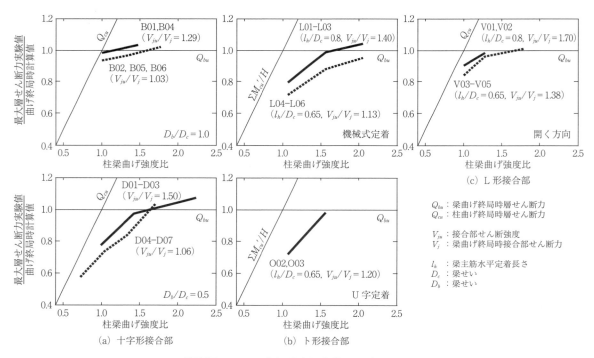

解説図 9.4.4.5　柱梁強度比と終局強度の関係

わけであるが，この場合，常に梁端にヒンジが形成される梁曲げ降伏型の破壊となるわけではない．接合部降伏破壊を含む柱梁接合部の非線形挙動をモデル化した地震応答解析では，柱梁強度比を大きくし，柱梁接合部の強度を確保していても接合部横補強筋が少ないケースでは柱梁接合部の変形が増大し，特定の層に変形が集中するといった結果が得られている[9.4.4.9]．特に柱梁強度比が 1.5 未満あるいは接合部横補強比（梁引張主筋の降伏強度の和に対する接合部横補強筋の降伏強度の比）が 0.4 未満の場合は，応答変形が特定の層に集中し，かつ変形が集中する層は静的解析と地震応答解析では異なっており，入力地震動によっても接合部降伏する柱梁接合部および変形が集中して増大する層は異なると報告されている[9.4.4.9]．そのため，柱梁強度比と接合部横補強比の両者が確保されていない場合には，1 自由度系に縮約する等価線形化法では応答の推定は困難といえる．

　そこで，接合部降伏破壊の防止にあたっては，（a）保証設計点において柱梁接合部に作用するモーメントに対する柱梁接合部の終局強度の余裕度は 1.0 以上を確保するとともに，（b）柱梁接合部内で柱主筋が降伏することを防ぐための柱梁強度比を確保し，（c）柱梁接合部の変形を拘束するための接合部横補強筋量を確保することとする．

　なお，本会「鉄筋コンクリート構造保有水平耐力計算規準・同解説」[9.4.4.10]（以下，保有耐力規準という）では，柱梁接合部の終局強度によって骨組の保有水平耐力を低減させる方法がとられている．骨組の水平耐力が規定により確保される保有水平耐力設計に比べ，本指針の等価線形化法に基づく設計では，設計者が水平耐力を減らすことが可能である．そのため，5.2 節に示した限界層間変形角が，本指針で想定している 1/75 を超えるような場合は，柱梁接合部降伏破壊による層崩壊防止の観点から，柱梁接合部の終局強度の保証設計点における作用するモーメントに対する余裕度は，全層で 1.5 以上とする．

（a）柱梁接合部の終局強度の確認

　柱梁接合部の終局強度が，保証設計点における作用モーメントに対して 1.0 以上の余裕度を有することを確認する．この確認は，保有耐力規準の 20 条の解説中に示されている接合部降伏による強度低下率 β_j が 1.0 を下回らないことの確認による．ただし，L 形接合部の閉じる方向については，確認の必要はない．また，5.2 節に示した限界層間変形角が，本指針で想定している 1/75 を超えるような場合は，柱梁接合部降伏破壊による層崩壊防止の観点から，全層で β_j は 1.5 以上とする．

十字形柱梁接合部の場合

$$\beta_j=\left\{1-\frac{\sum A_t f_y}{b_j D_b \sigma_B}+\frac{1}{2}\left(\frac{\widetilde{M}_{cu}+\widetilde{M}'_{cu}}{\widetilde{M}_{bu}+\widetilde{M}'_{bu}}-1\right)+\frac{1}{4}\left(\frac{\sum A_{jw} f_{jy}}{\sum A_t f_y}\right)\right\}\xi_r \qquad (\text{解 }9.4.4.1\text{a})$$

ト形柱梁接合部の場合

$$\beta_j=\left\{0.85-\frac{\sum A_t f_y}{b_j D_b \sigma_B}+\frac{1}{4}\left(\frac{\widetilde{M}_{cu}+\widetilde{M}'_{cu}}{\widetilde{M}_{bu}}\xi_a-1\right)+\frac{1}{2}\left(\frac{\sum A_{jw} f_{jy}}{\sum A_t f_y}\right)\right\}\xi_r \qquad (\text{解 }9.4.4.1\text{b})$$

L 形柱梁接合部（開く方向）の場合

$$\beta_j=\left\{1-\frac{\sum A_t f_y}{b_j D_b \sigma_B}+\frac{1}{2}\left(\frac{\widetilde{M}_{cu}}{\widetilde{M}_{bu}}\xi_a-1\right)+\frac{1}{4}\left(\frac{\sum A_{jw} f_{jy}}{\sum A_t f_y}\right)\right\}\xi_r \qquad (\text{解 }9.4.4.1\text{c})$$

記号　　ξ：柱梁接合部の有効アスペクト比（$=D_{jb}/D_{jc}$）

　　　　ξ_r：柱梁接合部のアスペクト比による接合部降伏強度の補正係数

$$\xi_r=1-\frac{1}{2}\left\{1-2\left(\xi+\frac{1}{\xi}\right)^{-1}\right\}$$

　　　　b_j：柱梁接合部の有効幅

　　　　ξ_a：柱の有効せい比（$=D_{jc}/D_c$）

　　　D_{jc}：柱梁接合部の有効せい（水平方向）

　　　D_{jb}：柱梁接合部の有効せい（鉛直方向）

　　　　D_c：柱せい

$\widetilde{M}_{cu}$, $\widetilde{M}'_{cu}$：上下の柱の接合部有効幅内の柱主筋のみを考慮して算定した梁フェイスでの曲げ終局時の節点モーメント

$\widetilde{M}_{bu}$, $\widetilde{M}'_{bu}$：左右の柱の梁フェイスでの曲げ終局時の節点モーメント

　　　　D_b：梁せい

　　$\sum A_{jw}$：柱梁接合部内の梁の上端筋と下端筋の間に配置された横補強筋の断面積の総和

　　　　f_{jy}：柱梁接合部の横補強筋の降伏点

　　　$\sum A_t$：有効な引張主筋の断面積

　　　　f_y：引張主筋の降伏点

なお，十字形柱梁接合部，ト形柱梁接合部においては楠原・塩原の提案[9.4.4.11), 9.4.4.12)]による柱梁接合部の終局モーメントの精算値を用いて余裕度の確認をしてもよい．

（b）　柱梁強度比の確保

柱梁接合部に接続する柱と梁の曲げ強度時の節点モーメントの比（柱梁強度比）が次式を満足することを確認する．ただし，柱梁強度比の算定にあたっては，柱の終局曲げモーメントは接合部有効幅内の柱主筋のみを考慮して算出する．必要な柱梁強度比は，柱梁接合部のアスペクト比が小さいほど（横長であるほど），外部柱梁接合部においては梁主筋の定着長さが小さいほど，より小さい水平荷重で柱主筋の降伏が生じること[9.4.4.2), 9.4.4.3)]を考慮して設定されている．外部柱梁接合部で，転倒モーメントにより柱に生じる軸力が引張軸力になる方向の加力時には，検討を行わなくてよい．

$$\frac{\sum\widetilde{M}_{cu}}{\sum\widetilde{M}_{bu}}\geq\kappa\left(1.25+0.25\frac{1}{\xi}\right)\frac{1}{\xi_a}\tag{解 9.4.4.2}$$

記号　$\sum\widetilde{M}_{cu}$：上下の柱の接合部有効幅内の柱主筋のみを考慮して算定した梁フェイスでの曲げ終局時の節点モーメントの和

　　　$\sum\widetilde{M}_{bu}$：左右の柱の梁フェイスでの曲げ終局時の節点モーメントの和で，有効幅内のスラブ筋を考慮して求める．

　　　　ξ：柱梁接合部の有効アスペクト比（$=D_{jb}/D_{jc}$）

　　　　ξ_a：柱の有効せい比（$=D_{jc}/D_c$）

　　　　κ：柱梁接合部の形状による補正係数で，十字形およびL形柱梁接合部では1.0,

ト形柱梁接合部では 1.5 とする.

（c）　接合部横補強筋量の確保

柱梁強度比が 1 より大きく接続する梁の主筋が降伏する柱梁接合部の横補強筋量は，次式を満足することを確認する．ただし，右辺が 0.64 を超える場合は，$T_{hy}/T_{by} \geqq 0.64$ としてよい.

$$\frac{T_{hy}}{T_{by}} \geqq 6\frac{1+\xi^2}{2}q_b \qquad\qquad (解\ 9.4.4.3)$$

ただし，外部柱梁接合部で，転倒モーメントにより柱に生じる軸力が引張軸力になる方向の加力時に前項の柱梁強度比の確保を行わなかった場合は，以下とする.

$$\frac{T_{hy}}{T_{by}} \geqq 6\frac{1+\xi^2}{2}q_b + 2\left\{1.5\left(1.25 + 0.25\frac{1}{\xi}\right)\frac{1}{\xi_a} - \frac{\sum \widetilde{M}_{cu}}{\widetilde{M}_{bu}}\right\} \qquad (解\ 9.4.4.4)$$

$$q_b = \frac{_bp_t \cdot {_b\sigma_y}}{\sigma_B} \qquad\qquad (解\ 9.4.4.5)$$

記号　T_{hy}：接合部横補強筋の降伏強度で，上下の梁主筋間に配された横補強筋の総断面積に鉄筋の降伏応力度を乗じたもの．ただし，鉄筋の降伏応力度が梁主筋の降伏応力度より大きい場合は，梁主筋の降伏強度を用いる.

$\quad\quad T_{by}$：梁の引張主筋の降伏強度で，梁の引張主筋の断面積に鉄筋の降伏応力度を乗じたものとする.

$\quad\quad \xi$：柱梁接合部の有効アスペクト比（$=D_{jb}/D_{jc}$）

$\quad\quad _bp_t$：梁の引張主筋比

$\quad\quad _b\sigma_y$：梁主筋の降伏応力度

$\quad\quad \sigma_B$：コンクリートの圧縮強度

この条件は，梁曲げ終局時に柱梁接合部に作用するモーメントに対して，柱梁接合部内で主筋が降伏するときのモーメント[9.4.4.13]が上回るという条件を安全側となるように簡略化して導いたものである.

同様に，柱梁強度比が 1 より小さく接続する柱の主筋が降伏する柱梁接合部においては，柱中段筋が以下の条件を満足しなければならない.

$$\frac{T_{my}}{T_{cy} + N/2} \geqq 6\frac{1+1/\xi^2}{2}\left(q_c + \frac{1}{2}\eta\right) \qquad (解\ 9.4.4.6)$$

ただし，

$$q_c = \frac{_cp_t \cdot {_c\sigma_y}}{\sigma_B} \qquad\qquad (解\ 9.4.4.7)$$

記号　T_{my}：柱中段筋の降伏強度

$\quad\quad T_{cy}$：柱の引張主筋の降伏強度

$\quad\quad N$：柱軸力

$\quad\quad \eta$：柱の軸力比

$\quad\quad _cp_t$：柱の引張主筋比

$\quad\quad _c\sigma_y$：柱主筋の降伏応力度

解説図 9.4.4.6 に，既往の十字形柱梁接合部の実験の試験体の層間変形角 2％時の等価粘性減衰定数[9.4.4.14)]と必要横補強筋量に対する実際の横補強筋量の比の関係を示す．ここでは，柱梁強度比は上述の柱梁強度比が確保されており，梁降伏が先行する試験体のうち，次項以降に述べる釣合破壊を防止する条件および通し主筋の鉄筋径に関する規定を満足し，上述の柱梁接合部降伏による強度低下比が 1.5 以上の試験体のみが示されている．横軸が 1 以上，すなわち実際の横補強筋量が（解 9.4.4.3）式に示した必要補強筋量を満足している範囲には，梁主筋降伏後の接合部破壊（BJ 型）と報告されている試験体はほとんどなく，また，この横補強筋量が必要補強筋量を満足している範囲では，おおむね等価粘性減衰定数は 10％以上であり，梁曲げ降伏による良好な履歴性状となっている．

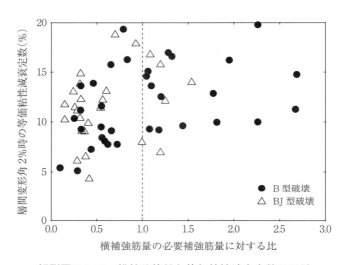

解説図 9.4.4.6 横補強筋量と等価粘性減衰定数の関係

（2） 柱梁接合部の釣合破壊の防止

柱と梁の主筋量がどちらも過大な場合には，主筋降伏前の接合部破壊（従来の接合部せん断破壊に相当）が生じ，その原因も 9 自由度モデルに基づき，次のように説明される．すなわち，斜めひび割れ上で偶力を構成する主筋の引張力とコンクリートの圧縮力のうち，主筋は弾性にとどまり，コンクリートの圧縮力が上限に達して（コンクリートの圧壊が生じて）抵抗できるモーメントが上限に達するものである．この柱梁接合部の破壊を釣合破壊と呼び，ちょうどコンクリートの圧壊と主筋の降伏が同時に生じる主筋量を限界補強量と呼ぶ[9.4.4.4)]．

このコンクリート圧壊型の破壊が生じると梁や柱の終局曲げモーメントに達することはなく，復元力特性の早期劣化を招き，靭性や履歴エネルギー吸収能も乏しくなるため，従来どおり設計上は避けるべき破壊形式である．

本指針では，主筋降伏前の接合部破壊を生じさせないためには，梁および柱の主筋量をそれぞれ限界補強量以下とする．この釣合破壊が生じないことの確認は，以下に示す保有水平耐力規準の 20 条第 2 項に示された部材種別の判定方法に従って行う．

十字形接合部の場合

$$\frac{(M_{bu}/j_b)+(M'_{bu}/j'_b)+0.5(N_b+N'_b)-0.5(V_c+V'_c)}{b_j D_{jc}} \leqq \frac{0.8\xi_R}{(1+\varepsilon_y/\varepsilon_u)}\beta_1\beta_3\sigma_B \qquad (\text{解 }9.4.4.8a)$$

ト形接合部の場合

$$\frac{(M_{bu}/j_b)+0.5N_b-0.5(V_c+V'_c)}{b_j D_{jc}} \leqq \frac{0.8\xi_R}{(1+\varepsilon_y/\varepsilon_u)}\beta_1\beta_3\sigma_B \qquad (\text{解 }9.4.4.8b)$$

L形接合部の場合

$$\frac{(M_{bu}/j_b)+0.5N_b-0.5V_c}{b_j D_{jc}} \leqq \frac{0.8\xi_R}{(1+\varepsilon_y/\varepsilon_u)}\beta_1\beta_3\sigma_B \qquad (\text{解 }9.4.4.8c)$$

記号　M_{bu}, M'_{bu}：保証設計点における柱梁接合部の左右の梁の危険断面における曲げモーメント

　　　　V_c, V'_c：上下の柱のせん断力

　　　　N_b, N'_b：左右の梁の軸力

　　　　　b_j：柱梁接合部の有効幅

　　　　D_{jc}：柱梁接合部の有効せい（水平方向）

　　　　D_{jb}：柱梁接合部の有効せい（鉛直方向）

　　　　　j_b：梁の応力中心間距離

　　β_1, β_3：コンクリートのストレスブロックの形状を表す係数

　　　　　σ_B：コンクリートの圧縮強度

　　　　　ε_y：梁主筋の降伏点のひずみ度

　　　　　ε_u：コンクリートの圧縮の終局ひずみ度（普通強度コンクリートでは0.3％とする）

　　　　　ξ_R：柱梁接合部のアスペクト比による釣合破壊の強度の補正係数

　　$\xi_R=2(\xi+1/\xi)^{-1}$

　　　　　ξ：柱梁接合部の有効アスペクト比（$=D_{jb}/D_{jc}$）

（3）　柱梁接合部内の通し主筋の付着

　通し主筋の付着応力度が過大となると，主筋の抜け出し変形が生じて架構の水平剛性が低下する．これを防止するために，以下に示す保有耐力規準の20条第4項に示された規定を満足することを確認する．

$$\frac{d_b}{D} \leqq \frac{3.5}{1+\gamma}\left(1+\frac{\sigma_0}{\sigma_B}\right)\frac{\sigma_B^{2/3}}{\sigma_{yu}} \qquad (\text{解 }9.4.4.9)$$

記号　d_b：主筋の呼び径

　　　γ：複筋比で1以下

　　　D：梁主筋の付着の際には柱せい，柱主筋の付着の検討の際には梁せい（mm）

　　　σ_0：柱の圧縮軸応力度（柱主筋の付着強度の場合は0とする）（N/mm²）

　　　σ_B：コンクリートの圧縮強度（N/mm²）

　　　σ_y：通し主筋の上限強度（N/mm²）

― 194 ―　　鉄筋コンクリート造建物の等価線形化法に基づく耐震性能評価型設計指針　解説

（4）　柱梁接合部内の梁主筋の折曲げ定着

　柱梁接合部内に定着された主筋の定着部の破壊により，主筋の降伏前に柱梁接合部が伝達できるモーメントの低下が生じることを防ぐため，定着強度の確認を行う．ここでは，危険断面における引張主筋の応力度が，以下に示す保有耐力規準の20条第5項に示された折曲げ定着強度を満足することを確認する．

$$f_u = 210 k_c\, k_j\, k_d\, k_s\, \sigma_B{}^{0.4} \qquad\qquad\qquad\qquad\text{（解 9.4.4.10）}$$

　ただし，

$$k_c = 0.4 + \frac{0.1 C_0}{d_b} \quad (\leqq 1.0)$$

$$k_j = 0.6 + \frac{0.4 l_{dh}}{j} \quad (\leqq 1.0)$$

$$k_d = 0.5 + \frac{l_{dh}}{30 d_b} \quad (\leqq 1.0)$$

$$k_s = 0.4 + \frac{0.1 d_s{}^2}{d_b{}^2} \quad (\leqq 1.0)$$

　記号　d_b：定着鉄筋の呼び径

　　　　σ_B：コンクリートの圧縮強度

　　　　C_0：定着鉄筋心までの側面かぶり厚さ

　　　　l_{dh}：投影定着長さ

　　　　j：梁危険断面の応力中心間距離

　　　　d_s：定着部に配されている横補強筋径

（5）　構造規定

　柱梁接合部の接合部横補強筋は，RC 規準[9.4.4.15)]と同様に呼び名が D10 以上の異形鉄筋を用いることとし，最小補強筋比は，保有耐力規準と同様に 0.3 ％とした．また，柱せいに対する梁せいの比（アスペクト比）が一般的な実験の範囲を超える 0.5 以下あるいは 2.0 以上の場合は，適用範囲外とした．

　a）　柱梁接合部の帯筋比

　柱梁接合部においては，大地震時にひび割れを防ぐことはほぼ不可能である．したがって，柱梁接合部に横補強筋を配置して，2 方向地震力によってひび割れが生じた柱梁接合部のコアコンクリートを保持して落下を防止し，柱主筋の座屈を防止し，直交梁主筋の接合部内への折曲げ定着の抜け出しを防止して，架構の鉛直力伝達機構の安定性を確保するとともに，柱の鉛直軸力を安全に支持できるようにしている．特に外周面に面する柱梁接合部では，かぶりコンクリートが容易に落下して，柱梁接合部のコアコンクリートの落下が起こりやすいため，柱梁接合部の横補強筋の必要性はより高い．そのため，解説図 9.4.4.7 に示すように，柱梁接合部の横補強筋比は，以下の場合を除いて，柱梁接合部に接続する上下の柱に配筋される帯筋比と同等以上とすることとしている．ただし，柱梁接合部の 4 面が梁端部で覆われている場合には，この限りではない．これは，たとえ大きな変形が生じてもコアコンクリートが保持されるとしたものだが，横補強筋

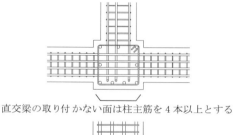
直交梁の取り付かない面は柱主筋を4本以上とする

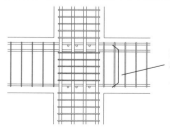
梁の1段目上端筋と1段目下端筋の間に配された
横補強筋を用いて計算したこの区間の横補強筋比が
上下の柱の帯筋比を下回らないようにする

解説図 9.4.4.7　柱梁接合部の配筋

の間隔を1.5倍まで，帯筋比は隣接する柱の1/2までを限度とする．これは，柱の鉛直軸力を安全に支持するために定められた米国のACI規準[9.4.4.16]の内部柱梁接合部の横補強筋の構造規定を採用したものである．

　b）　柱中段筋

　柱梁接合部における拘束筋によるコアコンクリート拘束の重要性は前述のとおりであるが，柱梁接合部内のコンクリートの圧縮力の向きはおおむね接合部パネルの対角線方向であり，水平方向の接合部横補強筋だけでは，十分な拘束効果を得ることは難しい．そこで，解説図9.4.4.7に示すように，梁が接続していない面については必ず柱主筋を4本以上配筋することとし，中段筋による縦方向の拘束効果を確保することとした．

　c）　柱梁接合部内への主筋の定着

　保有耐力規準にならったものである．既往のト形やL形の柱梁接合部の実験によれば，投影定着長さが長いほど接合部降伏による強度は上昇し，梁曲げ降伏型の良好な復元力特性が得られていることから，定着端は柱梁接合部のコア内に収め，かつその範囲で投影定着長さをできるだけ大きくすることとされている．

(6)　その他の留意事項

　一般的に，柱に袖壁が取り付いて梁の上下に連続している場合や，梁に腰壁が取り付いて柱の左右に連続している場合には，主筋の降伏位置が壁端に移動し，壁端にヒンジが形成されるため接合部降伏は生じず，本項(1)で求めている接合部降伏破壊の防止に関する保証設計は必要ない．ただし，梁と袖壁の間や柱と腰壁の間に構造スリットが設けられている場合には接合部降伏破壊を抑止する効果がないので，注意が必要である．

　また，例えば上階の梁が耐震壁により拘束されたピロティ階の柱の柱頭接合部のように，梁の上面だけが壁に接続する場合には，柱梁接合部近傍の斜めひび割れの拡大による破壊が生じ，剛性，強度とも低下することが指摘されており[9.4.4.17]，これらの研究を考慮した適切な形状・寸法

— 196 —　鉄筋コンクリート造建物の等価線形化法に基づく耐震性能評価型設計指針　解説

および配筋詳細とすることが必要である.

参 考 文 献

9.4.4.1)　日本建築学会:鉄筋コンクリート造建物の靱性保証型耐震設計指針(案)・同解説, 1997

9.4.4.2)　楠原文雄, 塩原　等, 田崎　渉, 朴　星勇:柱と梁の曲げ強度の比が小さい鉄筋コンクリート造十字形柱梁接合部の耐震性能, 日本建築学会構造系論文集, Vol. 75, No. 656, pp. 1873-1882, 2010.10

9.4.4.3)　楠原文雄, 塩原　等:柱と梁の曲げ強度の比が小さい鉄筋コンクリート造ト形柱梁接合部の耐震性能, 日本建築学会構造系論文集, Vol. 78, No. 693, pp. 1939-1948, 2013.11

9.4.4.4)　塩原　等:鉄筋コンクリート柱梁接合部:見逃された破壊機構, 日本建築学会構造系論文集, Vol. 73, No. 631, pp. 1641-1648, 2008.9

9.4.4.5)　塩原　等:鉄筋コンクリート柱梁接合部:終局強度と部材端力の相互作用, 日本建築学会構造系論文集, Vol. 74, No. 635, pp. 121-128, 2009.1

9.4.4.6)　塩原　等:鉄筋コンクリート柱梁接合部:梁曲げ降伏型接合部の耐震設計, 日本建築学会構造系論文集, Vol. 74, No. 640, pp. 1145-1154, 2009.6

9.4.4.7)　楠原文雄, 焦　博文, 塩原　等, 田尻清太郎, 壁谷澤寿一, 福山　洋:鉄筋コンクリート造L形柱梁接合部の耐震性能に及ぼす柱梁曲げ強度比の影響に関する実験, 日本建築学会大会学術講演梗概集, 構造IV, pp. 485-486, 2012.9

9.4.4.8)　楠原文雄, 金　秀禧, 塩原　等:接合部降伏する鉄筋コンクリート造骨組の地震応答解析, 日本建築学会構造系論文集, Vol. 78, No. 686, pp. 847-855, 2013.4

9.4.4.9)　塩原　等, 小林楓子, 佐藤友佳, 楠原文雄:鉄筋コンクリート造多層平面骨組の地震応答と柱梁接合部の耐震設計, 日本建築学会構造系論文集, Vol. 82, No. 739, pp. 1437-1447, 2017.9

9.4.4.10)　日本建築学会:鉄筋コンクリート構造保有水平耐力計算規準・同解説, 2021

9.4.4.11)　楠原文雄, 塩原　等:鉄筋コンクリート造十字形柱梁接合部の終局モーメント算定法, 日本建築学会構造系論文集, Vol. 75, No. 657, pp. 2027-2035, 2010.11

9.4.4.12)　楠原文雄, 塩原　等:鉄筋コンクリート造ト形柱梁接合部の終局モーメント算定法, 日本建築学会構造系論文集, Vol. 78, No. 693, pp. 1949-1958, 2013.11

9.4.4.13)　楠原文雄, 塩原　等:鉄筋コンクリート造十字形部分架構の主筋降伏時の変形算定法, 日本建築学会大会学術講演梗概集, 構造IV, pp. 423-424, 2016.8

9.4.4.14)　楠原文雄, 朴　星勇, 塩原　等:鉄筋コンクリート造十字形柱梁接合部部分架構の履歴エネルギー吸収能に関する検討, コンクリート工学年次論文集, Vol. 34, No. 2, pp. 271-276, 2012.7

9.4.4.15)　日本建築学会:鉄筋コンクリート構造計算規準・同解説, 2010

9.4.4.16)　ACI Committee 318 : Building Code Requirements for Structural Concrete (ACI318-14) and Commentary. American Concrete Institute, American Concrete Institute, 2014

9.4.4.17)　Takahashi, S., Halim, S., Ichinose, T., Kotani, G., Teshigawara, M., Kamiya, T. and Fukuyama, H. : Strength of Beam-column Joint in Soft First Story RC Buildings, Part 1 & 2, Journal of Advanced Concrete Technology, Vol. 12, pp. 138-157, 2014.5

9.5　架構の保証設計

> 建物の地震応答評価において想定された架構の崩壊機構が確実に形成されることを保証するため, 9.4節の部材および柱梁曲げ強度比の保証設計に加えて, 梁曲げ降伏型崩壊層や非崩壊層については, 保証設計点での層せん断力に対して, 部材および柱梁接合部の終局曲げモーメントに基づいて算定される層崩壊耐力が十分に大きいことを確認する.

本指針では, 架構に設計の過程で想定された層以外で予期せぬ層崩壊が発生することを防止す

る目的で，梁曲げ降伏型崩壊層や非崩壊層の層崩壊に対して一定の余裕度を確保するため，層せん断力余裕率 f_i を指標とする保証設計を行う[9.5.1]．層せん断力余裕率は，次式により定義される．

$$f_i = \frac{\Delta Q_i}{Q_{ui}} = \frac{Q_{si} - Q_{ui}}{Q_{ui}} \qquad\qquad (\text{解 } 9.5.1)$$

すなわち，建物が全体として崩壊機構を形成するときの各層の層せん断力 Q_{ui} を，各層で層崩壊すると仮定した場合の層せん断力 Q_{si} から差し引いた差分 ΔQ_i の Q_{ui} に対する割合に相当する．文献 9.5.1) によると，各階の f_i が 0.3 を超える場合に層崩壊が生じなかったとする解析的な検討結果が報告されている．

市之瀬ら[9.5.2]によると，上記の層せん断力余裕率と予期しない層崩壊の発生の相関は，入力地震動の強さや建物高さにより影響を受けることが指摘されている．本検討で行われた解析結果によると，層せん断力余裕率が 0.3 を満たす場合にも層崩壊に至る場合があること，必要層せん断力余裕率を下式により定義した場合に層崩壊を防止できることが示されている．

$$f_i > \omega_\nu - 1 \qquad\qquad (\text{解 } 9.5.2)$$

ただし，$\omega_\nu = 1.3 + n/30 \leqq 1.8$

ここで，ω_ν：Paulay and Priestley による動的層せん断力増幅係数[9.5.3]，n：層数である．

参 考 文 献

9.5.1)　日本建築防災協会：2001 年改訂版既存鉄筋コンクリート造建築物の耐震診断基準・同解説，2001.10

9.5.2)　Thuat V. Dinh and Toshikatsu Ichinose：Criterion for Preventing Formation of Story Mechanism in Vertically Irregular Wall Buildings, Journal of Advanced Concrete Technology, Vol. 2, No. 3, pp. 1-10, 2001.10

9.5.3)　T. Paulay and M.J.N. Priestley：Seismic Design of Reinforced Concrete and Masonry Buildings, John Wiley & Sons, Inc., 1992

付　　　録

付1. 設計例

1. 一般事項

1.1 建物概要

本建物は，センターコアを有する地上12階建の事務所ビルである．

建物概要を付表1.1.1に示す．

付表1.1.1 建物概要

構造種別	鉄筋コンクリート造	階数	地上12階，地下0階
基準スパン	X方向：6.0 m Y方向：9.0 m, 6.0 m	階高	1階：5.0 m，基準階：4.0 m
		軒高さ	GL + 49.1 m

1.2 構造計画

建設地は，多雪地域ではない一般地域とし，地盤は第2種地盤とする．

平面形は，X方向は6.0 m×6スパン，Y方向は9.0 m, 6.0 m, 9.0 mの3スパンで，36.0 m×24.0 mの長方形である．階高は，1階5.0 m，2階以上4.0 mで，軒高49.1 mである．床伏図を付図1.1.1に，軸組図を付図1.1.2〜1.1.5に示す．

構造形式は鉄筋コンクリート造とし，X方向は純ラーメン構造，Y方向は耐震壁付ラーメン構造とする．

耐震壁は連層耐震壁として対称に配置し，偏心を生じさせない計画とする．

基礎は杭基礎とし，強固な地盤に支持させるものとする．なお，本設計例ではその検討を省略する．

代表的な柱リストを付図1.1.6に，大梁リストを付図1.1.7に，耐震壁リストを付表1.1.2に示す．

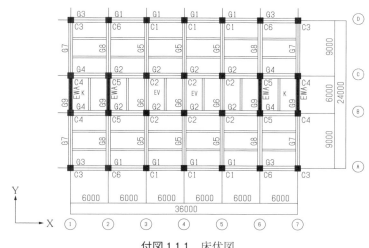

付図1.1.1 床伏図

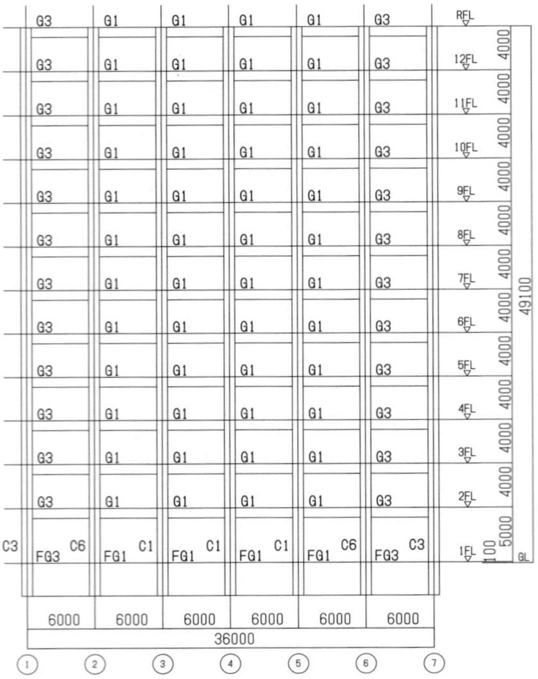

—200— 付　録

付図 1.1.2　A通り軸組図

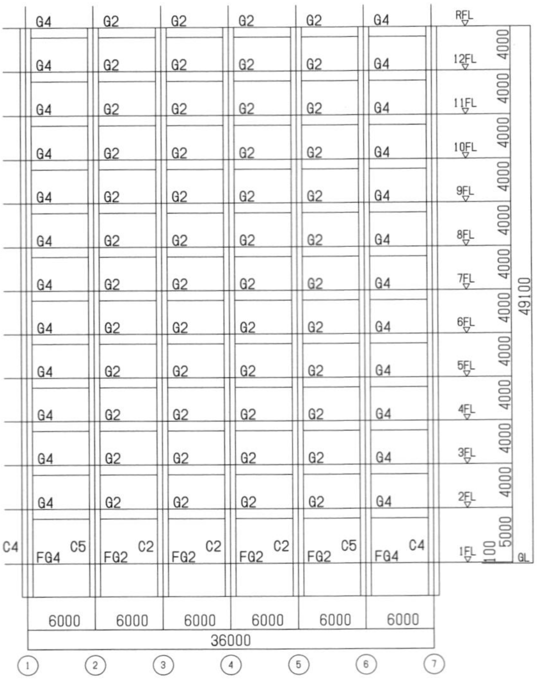

付図 1.1.3　B通り軸組図

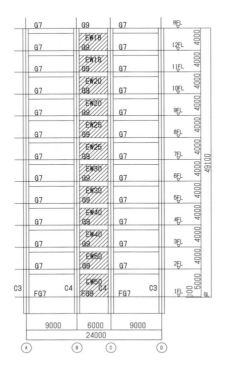

付図 1.1.4　1通り軸組図

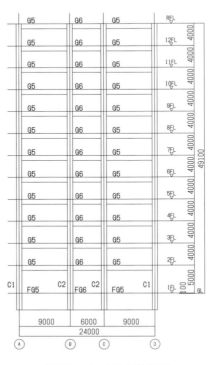

付図 1.1.5　4通り軸組図

付1. 設 計 例 －201－

柱断面表				
符号	C1	C2	C3	C4
11~12階	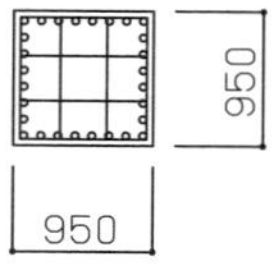 950×950	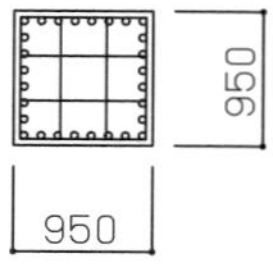 950×950	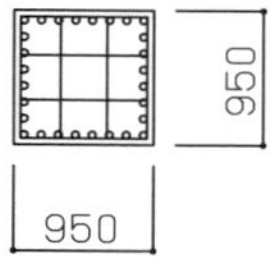 950×950	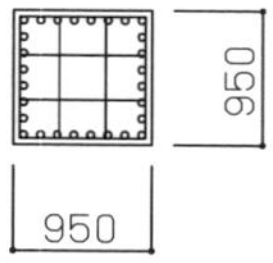 950×950
主筋	28 - D32	28 - D35	28 - D29	28 - D29
帯筋	⊞-D13 @100	⊞-D13 @100	⊞-D13 @100	⊞-D13 @100
9~10階	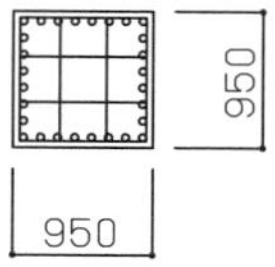 950×950	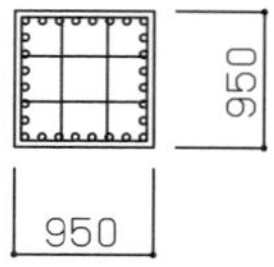 950×950	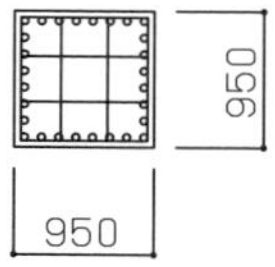 950×950	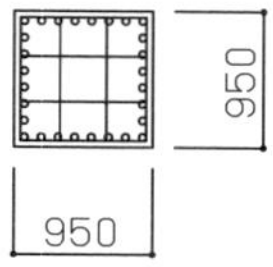 950×950
主筋	28 - D32	28 - D35	28 - D29	28 - D29
帯筋	⊞-D13 @100	⊞-D13 @100	⊞-D13 @100	⊞-D13 @100
7~8階	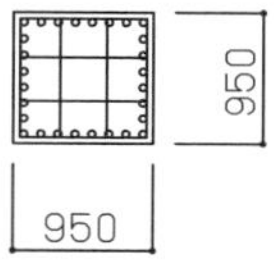 950×950	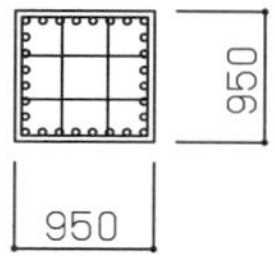 950×950	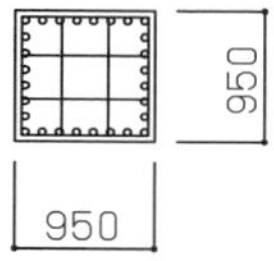 950×950	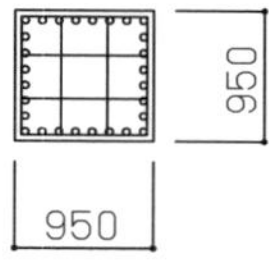 950×950
主筋	28 - D35	28 - D35	28 - D32	28 - D29
帯筋	⊞-D13 @100	⊞-D13 @100	⊞-D13 @100	⊞-D13 @100
5~6階	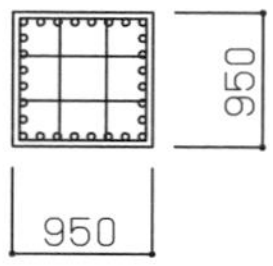 950×950	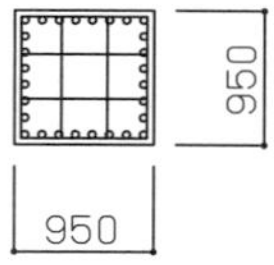 950×950	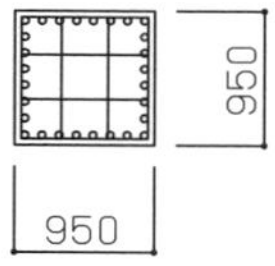 950×950	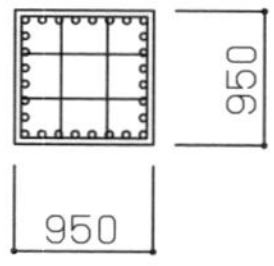 950×950
主筋	28 - D35	28 - D35	28 - D32	28 - D32
帯筋	⊞-S13 @100	⊞-S13 @100	⊞-S13 @100	⊞-S13 @100
3~4階	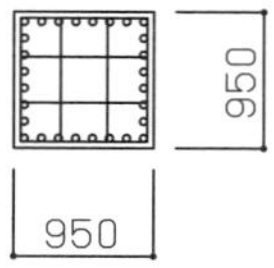 950×950	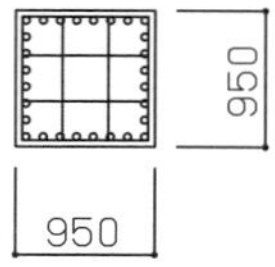 950×950	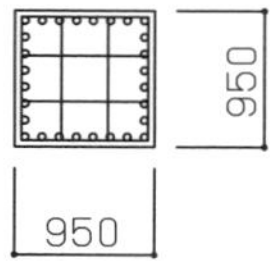 950×950	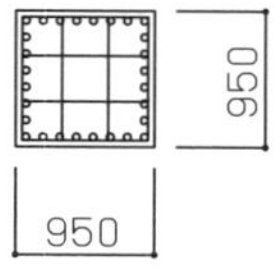 950×950
主筋	28 - D35	28 - D35	28 - D35	28 - D35
帯筋	⊞-S13 @100	⊞-S13 @100	⊞-S13 @100	⊞-S13 @100
1階	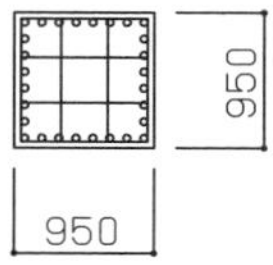 950×950	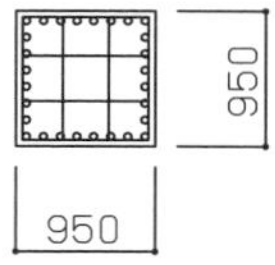 950×950	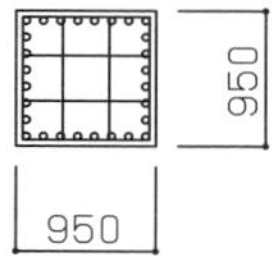 950×950	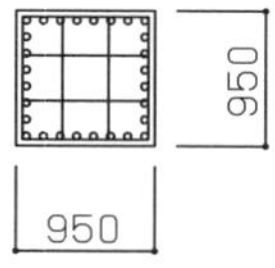 950×950
主筋	28 - D35	28 - D35	28 - D38	28 - D35
帯筋	⊞-S13 @75	⊞-S13 @75	⊞-S13 @75	⊞-S13 @75

付図 1.1.6 柱リスト

大梁断面表

符号	G1	G2	G5	G6
位置	全断面	全断面	全断面	全断面
R 階	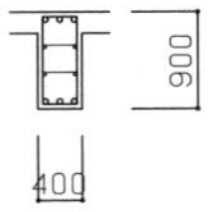 900 / 400	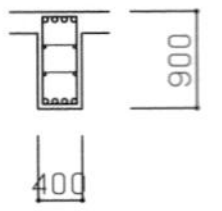 900 / 400	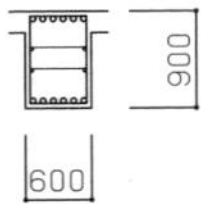 900 / 600	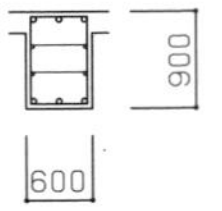 900 / 600
上端筋	3 - D25	4 - D25	6 - D29	3 - D29
下端筋	3 - D25	4 - D25	6 - D29	4 - D35
あばら筋	D13 @200	D13 @200	D13 @200	D13 @200
位置	全断面	全断面	全断面	全断面
12 階	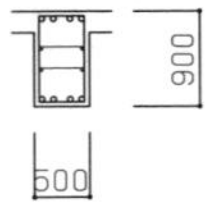 900 / 500	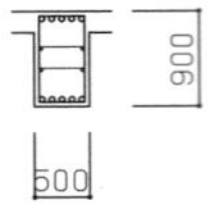 900 / 500	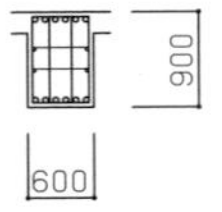 900 / 600	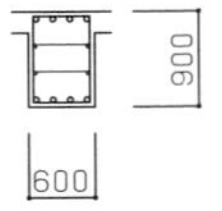 900 / 600
上端筋	4 - D25	5 - D25	6 - D32	4 - D32
下端筋	4 - D25	5 - D25	6 - D32	4 - D32
あばら筋	D13 @200	D13 @200	⊞-D13 @200	D13 @200
位置	全断面	全断面	全断面	全断面
10〜11 階	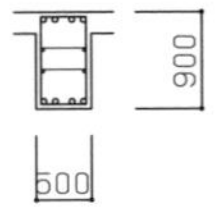 900 / 500	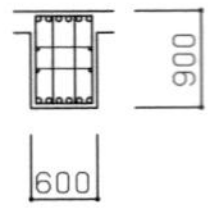 900 / 600	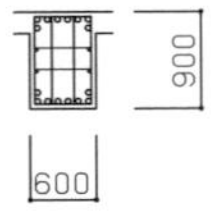 900 / 600	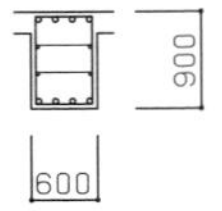 900 / 600
上端筋	4 - D29	6 - D29	8 - D32	4 - D32
下端筋	4 - D29	6 - D29	8 - D32	4 - D32
あばら筋	D13 @200	⊞-D13 @200	⊞-S13 @200	D13 @200
位置	全断面	全断面	全断面	全断面
8〜9 階	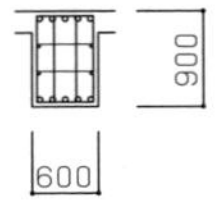 900 / 600	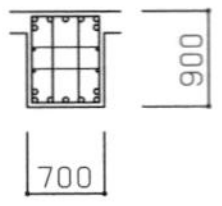 900 / 700	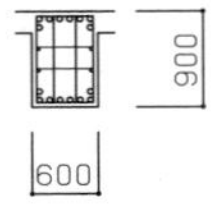 900 / 600	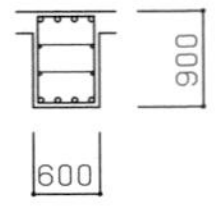 900 / 600
上端筋	5 - D32	7 - D32	8 - D35	4 - D35
下端筋	5 - D32	7 - D32	8 - D35	4 - D35
あばら筋	⊞-D13 @200	⊞-S13 @200	⊞-S13 @200	⊞-D13 @200
位置	全断面	全断面	全断面	全断面
6〜7 階	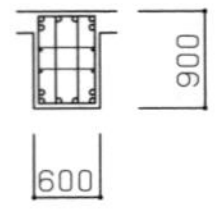 900 / 600	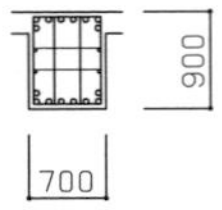 900 / 700	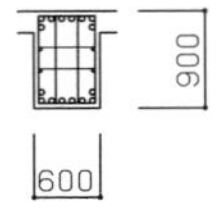 900 / 600	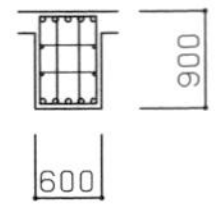 900 / 600
上端筋	6 - D32	8 - D32	8 - D35	5 - D35
下端筋	6 - D32	8 - D32	8 - D35	5 - D35
あばら筋	⊞-S13 @200	⊞-S13 @200	⊞-S13 @200	⊞-D13 @200
位置	全断面	全断面	全断面	全断面
4〜5 階	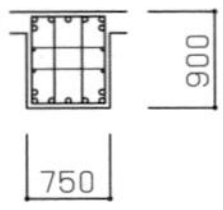 900 / 750	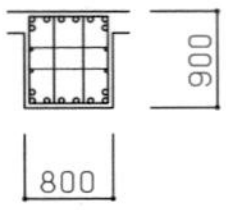 900 / 800	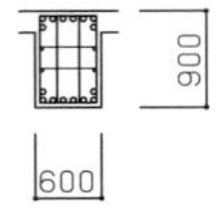 900 / 600	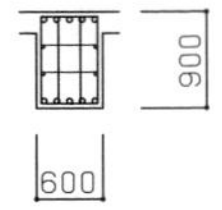 900 / 600
上端筋	7 - D35	8 - D35	8 - D35	5 - D35
下端筋	7 - D35	8 - D35	8 - D35	5 - D35
あばら筋	⊞-S13 @200	⊞-S13 @200	⊞-S13 @200	⊞-D13 @200
位置	全断面	全断面	全断面	全断面
2〜3 階	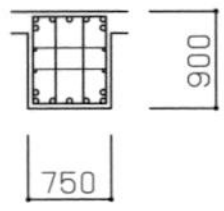 900 / 750	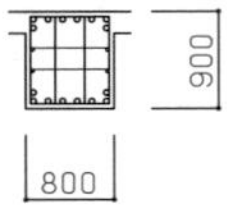 900 / 800	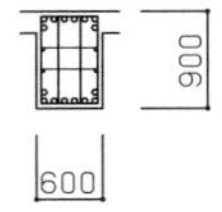 900 / 600	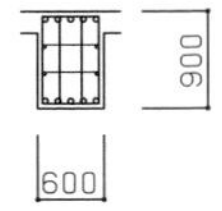 900 / 600
上端筋	7 - D35	8 - D35	8 - D35	5 - D35
下端筋	7 - D35	8 - D35	8 - D35	5 - D35
あばら筋	⊞-S13 @200	⊞-S13 @200	⊞-S13 @200	⊞-D13 @200

付図 1.1.7　大梁リスト

付表 1.1.2 耐震壁リスト

符 号	壁厚 (mm)	配 筋 縦筋	配 筋 横筋
EW18	180	D10, D13@200 ダブル	D10, D13@200 ダブル
EW20	200	D13@200 ダブル	D13@200 ダブル
EW25	250	D13, D16@200 ダブル	D13, D16@200 ダブル
EW30	300	D16@200 ダブル	D16@200 ダブル
EW40	400	D19@200 ダブル	D19@200 ダブル
EW50	500	D25@200 ダブル	D25@200 ダブル

1.3 構造計算方針

計算は，本指針および建築基準法・同施行令・関連告示に従って行う．

本計算書には，固定荷重，積載荷重，地震荷重に対する計算を示す．地震に対しては，稀に発生する地震動に対する耐損傷性評価および極めて稀に発生する地震動に対する安全性評価を行う．なお，積雪荷重，風荷重は断面を決定する荷重でないことを確認している．

構造計算のフローを付図 1.1.8 に示す．

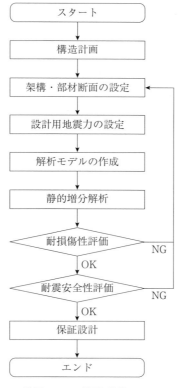

付図 1.1.8 構造計算フロー

(解析，モデル化方針)

応力解析は，常時荷重（固定荷重，積載荷重）に対しては立体線形解析，地震荷重に対しては耐損傷性の確認，安全性の確認ともにひび割れおよび降伏による部材の剛性低下を考慮した立体静的非線形荷重増分解析とした．

部材の弾性剛性は，コンクリート断面から算定し，鉄筋の影響は考慮しない．

梁の曲げ剛性のスラブによる剛性増大率は，片側スラブ付：1.5，両側スラブ付：2.0 とした．

柱および梁は，軸方向変形（鉛直荷重時には無視），曲げ変形，せん断変形を考慮した線材にモデル化し，材端には軸力と曲げの相関を考慮できるマルチスプリングモデル（以下，MS モデルという），材中央には2軸せん断の相関を考慮できるマルチシェアースプリングモデル（以下，MSS モデルという）とした．

耐震壁は，付図 1.1.9 に示すように，付帯柱部と壁柱部に分離し，壁柱の脚部はマルチスプリングモデルとし，付帯柱は両端ピンとして，軸剛性のみを考慮した．せん断性状は，弾塑性せん断ばねモデルとした．

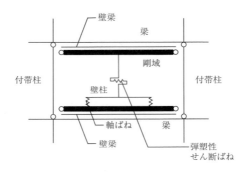

付図 1.1.9　耐震壁モデル図

各階床は，剛床仮定とした．

1階の解析用階高は，基礎梁断面の梁せいの中心と2階大梁断面の梁せいの中心の距離となるように補正した．

基礎の支持条件は，ピン支持とした．

柱・梁の端部には剛域を設け，剛域端はフェイス位置から部材せいの 1/4 だけ入り込んだ位置とした．

柱・大梁の主筋および耐震壁の縦筋の降伏強度は，解説表 3.4 の平均強度算定用強度とした．

大梁断面強度へのスラブ筋の考慮は，耐損傷性の確認の解析では見込まないものとし，安全性の確認の解析では考慮した．耐損傷性の確認と安全性の確認で，それぞれ静的非線形荷重増分解析を行った．本来，上限強度を用いた静的非線形荷重増分解析も必要になるが，直接解析は行わず，安全性確認用の静的非線形荷重増分解析結果等から上限強度の影響を推定することとした．

(耐損傷性の確認)

静的非線形荷重増分解析結果から得られる性能曲線と損傷限界要求曲線から損傷限界時応答点

を算定し，この点に対する各架構の応力を耐損傷性応力とした．

　耐損傷性応力を用いて RC 規準に準拠し，断面検討を行った．

（安全性の確認）

　静的非線形荷重増分解析結果から得られる性能曲線と安全限界要求曲線（塑性化による付加減衰を考慮）から安全限界時応答点を算定した．この点に対する各架構の応力を安全限界時応答点応力とした．

　安全限界時応答点までの代表変位—代表加速度によるエネルギーの 1.5 倍となる性能曲線上の点を保証設計点①とした．この保証設計点①に対する各架構の応力・変形を保証設計①応力・変形とした．上限強度による静的非線形荷重増分解析の代わりに，材料の強度上昇分の余裕度および高次モードの影響を考慮して応力割増をした保証設計点②を設定した．

　大梁の保証設計は，以下の点を確認した．

・保証設計①応力に対して，部材のせん断強度が 1.1 倍以上あること．

・保証設計①変形に対して，部材の変形能があること．

　柱の保証設計は，以下の点を確認した．

・せん断強度が保証設計①せん断力の 1.25 倍，かつ安全限界時応答点応力に高次モードによる応力割増をした応力（保証設計②）以上であること．

・ヒンジを許容しない柱の曲げ強度は，安全限界時応答点応力に高次モードによる応力割増をした応力（保証設計②）以上であること，

・斜め方向入力の検討を省略するため，柱梁強度比で 1.5 倍以上，X・Y 方向の安全限界時応答点柱軸力の和が柱軸強度の 0.55 倍以下であること．

　柱梁接合部の保証設計は，以下の点を確認した．

・保証設計①応力に対して接合部圧縮型破壊および接合部降伏破壊が生じないこと．

　耐震壁の保証設計は，以下の点を確認した．

・せん断強度が保証設計①せん断力の 1.25 倍，かつ安全限界時応答点応力に高次モードによる応力割増をした応力（保証設計②）以上であること．

1.4 使用材料

コンクリート使用材料を付表 1.1.3 に，鉄筋使用材料を付表 1.1.4 に示す．

付表 1.1.3　コンクリート使用材料

設計基準強度 F_c (N/mm^2)	単位体積重量 (kN/m^3)	ヤング係数 （×10^4） (N/mm^2)	使用範囲
36	23	2.59	R 階床梁〜5 階柱
39	23.5	2.78	5 階床梁〜3 階柱
42	23.5	2.85	3 階床梁〜1 階床梁

付表 1.1.4　鉄筋使用材料

鉄筋種別	鉄筋の呼び名	信頼強度 (N/mm^2)	ヤング係数 $(\times 10^5)$ (N/mm^2)	使用範囲
SD295	D10〜D16	295		柱・梁せん断補強筋，壁筋
SD345	D19〜D25	345	2.05	柱・梁主筋
SD390	D29〜D38	390		柱・梁主筋
USD785	S13	785		柱・梁せん断補強筋

2. 荷　　重

2.1　固定荷重・積載荷重

固定荷重・積載荷重を付表 1.2.1 に示す．

付表 1.2.1　固定荷重・積載荷重（単位　N/m^2）

	屋　根			事務室		
	床　用	架構用	地震用	床　用	架構用	地震用
D. L.	6 600	6 600	6 600	4 200	4 200	4 200
L. L.	900	650	300	2 900	1 800	800
T. L.	7 500	7 250	6 900	9 100	6 000	5 000

2.2　地震荷重

建物の耐損傷性評価および安全性評価に用いる加速度応答スペクトル S_a は，地域係数 Z に基づいて解放工学的基盤上の加速度応答スペクトル S_0 を定め，さらに建設地での表層地盤による加速度の増幅率 G_s を考慮した地表面上（一般に建物の基礎底位置）の加速度応答スペクトル S_a として，次式により算定した．

$$S_a = S_0 \times Z \times G_s \times p \times q \tag{付 1.2.1}$$

ここで，S_a：加速度応答スペクトル

　　　　S_0：解放工学的基盤上の加速度応答スペクトル

　　　　Z：地域係数

　　　　G_s：表層地盤による加速度の増幅率

　　　　p：有効質量比による設計用地震力の低減係数

　　　　q：有効質量比の下限値を与える係数である．

稀に発生する地震動および極めて稀に発生する地震動の解放工学的基盤上の加速度応答スペクトル S_0 は，付表 1.2.2 とした．

地域係数 Z は，1.0 とした.

表層地盤による加速度の増幅率 G_s は，第 2 種地盤であることを考慮して付表 1.2.3 とした.

有効質量比による設計用地震力の低減係数 p は 1.0 とした. 有効質量比の下限値を与える係数 q は付表 1.2.4 とした.

付図 1.2.1 は，$Z=1.0$，第 2 種地盤の G_s，$p=1.0$，$q=1.0$ とした場合の加速度応答 S_a と変位応答 S_d（$=S_a/\omega^2$）の関係を示したものである.

外力分布は，本建物が平面的にも立面的にも整形なので，弾性一次固有モード比例分布とした. なお，弾性と等価剛性による一次固有モードがほとんど変わらないことは確認している.

地震用重量および弾性刺激関数 $\beta \cdot u$ を付表 1.2.5 に示す.

付表 1.2.2　解放工学的基盤上の加速度応答スペクトル S_0（解説表 4.2.1 再掲）

建物の固有周期	加速度応答スペクトル（m/s²）	
	稀に発生する地震動	極めて稀に発生する地震動
$T<0.16$	$0.64+6T$	$3.2+30T$
$0.16 \leq T<0.64$	1.6	8
$0.64 \leq T$	$1.024/T$	$5.12/T$

付表 1.2.3　表層地盤による加速度の増幅特性（解説表 4.3.1 の抜粋）

地盤種別	建物の固有周期 T（s）	増幅率 G_s
第 2 種地盤	$T<0.64$	1.5
	$0.64 \leq T<T_u$	$1.5T/0.64$
	$T_u \leq T$	g_v

［注］$T_u=0.64 \, g_v/1.5$（s），$g_v=2.025$（第 2 種地盤）

付表 1.2.4　有効質量比の下限値を与える係数 q

有効質量比 $\dfrac{m_u}{\sum m_i}$	q
0.75 未満	$0.75\dfrac{\sum m_i}{m_u}$
0.75 以上	1.0

［注］m_u は建物の有効質量，m_i は i 階の質量.

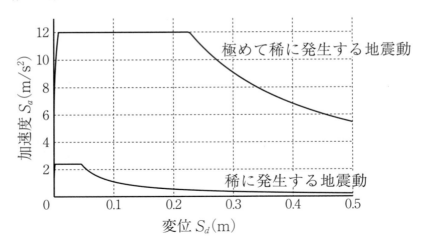

付図 1.2.1 加速度 S_a—変位 S_d ($Z=1.0$, 第 2 種地盤, $p=1.0$, $q=1.0$)（解説図 4.2.2 再掲）

付表 1.2.5 地震用重量および刺激関数 $\beta \cdot u$

階	階高 (m)	層重量 W_i (kN)	X 方向 一次	X 方向 二次	X 方向 三次	Y 方向 一次	Y 方向 二次	Y 方向 三次
12	4.000	14 716	1.338	−0.506	0.258	1.395	−0.590	0.302
11	4.000	10 633	1.280	−0.363	0.080	1.296	−0.378	0.071
10	4.000	10 750	1.209	−0.200	−0.092	1.186	−0.144	−0.158
9	4.000	10 769	1.123	−0.019	−0.220	1.067	0.087	−0.303
8	4.000	11 022	1.023	0.154	−0.267	0.938	0.291	−0.323
7	4.000	11 070	0.913	0.298	−0.219	0.803	0.439	−0.221
6	4.000	11 097	0.792	0.402	−0.097	0.664	0.524	−0.039
5	4.000	11 145	0.662	0.456	0.055	0.526	0.540	0.146
4	4.000	11 715	0.531	0.455	0.183	0.392	0.491	0.283
3	4.000	11 845	0.405	0.402	0.245	0.272	0.399	0.324
2	4.000	11 899	0.277	0.305	0.233	0.165	0.275	0.279
1	5.000	12 431	0.149	0.175	0.150	0.079	0.151	0.178
固有周期（秒）			0.815	0.284	0.166	0.763	0.226	0.115
有効質量比			0.806	0.121	0.037	0.731	0.160	0.058

3. 鉛直荷重時応力図

付図 1.3.1〜1.3.4 に代表架構の鉛直荷重時応力図を示す.

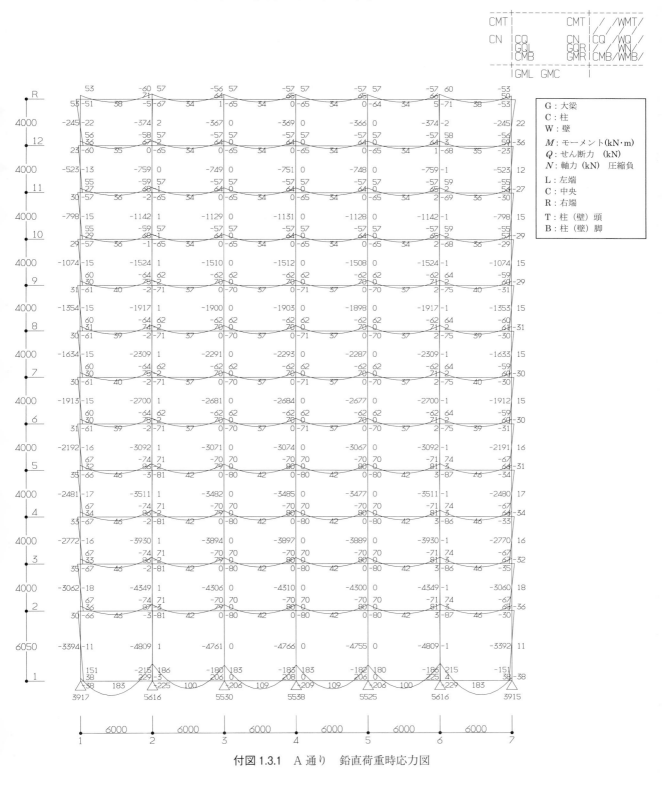

付図 1.3.1　A 通り　鉛直荷重時応力図

— 210 — 付　　録

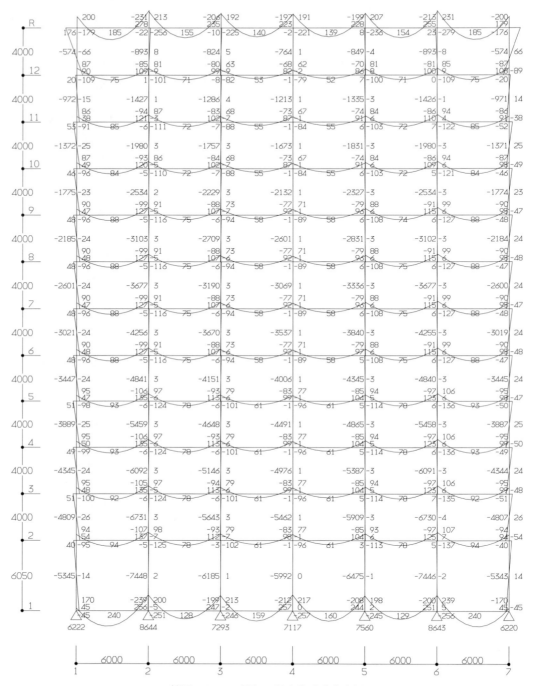

付図 1.3.2　B 通り　鉛直荷重時応力図

付 1. 設 計 例 — 211 —

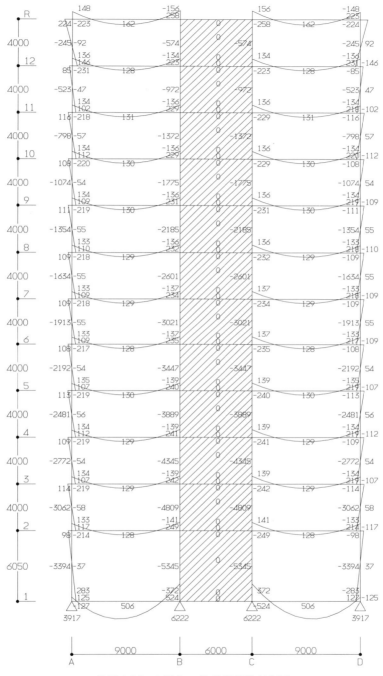

付図 1.3.3　1 通り　鉛直荷重時応力図

— 212 —　付　　録

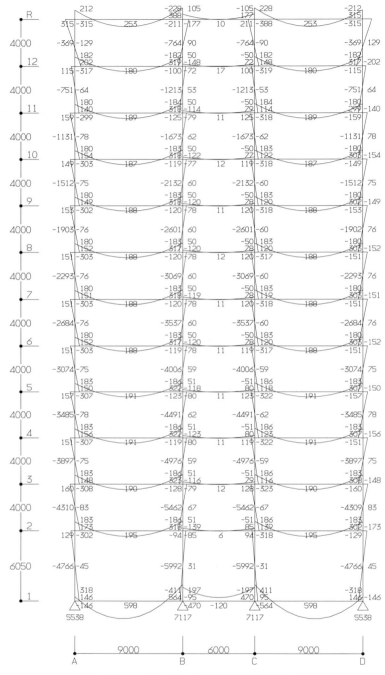

付図 1.3.4　4 通り　鉛直荷重時応力図

4. 耐損傷性の検討
4.1 損傷限界時応答点

静的非線形荷重増分解析結果から得られる性能曲線と損傷限界要求曲線より，損傷限界時応答点を算定した．具体的には，各ステップごとの各階荷重と各階変位より代表加速度 $_1S_a$ と代表変位 $_1S_d$ を算定し，この値がこの代表加速度 $_1S_a$ と代表変位 $_1S_d$ から求まる周期 T に対する要求曲線の点より大きくなった最初の点を応答点とした．

静的非線形荷重増分解析による各階の層せん断力―層間変形関係，損傷限界時応答点の計算過程，性能曲線と損傷限界要求曲線を重ね合わせた図，および損傷限界時応答点の層せん断力・層間変形の表を以下に示す．

（1） X方向

付図1.4.1 に静的非線形荷重増分解析による各階の層せん断力―層間変形の関係を示す．

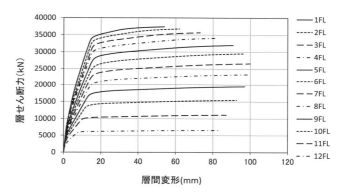

付図 1.4.1 層せん断力―層間変形（耐損傷性検討用，X方向）

静的非線形荷重増分解析の各ステップごとに各階の質量，荷重，層間変形を用いて代表加速度，代表変位を求める．あるステップでの代表加速度，代表変位の計算過程を付表1.4.1 に示す．

付　　録

付表 1.4.1　代表加速度 $_1S_a$—代表変位 $_1S_d$ の計算（耐損傷性検討用，X 方向）

	m_i (ton)	$_1\delta_i$ (m)	$_1P_i$ (kN)	$m_i \cdot {_1\delta_i}$	$m_i \cdot {_1\delta_i}^2$	$_1P_i \cdot {_1\delta_i}$
RF	1 501.6	0.08174	3 544.1	122.89	10.0573	290.05
12FL	1 085.0	0.07883	2 449.8	85.53	6.7423	193.12
11FL	1 096.9	0.07447	2 339.4	81.69	6.0833	174.22
10FL	1 098.9	0.06867	2 176.9	75.46	5.1819	149.49
9FL	1 124.6	0.06182	2 029.5	69.53	4.2981	125.46
8FL	1 129.6	0.05426	1 819.6	61.29	3.3256	98.73
7FL	1 132.3	0.04620	1 581.1	52.31	2.4169	73.05
6FL	1 137.2	0.03793	1 327.1	43.14	1.6361	50.34
5FL	1 195.4	0.02979	1 119.5	35.61	1.0608	33.35
4FL	1 208.6	0.02196	863.4	26.54	0.5829	18.96
3FL	1 214.2	0.01415	593.6	17.18	0.2431	8.40
2FL	1 268.5	0.00671	333.1	8.51	0.0571	2.24
Σ			20177.1	679.68	41.6855	1 217.39

$_1Q_B = 20\,180$ （kN）

$$_1S_a = \frac{\sum_{i=1}^{N} m_i \cdot {_1\delta_i}^2}{\left(\sum_{i=1}^{N} m_i \cdot {_1\delta_i}\right)^2} \cdot {_1Q_B} = (41.69/679.7^2) \cdot 20180 = 1.821 \ (\text{m/s}^2)$$

$$_1S_d = \frac{\sum_{i=1}^{N} m_i \cdot {_1\delta_i}^2}{\sum_{i=1}^{N} {_1P_i} \cdot {_1\delta_i}} \cdot {_1S_a} = (41.69/1217) \cdot 1.821 = 0.06239 \ (\text{m})$$

　上記の代表加速度と代表変位より等価周期を求め，この代表加速度が等価周期に対して要求される加速度以上となっているか検討する．塑性率の起点になる代表変位は，代表加速度 $_1S_a$ と代表変位 $_1S_d$ によるエネルギーとエネルギーが等価となるバイリニアとした時の折れ点の変位とした．

　　　塑性率の起点 $_1S_d$ $(\mu=1)$ $=0.1504$ （m）

　　　塑性率 $\mu = {_1S_a}/{_1S_d}(\mu=1) = 0.06239/0.1504 = 0.4148$

　　　$F_h = 1.0$

　　　有効質量比　$m_u/(\sum m_i) = \{\sum(m_i \cdot \delta_i)^2 / \sum(m_i \cdot \delta^2)\}/(\sum m_i) = (679.7^2/41.69)/14190$

　　　　　　　　　　$= 11080/14190$

　　　　　　　　　　$= 0.7808$　　　　$q = 1.0$

　　　等価周期 $T = 2\pi\sqrt{\{m_u \cdot \sum(m_i \cdot \delta_i^2)/\sum(m_i \cdot \delta)/{_1Q_B}\}}$

　　　　　　　　$= 2\pi\sqrt{(11080 \cdot 41.69/679.7/20180)} = 1.153$ （s）

　　　$S_a(T) = S_0 \cdot Z \cdot G_s \cdot p \cdot q = (1.024/T) \cdot 1.0 \cdot 2.025 \cdot 1.0 \cdot 1.0 = (1.024/1.153) \cdot 2.025 = 1.798$ （m/s^2）

$S_a(T) \cdot F_h = 1.798 \ (\mathrm{m/s^2}) \leq 1.821$

上記はあるステップについて代表加速度，代表変位等を計算したが，これを各ステップで行い，その値を結ぶと性能曲線が得られる．要求される地震力についても，周期を介して代表加速度―代表変位の図に要求曲線としてプロットでき，両者の交点が等価線形化法における応答値となる〔付図 1.4.2 参照〕．

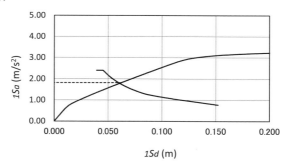

付図 1.4.2 代表加速度 $_1S_a$―代表変位 $_1S_d$（耐損傷性検討用，X 方向）

本設計例では，交点の応答値ではなく代表加速度が等価周期に対して要求される加速度以上になる最初の点を損傷限界応答点とし，これに対応したステップの値を応答値とした〔付表 1.4.2 参照〕．

付表 1.4.2 損傷限界時応答点の層せん断力・層間変形（耐損傷性検討用，X 方向）

階	層せん断力（kN）	層間変形（mm）
12	3 544	3.01（1/1329）
11	5 994	4.36（1/917）
10	8 333	5.30（1/690）
9	10 510	6.85（1/584）
8	12 540	7.56（1/529）
7	14 359	8.06（1/496）
6	15 940	8.27（1/484）
5	17 268	8.14（1/491）
4	18 387	7.83（1/511）
3	19 250	7.81（1/512）
2	19 844	7.44（1/538）
1	20 177	6.71（1/745）

［注］括弧内は層間変形角を示す．

（2） Y方向

以下に，X方向と同様にY方向について示す．

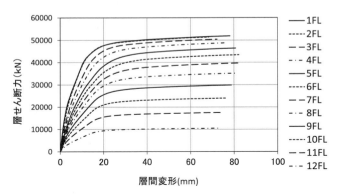

付図 1.4.3　層せん断力―層間変形（耐損傷性検討用，Y方向）

付表 1.4.3　代表加速度 $_1S_a$―代表変位 $_1S_d$ の計算（耐損傷性検討用，Y方向）

	m_i (ton)	$_1\delta_i$ (m)	$_1P_i$ (kN)	$m_i \cdot {_1\delta_i}$	$m_i \cdot {_1\delta_i}^2$	$_1P_i \cdot {_1\delta_i}$
RF	1 501.6	0.07518	4 639.4	112.89	8.4870	348.79
12FL	1 085.0	0.06912	3 114.3	74.99	5.1836	215.26
11FL	1 096.9	0.06255	2 881.4	68.61	4.2917	180.23
10FL	1 098.9	0.05564	2 596.9	61.14	3.4020	144.49
9FL	1 124.6	0.04841	2 335.1	54.44	2.6356	113.04
8FL	1 129.6	0.04106	2 009.7	46.38	1.9044	82.52
7FL	1 132.3	0.03362	1 665.7	38.07	1.2799	56.00
6FL	1 137.2	0.02637	1 325.7	29.99	0.7908	34.96
5FL	1 195.4	0.01945	1 038.3	23.25	0.4522	20.19
4FL	1 208.6	0.01334	728.1	16.12	0.2151	9.71
3FL	1 214.2	0.00802	443.0	9.74	0.0781	3.55
2FL	1 268.5	0.00387	222.5	4.91	0.0190	0.86
Σ			23 000.1	540.54	28.7395	1 209.62

$_1Q_B = 23\,000$ (kN)

$$_1S_a = \frac{\sum_{i=1}^{N} m_i \cdot {_1\delta_i}^2}{\left(\sum_{i=1}^{N} m_i \cdot {_1\delta_i}\right)^2} \cdot {_1Q_B} = 2.262 \text{ (m/s}^2\text{)}$$

$$_1S_d = \frac{\sum_{i=1}^{N} m_i \cdot {_1\delta_i}^2}{\sum_{i=1}^{N} {_1P_i} \cdot {_1\delta_i}} \cdot {_1S_a} = 0.05375 \text{ (m)}$$

代表加速度が等価周期に対して要求される加速度以上となる最初の点

塑性率の起点 $S_d\,(\mu=1)=0.1425$ (m)

塑性率 $\mu=0.3771$

減衰補正係数 $F_h=1.0$

有効質量比 $m_u/(\sum m_i)=0.7163$　　$q=1.047$

等価周期 $T=0.9632$ (s)

$S_a(T)=2.254$ (m/s^2)

$S_a(T)\cdot F_h=2.225$ (m/s^2) ≤ 2.262

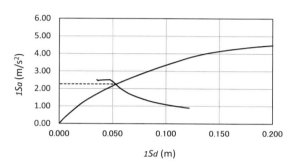

付図 1.4.4　代表加速度 $_1S_a$ —代表変位 $_1S_d$（耐損傷性検討用，Y方向）

付表 1.4.4　損傷限界時応答点の層せん断力・層間変形（耐損傷性検討用，Y方向）

階	層せん断力（kN）	層間変形（mm）
12	4 639	6.06 (1/660)
11	7 754	6.57 (1/609)
10	10 635	6.91 (1/579)
9	13 232	7.23 (1/553)
8	15 567	7.35 (1/544)
7	17 577	7.44 (1/538)
6	19 243	7.25 (1/552)
5	20 568	6.92 (1/578)
4	21 607	6.11 (1/655)
3	22 335	5.32 (1/752)
2	22 778	4.15 (1/964)
1	23 000	3.87 (1/1292)

［注］括弧内は層間変形角を示す．

4.2 損傷限界時応答点応力図

損傷限界時応答点に対応する応力図（鉛直荷重含む）を付図 1.4.5～1.4.8 に示す．

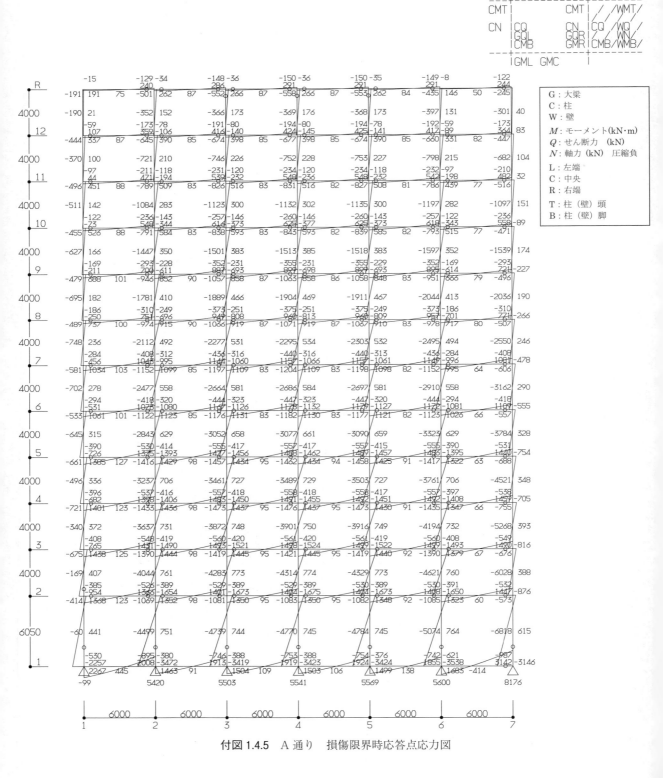

付図 1.4.5　A 通り　損傷限界時応答点応力図

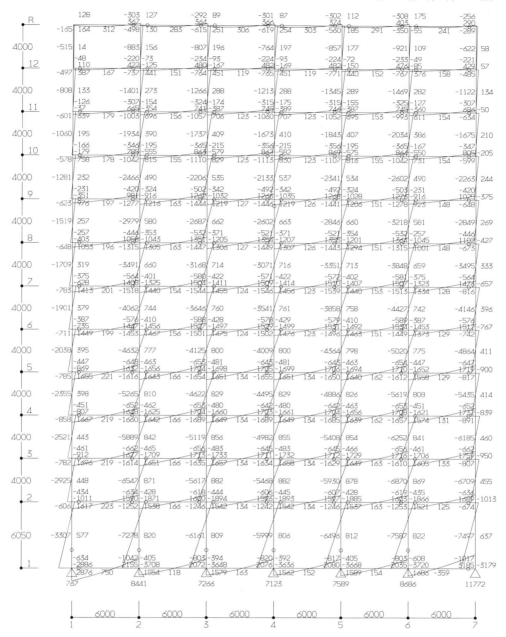

付図 1.4.6　B通り　損傷限界時応答点応力図

付録

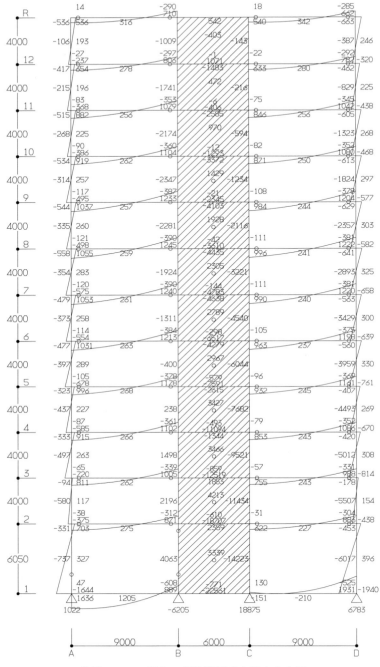

付図 1.4.7　1通り　損傷限界時応答点応力図

付1. 設 計 例 — 221 —

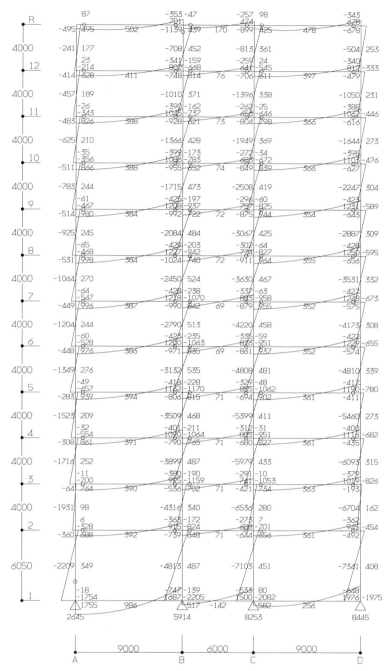

付図1.4.8　4通り　損傷限界時応答点応力図

4.3 不整形性の確認

損傷限界時応答点に対応する架構変形より，剛性率，偏心率を算定した．付表 1.4.5 に剛性率を，付表 1.4.6 に偏心率の計算結果を示す．

剛性率は 0.6 以上で，偏心率は 0.15 以下であり，本建物は整形であるといえる．

付表 1.4.5　剛性率（参考）

階	X 方向			Y 方向		
	層間変位（mm）	層間変形角	剛性率 R_s	層間変位（mm）	層間変形角	剛性率 R_s
12	3.01	1/1 328	2.036	6.06	1/660	0.957
11	4.36	1/918	1.408	6.57	1/608	0.883
10	5.80	1/689	1.057	6.91	1/579	0.840
9	6.85	1/584	0.896	7.23	1/553	0.802
8	7.56	1/529	0.811	7.35	1/544	0.790
7	8.05	1/497	0.761	7.44	1/538	0.780
6	8.27	1/484	0.742	7.25	1/552	0.800
5	8.14	1/491	0.753	6.92	1/578	0.838
4	7.83	1/511	0.784	6.11	1/655	0.950
3	7.81	1/512	0.785	5.32	1/751	1.090
2	7.44	1/538	0.824	4.15	1/963	1.396
1	6.71	1/745	1.142	3.87	1/1 292	1.874

付表 1.4.6　偏心率

階	層剛性(X)(kN/cm)	層剛性(Y)(kN/cm)	回転剛性(kN·m²/cm)	X 方向				Y 方向			
				弾力半径(m)	偏心距離(m)	偏心率	判定(≤0.15)	弾力半径(m)	偏心距離(m)	偏心率	判定(≤0.15)
12	11 764	7 653	1 270 644	10.393	0.000	0.000	OK	12.885	0.021	0.002	OK
11	13 760	11 795	2 505 024	13.495	0.000	0.000	OK	14.576	0.018	0.001	OK
10	14 360	15 393	3 260 471	15.068	0.000	0.000	OK	14.554	0.017	0.001	OK
9	15 352	18 296	3 908 878	15.957	0.000	0.000	OK	14.617	0.017	0.001	OK
8	16 586	21 187	4 631 174	16.710	0.000	0.000	OK	14.785	0.018	0.001	OK
7	17 827	23 626	5 229 748	17.128	0.000	0.000	OK	14.878	0.017	0.001	OK
6	19 281	26 534	6 022 198	17.673	0.000	0.000	OK	15.065	0.017	0.001	OK
5	21 204	29 711	6 772 840	17.872	0.000	0.000	OK	15.099	0.018	0.001	OK
4	23 495	35 372	8 292 159	18.787	0.000	0.000	OK	15.311	0.019	0.001	OK
3	24 633	41 944	9 532 601	19.672	0.000	0.000	OK	15.075	0.020	0.001	OK
2	26 667	54 822	12 938 077	22.027	0.000	0.000	OK	15.362	0.022	0.001	OK
1	30 061	59 441	12 965 658	20.768	0.000	0.000	OK	14.769	0.026	0.002	OK

4.4 断面検討

耐損傷性の確認は，RC 規準の短期の検討に準拠し断面検討を行った．応力は 4.3 節に示すように建物は整形であるため，損傷限界時応答点応力を割り増しせずに用いた．代表的検討結果を以下に示す．

4.4.1 大　　梁

付表 1.4.7　大梁の断面検討結果

階		G2（B 通り 3-4 間）				G5（4 通り A-B 間）			
		左端		右端		左端		右端	
		＋X	－X	＋X	－X	＋Y	－Y	＋Y	－Y
10	$B \times D$（mm）	600×900				600×900			
	上端筋，下端筋	6-D29	6-D29	6-D29	6-D29	8-D32	8-D32	8-D32	8-D32
	あばら筋	4-D13@200		4-D13@200		4-S13@200		4-S13@200	
	節点 M（kN·m）	829	868	867	829	866	1 103	1 086	839
	フェイス M_F（kN·m）	694	734	733	695	764	1000	984	735
	許容 M_A（kN·m）	1 075	1 075	1 075	1 075	1 600	1 600	1 600	1 600
	設計せん断力 Q（kN）	215	351	356	210	35	398	399	34
	許容せん断 Q_A（kN）	499	538	543	499	616	616	616	616
	許容付着 Q_A（kN）	1 592	1 061	1 061	1 592	2 278	1 519	1 519	2 278
	判定	OK		OK		OK		OK	
6	$B \times D$（mm）	700×900				600×900			
	上端筋，下端筋	8-D32	8-D32	8-D32	8-D32	8-D35	8-D35	8-D35	8-D35
	あばら筋	4-S13@200		4-S13@200		4-S13@200		4-S13@200	
	節点 M（kN·m）	1 475	1 530	1 529	1 476	976	1 229	1 200	937
	フェイス M_F（kN·m）	1 237	1 292	1 291	1 238	862	1 114	1 086	822
	許容 M_A（kN·m）	1 611	1 611	1 611	1 611	1 861	1 861	1 861	1 861
	設計せん断力 Q（kN）	428	573	578	423	60	422	424	59
	許容せん断 Q_A（kN）	633	644	646	633	606	606	606	606
	許容付着 Q_A（kN）	2 278	1 519	1 519	2 278	2 465	1 643	1 643	2 465
	判定	OK		OK		OK		OK	
2	$B \times D$（mm）	800×900				600×900			
	上端筋，下端筋	8-D35	8-D35	8-D35	8-D35	8-D35	8-D35	8-D35	8-D35
	あばら筋	4-S13@200		4-S13@200		4-S13@200		4-S13@200	
	節点 M（kN·m）	1 542	1 597	1 596	1 542	688	945	915	656
	フェイス M_F（kN·m）	1 293	1 348	1 347	1 294	604	860	831	571
	許容 M_A（kN·m）	1 899	1 899	1 899	1 899	1 873	1 873	1 873	1 873
	設計せん断力 Q（kN）	444	601	606	440	7	363	363	7
	許容せん断 Q_A（kN）	673	682	685	673	630	630	630	630
	許容付着 Q_A（kN）	2 677	1 785	1 785	2 677	2 677	1 785	1 785	2 677
	判定	OK		OK		OK		OK	

4.4.2 柱

付表 1.4.8 柱の断面検討結果（1）

階		C2（B-4）							
		柱脚				柱頭			
		+X	−X	+Y	−Y	+X	−X	+Y	−Y
12	$B \times D$（mm）	950×950							
	鉄筋	8-D35		8-D35		8-D35		8-D35	
	帯筋	4-D13@100		4-D13@100		4-D13@100		4-D13@100	
	軸力 N（kN）	764	761	708	813	764	761	708	813
	節点 M（kN·m）	169	169	668	545	619	617	1 139	899
	フェイス M_F（kN·m）	81	80	505	343	531	528	976	696
	許容 M_A（kN·m）	3 138	3 079	3 073	3 321	3 083	3 038	3 151	3 284
	設計せん断力 Q（kN）	197	196	452	361	197	196	452	361
	許容せん断 Q_A（kN）	875	875	961	961	875	875	961	961
	許容付着 Q_A（kN）	2 525	2 523	2 771	2 771	2 525	2 523	2 771	2 771
	判定	OK		OK		OK		OK	
5	$B \times D$（mm）	950×950							
	鉄筋	8-D35		8-D35		8-D35		8-D35	
	帯筋	4-S13@100		4-S13@100		4-S13@100		4-S13@100	
	軸力 N（kN）	4 010	4 008	3 133	4 809	4 010	4 008	3 133	4 809
	節点 M（kN·m）	1 699	1 699	1 170	1 062	1 502	1 501	971	861
	フェイス M_F（kN·m）	1 340	1 339	956	819	1 142	1 141	757	618
	許容 M_A（kN·m）	3 359	3 370	3 221	3 284	3 358	3 369	3 008	3 234
	設計せん断力 Q（kN）	800	800	535	481	800	800	535	481
	許容せん断 Q_A（kN）	1 310	1 310	1 314	1 314	1 310	1 310	1 314	1 314
	許容付着 Q_A（kN）	2 764	2 764	2 771	2 771	2 764	2 764	2 771	2 771
	判定	OK		OK		OK		OK	
1	$B \times D$（mm）	950×950							
	鉄筋	8-D35		8-D35		8-D35		8-D35	
	帯筋	4-S13@75		4-S13@75		4-S13@75		4-S13@75	
	軸力 N（kN）	5 999	5 998	4 813	7 103	5 999	5 998	4 813	7 103
	節点 M（kN·m）	3 636	3 636	2 205	2 082	1 242	1 241	739	644
	フェイス M_F（kN·m）	2 427	2 426	1 522	1 360	879	879	534	427
	許容 M_A（kN·m）	3 563	3 572	3 772	3 517	3 562	3 571	2 717	3 213
	設計せん断力 Q（kN）	806	806	487	451	806	805	487	451
	許容せん断 Q_A（kN）	1 731	1 731	1 732	1 732	1 731	1 731	1 732	1 732
	許容付着 Q_A（kN）	3 008	3 008	3 010	3 010	3 008	3 008	3 010	3 010
	判定	OK		OK		OK		OK	

［注］軸力 N は圧縮が正

付表 1.4.9　柱の断面検討結果（2）

階		C3（A-1）			
		柱脚		柱頭	
		+X　　−X	+Y　　−Y	+X　　−X	+Y　　−Y
12	$B \times D$（mm）	950×950			
	鉄筋	8-D29	8-D29	8-D29	8-D29
	帯筋	4-D13@100	4-D13@100	4-D13@100	4-D13@100
	軸力 N（kN）	190　　301	106　　388	190　　301	106　　388
	節点 M（kN·m）	107　　83	237　　320	191　　245	536　　663
	フェイス M_F（kN·m）	126　　91	108　　251	171　　237	408　　594
	許容 M_A（kN·m）	1 456　2 277	1 825　2 728	1 652　2 213	2 011　2 358
	設計せん断力 Q（kN）	21　　41	193　　246	21　　41	193　　246
	許容せん断 Q_A（kN）	170　　488	968　　965	170　　488	968　　965
	許容付着 Q_A（kN）	402　1 152	2 290　2 278	402　1 152	2 290　2 278
	判定	OK	OK	OK	OK
5	$B \times D$（mm）	950×950			
	鉄筋	8-D32	8-D32	8-D32	8-D32
	帯筋	4-S13@100	4-S13@100	4-S13@100	4-S13@100
	軸力 N（kN）	646　3 784	397　3 959	646　3 784	397　3 959
	節点 M（kN·m）	726　　754	678　　761	533　　558	477　　560
	フェイス M_F（kN·m）	577　　613	524　　636	384　　417	323　　436
	許容 M_A（kN·m）	1 706　2 863	1 651　2 716	1 384　2 550	1 334　2 303
	設計せん断力 Q（kN）	315　　328	289　　330	315　　328	289　　330
	許容せん断 Q_A（kN）	1 287　1 313	1 320　1 318	1 287　1 313	1 320　1 318
	許容付着 Q_A（kN）	2 468　2 518	2 534　2 528	2 468　2 518	2 534　2 528
	判定	OK	OK	OK	OK
1	$B \times D$（mm）	950×950			
	鉄筋	8-D38	8-D38	8-D38	8-D38
	帯筋	4-S13@75	4-S13@75	4-S13@75	4-S13@75
	軸力 N（kN）	60　6 819	737　6 017	60　6 819	737　6 017
	節点 M（kN·m）	2 257　3 147	1 664　1 940	414　　572	331　　453
	フェイス M_F（kN·m）	1 578　2 241	1 099　1 402	210　　301	168　　292
	許容 M_A（kN·m）	2 757　3 620	2 700　3 591	836　1 720	1 065　1 633
	設計せん断力 Q（kN）	441　　615	327　　396	441　　614	327　　396
	許容せん断 Q_A（kN）	1 716　1 720	1 722　1 721	1 716　1 720	1 722　1 721
	許容付着 Q_A（kN）	3 252　3 261	3 263　3 262	3 252　3 261	3 263　3 262
	判定	OK	OK	OK	OK

［注］軸力 N は圧縮が正

4.4.3 耐 震 壁

付表 1.4.10 耐震壁の断面検討結果

階 壁符号		1 通り　B–C 間			
		＋方向		−方向	
12 EW18	厚さ t×長さ L（mm）配筋	180×6 000　　D10D13@200			
	付帯柱	C4（950×950）＋C4（950×950）			
	付帯柱軸力 N（kN）	1 009	143	143	1 009
	付帯柱許容軸力 N_A（kN）	26 837	26 837	26 837	26 837
	設計用せん断力 Q（kN）	403		403	
	Q_1（kN）	1 377		1 377	
	Q_w（kN）	1 475		1 475	
	Q_c（kN）	1 739	1 739	1 739	1 739
	Q_2（kN）	4 953		4 953	
	Q_A（kN）	4 953		4 953	
	判定	OK		OK	
5 EW30	厚さ t×長さ L（mm）配筋	300×6 000　　D16@200			
	付帯柱	C4（950×950）＋C4（950×950）			
	付帯柱軸力 N（kN）	400	6 044	6 044	400
	付帯柱許容軸力 N_A（kN）	28 063	28 063	28 063	28 063
	設計用せん断力 Q（kN）	2 967		2 967	
	Q_1（kN）	2 295		2 295	
	Q_w（kN）	2 959		2 959	
	Q_c（kN）	2 083	2 083	2 083	2 083
	Q_2（kN）	7 124		7 124	
	Q_A（kN）	7 124		7 124	
	判定	OK		OK	
1 EW50	厚さ t×長さ L（mm）配筋	500×6 000　　D25@200			
	付帯柱	C4（950×950）＋C4（950×950）			
	付帯柱軸力 N（kN）	−4 063	14 223	14 223	−4 063
	付帯柱許容軸力 N_A（kN）	−10 450	32 773	32 773	−10 450
	設計用せん断力 Q（kN）	3 339		3 339	
	Q_1（kN）	4 095		4 095	
	Q_w（kN）	8 828		8 828	
	Q_c（kN）	2 542	2 542	2 542	2 542
	Q_2（kN）	13 912		13 912	
	Q_A（kN）	13 912		13 912	
	判定	OK		OK	

［注］軸力 N は圧縮が正

5. 安全性の検討
5.1 安全限界時応答点・保証設計点

　静的非線形荷重増分解析結果から得られる性能曲線と安全限界要求曲線（塑性化による付加減衰を考慮）より，安全限界時応答点を算定した．具体的には，各ステップごとの各階荷重と各階変位より代表加速度 $_1S_a$ と代表変位 $_1S_d$ を算定し，この値がこの代表加速度 $_1S_a$ と代表変位 $_1S_d$ から求まる周期 T に対する塑性率による減衰補正係数 F_h を考慮した要求曲線の点より大きくなった最初の点を応答点とした．塑性率の起点になる代表変位は，いずれかの層の層間変形角が X 方向では 1/80，Y 方向では 1/100 になるまでの代表加速度 $_1S_a$ と代表変位 $_1S_d$ によるエネルギーとエネルギーが等価となるバイリニアとした時の折れ点の変位とした．

　安全限界時応答点までの代表変位―代表加速度によるエネルギーの 1.5 倍となる性能曲線上の点を保証設計点①とした．この保証設計点①に対する各架構の応力・変形を保証設計①応力・変形とした．

　静的非線形荷重増分解析による各階の層せん断力―層間変形関係，安全限界時応答点の計算過程，性能曲線と安全限界要求曲線を重ね合わせた図，安全限界時応答点および保証設計点①の層せん断力・層間変形の表を以下に示す．

（1）X 方向

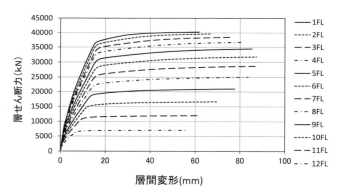

付図 1.5.1　層せん断力―層間変形（安全性検討用，X 方向）

付表 1.5.1　代表加速度 $_1S_a$—代表変位 $_1S_d$ の計算（安全性検討用，X 方向）

	m_i (t)	$_1\delta_i$ (m)	$_1P_i$ (kN)	$m_i \cdot {}_1\delta_i$	$m_i \cdot {}_1\delta_i{}^2$	$_1P_i \cdot {}_1\delta_i$
RF	1 501.6	0.42113	6 861.8	632.37	266.308	2 889.70
12FL	1 085.0	0.40659	4 743.1	441.15	179.366	1 928.51
11FL	1 096.9	0.38643	4 529.3	423.89	163.802	1 750.26
10FL	1 098.9	0.35839	4 214.7	393.83	141.146	1 510.51
9FL	1 124.6	0.32305	3 929.3	363.32	117.369	1 269.36
8FL	1 129.6	0.28165	3 523.0	318.14	89.605	992.25
7FL	1 132.3	0.23676	3 061.3	268.09	63.472	724.79
6FL	1 137.2	0.19052	2 569.3	216.67	41.280	489.50
5FL	1 195.4	0.14498	2 167.4	173.31	25.126	314.23
4FL	1 208.6	0.10216	1 671.8	123.47	12.614	170.79
3FL	1 214.2	0.06246	1 149.1	75.84	4.737	71.77
2FL	1 268.5	0.02837	645.1	35.99	1.021	18.30
		Σ	39 065.2	3 466.06	1 105.847	12 129.98

$$_1Q_B = 39\,070 \ \text{(kN)}$$

$$_1S_a = \frac{\sum_{i=1}^{N} m_i \cdot {}_1\delta_i{}^2}{\left(\sum_{i=1}^{N} m_i \cdot {}_1\delta_i\right)^2} \cdot {}_1Q_B = 3.596 \ \text{(m/s}^2)$$

$$_1S_d = \frac{\sum_{i=1}^{N} m_i \cdot {}_1\delta_i{}^2}{\sum_{i=1}^{N} {}_1P_i \cdot {}_1\delta_i} \cdot {}_1S_a = 0.3278 \ \text{(m)}$$

代表加速度が等価周期に対して要求される加速度以上となる点

塑性率の起点 S_d $(\mu=1)$ $=0.1437$ （m）

塑性率 $\mu = 2.282$

減衰補正係数 $F_h = 0.6397$

有効質量比　$m_u/(\sum m_i) = 0.7654$　　　　$q = 1.0$

等価周期 $T = 1.872$ （s）

$S_a(T) = 5.540$ （m/s^2）

$S_a(T) \cdot F_h = 3.544$ （m/s^2）$\leqq 3.596$

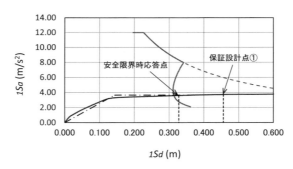

付図 1.5.2 代表加速度 $_1S_a$—代表変位 $_1S_d$（安全性検討用，X 方向）

付表 1.5.2 安全限界時応答点および保証設計点①の代表加速度 $_1S_a$ および代表変位 $_1S_d$（X 方向）

	代表加速度 $_1S_a$（m/s²）	代表変位 $_1S_d$（m）	エネルギー（m²/s²）
安全限界時応答点	3.5960	0.3278	0.9361
保証設計点①	3.7200	0.4560	1.4060

付表 1.5.3 安全限界時応答点および保証設計点①の層せん断力・層間変形（X 方向）

階	安全限界時応答点 層せん断力（kN）	層間変形（mm）	保証設計点① 層せん断力（kN）	層間変形（mm）
12	6 862	14.54（1/275）	6 980	31.07（1/129）
11	11 605	20.16（1/198）	11 805	36.90（1/108）
10	16 134	28.04（1/143）	16 412	44.91（1/89）
9	20 349	35.34（1/113）	20 699	52.20（1/77）
8	24 278	41.40（1/97）	24 696	58.07（1/69）
7	27 801	44.89（1/89）	28 280	61.21（1/65）
6	30 863	46.24（1/87）	31 394	61.97（1/65）
5	33 432	45.54（1/88）	34 007	60.36（1/66）
4	35 599	42.82（1/93）	36 212	56.36（1/71）
3	37 271	39.70（1/101）	37 913	51.72（1/77）
2	38 420	34.09（1/117）	39 082	44.21（1/90）
1	39 065	28.37（1/176）	39 738	37.24（1/134）

［注］括弧内は層間変形角を示す．

（2） Y方向

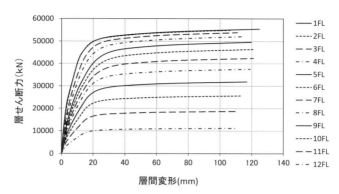

付図 1.5.3　層せん断力―層間変形（安全性検討用，Y方向）

付表 1.5.4　代表加速度 $_1S_a$―代表変位 $_1S_d$ の計算（安全性検討用，Y方向）

	m_i (t)	$_1\delta_i$ (m)	$_1P_i$ (kN)	$m_i \cdot {_1\delta_i}$	$m_i \cdot {_1\delta_i}^2$	$_1P_i \cdot {_1\delta_i}$
RF	1 501.6	0.37703	10 407.8	566.15	213.454	3 924.05
12FL	1 085.0	0.34936	6 986.6	379.05	132.426	2 440.84
11FL	1 096.9	0.32044	6 463.9	351.50	112.635	2 071.29
10FL	1 098.9	0.29013	5 825.8	318.82	92.500	1 690.24
9FL	1 124.6	0.25729	5 238.7	289.36	74.449	1 347.87
8FL	1 129.6	0.22258	4 508.4	251.42	55.961	1 003.48
7FL	1 132.3	0.18591	3 736.8	210.51	39.136	694.71
6FL	1 137.2	0.14903	2 973.9	169.48	25.258	443.20
5FL	1 195.4	0.11312	2 329.4	135.22	15.296	263.50
4FL	1 208.6	0.08121	1 633.4	98.15	7.971	132.65
3FL	1 214.2	0.05248	993.7	63.72	3.344	52.15
2FL	1 268.5	0.02759	499.1	35.00	0.966	13.77
		Σ	51 597.5	2 868.39	773.395	14 077.75

$_1Q_B = 51\ 600$ （kN）

$$_1S_a = \frac{\sum_{i=1}^{N} m_i \cdot {_1\delta_i}^2}{\left(\sum_{i=1}^{N} m_i \cdot {_1\delta_i}\right)^2} \cdot {_1Q_B} = 4.850 \ (\mathrm{m/s^2})$$

$$_1S_d = \frac{\sum_{i=1}^{N} m_i \cdot {_1\delta_i}^2}{\sum_{i=1}^{N} {_1P_i} \cdot {_1\delta_i}} \cdot {_1S_d} = 0.2665 \ (\mathrm{m})$$

代表加速度が等価周期に対して要求される加速度以上となる点

塑性率の起点 $S_d\ (\mu=1) = 0.1420$ (m)

塑性率 $\mu=1.876$

減衰補正係数 $F_h=0.6897$

有効質量比　$m_u/(\sum m_i)=0.7496$　　　$q=1.001$

等価周期　$T=1.481$ (s)

$S_a(T)=7.003$

$S_a(T) \cdot F_h=4.830$ (m/s^2) ≤ 4.850

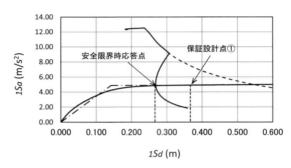

付図 1.5.4　代表加速度 $_1S_a$—代表変位 $_1S_d$（安全性検討用，Y 方向）

付表 1.5.5　安全限界時応答点および保証設計点①の代表加速度 S_a および代表変位 S_d (Y 方向)

	代表加速度 $_1S_a$ (m/s^2)	代表変位 $_1S_d$ (m)	エネルギー (m^2/s^2)
安全限界時応答点	4.8500	0.2665	0.9541
保証設計点①	4.9150	0.3669	1.4450

付表 1.5.6　安全限界時応答点および保証設計点①の層せん断力・層間変形（Y 方向）

階	安全限界時応答点		保証設計点①	
	層せん断力（kN）	層間変形（mm）	層せん断力（kN）	層間変形（mm）
12	10 408	27.67（1/145）	10 654	39.58（1/101）
11	17 394	28.92（1/138）	17 806	40.90（1/98）
10	23 858	30.31（1/132）	24 423	42.38（1/94）
9	29 684	32.84（1/122）	30 387	45.16（1/89）
8	34 923	34.71（1/115）	35 749	47.15（1/85）
7	39 431	36.67（1/109）	40 365	49.11（1/81）
6	43 168	36.88（1/108）	44 190	49.24（1/81）
5	46 142	35.91（1/111）	47 234	48.12（1/83）
4	48 471	31.91（1/125）	49 619	43.83（1/91）
3	50 105	28.73（1/139）	51 291	40.42（1/99）
2	51 098	24.89（1/161）	52 308	36.62（1/109）
1	51 598	27.59（1/181）	52 819	41.63（1/120）

［注］括弧内は層間変形角を示す.

5.2 安全限界時応答点応力図

安全限界時応答点に対応する応力図（鉛直荷重含む）を付図 1.5.5～1.5.8 に示す．

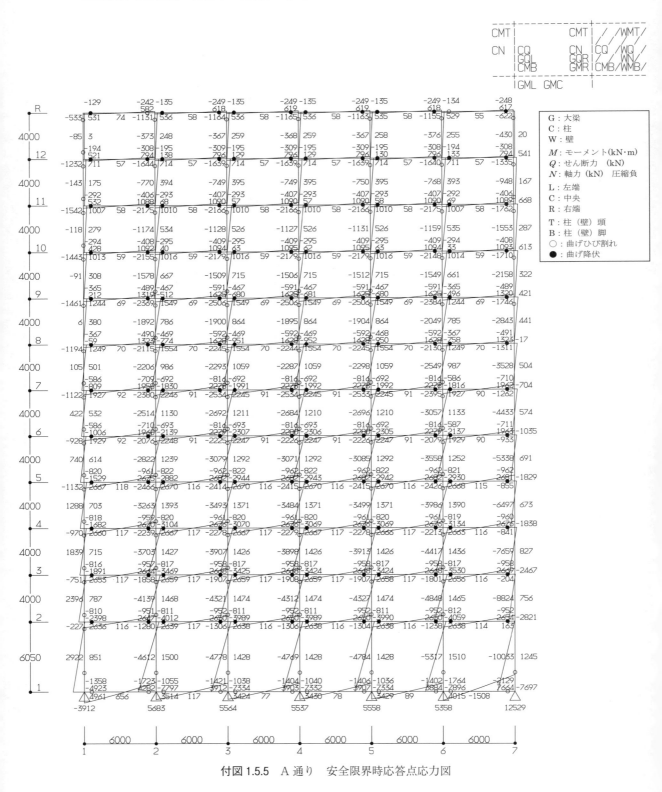

付図 1.5.5　A 通り　安全限界時応答点応力図

付1. 設　計　例　— 235 —

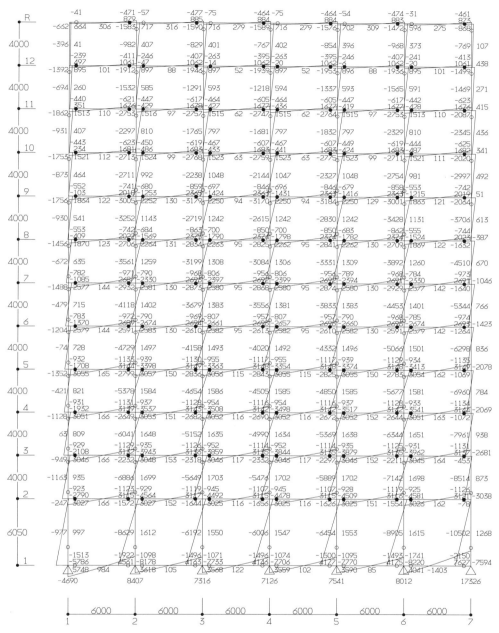

付図 1.5.6　B通り　安全限界時応答点応力図

— 236 — 付　録

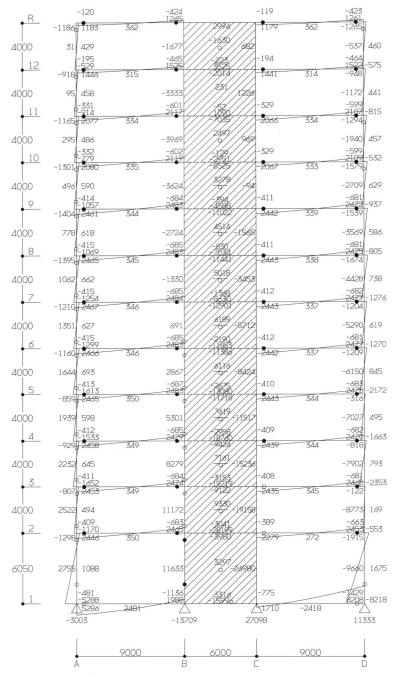

付図 1.5.7　1通り　安全限界時応答点応力図

付1. 設　計　例　—237—

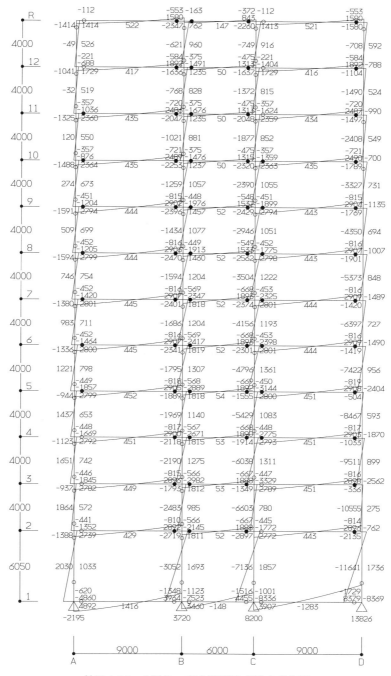

付図1.5.8　4通り　安全限界時応答点応力図

5.3 保証設計点①応力図

保証設計点①に対応する応力図（鉛直荷重含む）を付図 1.5.9～1.5.12 に示す．

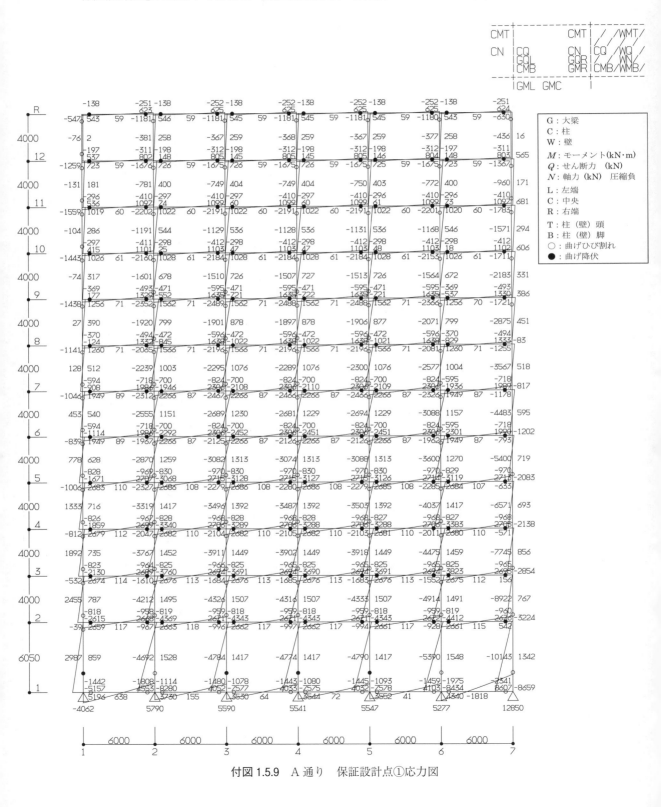

付図 1.5.9　A 通り　保証設計点①応力図

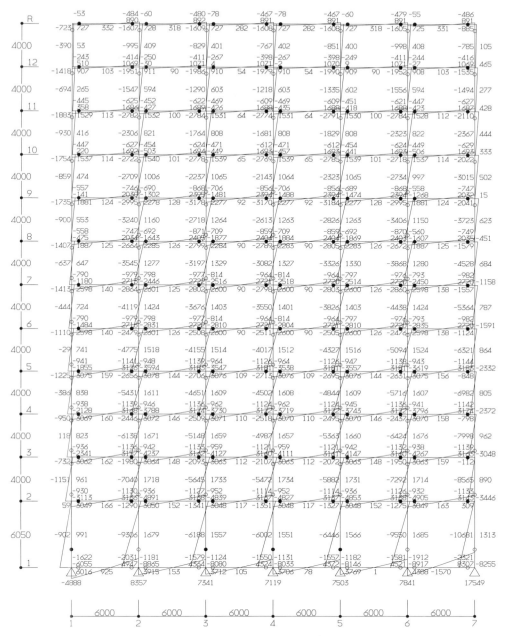

付図 1.5.10　B 通り　保証設計点①応力図

—240— 付　録

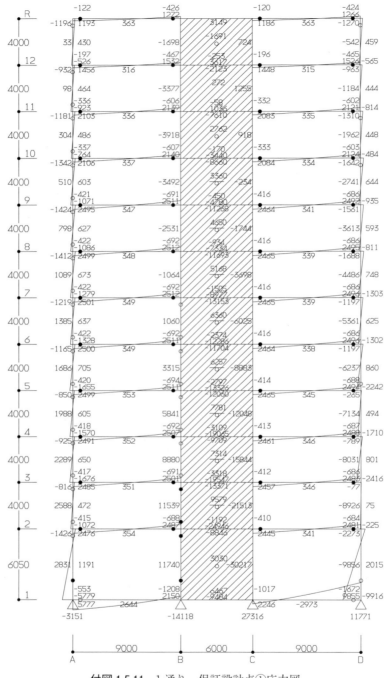

付図 1.5.11　1 通り　保証設計点①応力図

付1. 設 計 例 —241—

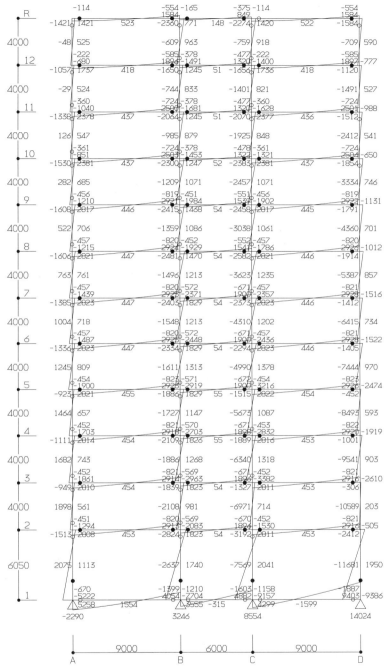

付図 1.5.12　4 通り　保証設計点①応力図

6. 保証設計
6.1 保証設計の検討方針

保証設計は，各部位ごとに検討応力を設定して行う．

保証設計の保証点の概念図を付図1.6.1（解説図2.1.4に同じ）に示す．

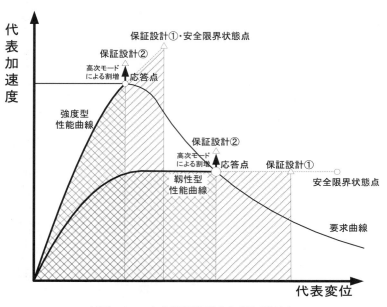

付図1.6.1　安全限界検討点と保証設計点

（1）大梁

大梁の曲げに対する保証設計は，保証設計点①変形が次式（解6.2.2.1.14）の値以下であることとした．

$$R_u = \frac{\alpha \cdot \beta \cdot \gamma \cdot \varepsilon_u \cdot \sin 2\theta}{2(\tau_u/(K\sigma_B))} \tag{解6.2.2.1.14}$$

ここで，記号は（解6.2.2.1.14）式による．

大梁のせん断については，保証設計点①で両端ヒンジの場合は，保証設計①応力に対して，せん断強度が1.1倍以上あることとした．非ヒンジの場合は，ヒンジを仮定し両端ヒンジと同様に検討するか，せん断強度が保証設計①応力に対して1.2倍以上であることとした．

大梁の付着については，主筋の応力度の差$\Delta\sigma$を両端に降伏ヒンジを計画する部材では$\Delta\sigma = 2\sigma_{yu}$（一段筋），$1.5\sigma_{yu}$（二段筋）として設計用付着応力度を求め，次式（解6.2.2.1.11）の付着信頼強度以下であることとした．

$$\tau_{bu} = \begin{cases} \alpha_t\{(0.085b_i + 0.10)\sqrt{\sigma_B} + k_{st}\} & \text{（1段目主筋）} \\ \alpha_2 \cdot \alpha_t\{(0.085b_{si2} + 0.10)\sqrt{\sigma_B} + k_{st2}\} & \text{（2段目主筋）} \end{cases} \tag{解6.2.2.1.11}$$

ここで，記号は（解6.2.2.1.11）式による．

（2） 柱

（a） 変形性能の確保（ヒンジが生じる部材）

ヒンジが生じる柱の曲げに対する保証設計は，軸力比により以下の検討とした.

・軸力比 $\leqq 0.35$ の場合

保証設計点①変形が，次式（解 6.2.2.2.14）の値以下であることとした.

$$R_u = \frac{\alpha \cdot \beta \cdot \gamma \cdot \varepsilon_u \cdot \sin 2\theta}{2(\tau_u/(K\sigma_B))} \qquad （解 6.2.2.2.14）$$

ここで，記号は（解 6.2.2.2.14）式による.

・軸力比 >0.35 の場合

保証設計点①変形が，次式（解 6.2.2.2.15），（解 6.2.2.2.16），（解 6.2.2.2.17）を満足することとした.

限界変形角 $R_u \geqq 1/40$（$=25 \times 10^{-3}$）rad. となる柱部材

$$p_w\sigma_{we}/(\nu_0 F_C) \geqq 0.35(\sigma_{0+}/F_C)^2 + 0.12 \qquad （解 6.2.2.2.15）$$

限界変形角 $R_u \geqq 1/50$（$=20 \times 10^{-3}$）rad. となる柱部材

$$p_w\sigma_{we}/(\nu_0 F_C) \geqq 0.30(\sigma_{0+}/F_C)^2 + 0.10 \qquad （解 6.2.2.2.16）$$

限界変形角 $R_u \geqq 1/67$（$=15 \times 10^{-3}$）rad. となる柱部材

$$p_w\sigma_{we}/(\nu_0 F_C) \geqq 0.25(\sigma_{0+}/F_C)^2 + 0.08 \qquad （解 6.2.2.2.17）$$

ここで，記号は（解 6.2.2.2.15）（解 6.2.2.2.16）（解 6.2.2.2.17）式により，いずれの式も最大軸力比が 0.55 を超える場合は適用外とする.

（b） 強度の確保

ヒンジを許容しない柱の曲げ強度は，安全限界時応答点応力に高次モードによる応力割増をした応力（保証設計②）以上であることとした.

斜め方向入力の検討を省略するため，柱強度比で 1.5 倍以上，X・Y 方向の安全限界時応答点柱軸力の和が柱軸強度の 0.55 倍以下であることとした.

せん断に対しては，せん断強度が保証設計①せん断力の 1.25 倍，かつ安全限界時応答点応力に高次モードによる応力割増をした応力（保証設計②）以上であることとした.

柱の付着については，主筋の応力度の差 $\Delta\sigma$ を両端に降伏ヒンジを計画する部材では $\Delta\sigma = 2\sigma_{yu}$（一段筋），$1.5\sigma_{yu}$（二段筋）として設計用付着応力度を求め，次式（解 6.2.2.2.11）の付着信頼強度以下であることとした.

$$\tau_{bu} = \begin{cases} \alpha_t\{(0.085b_i + 0.10)\sqrt{\sigma_B} + k_{st}\} & （1段目主筋） \\ \alpha_2 \cdot \alpha_t\{(0.085b_{si2} + 0.10)\sqrt{\sigma_B} + k_{st2}\} & （2段目主筋） \end{cases} \qquad （解 6.2.2.2.11）$$

ここで，記号は（解 6.2.2.2.11）による.

（c） 釣合軸力を上回るかどうかの確認

柱部材に作用する圧縮軸力が釣合軸力 N_b を超えるかどうかを確認し，超える場合は，終局曲げモーメントから求められるせん断力を設計用せん断力とする.

（3） 耐震壁

耐震壁の保証設計は，降伏ヒンジを計画する壁脚は，保証設計点①変形が，終局変形以下であることとした．せん断については，せん断強度が保証設計①せん断力の 1.25 倍，かつ安全限界時応答点応力に高次モードによる応力割増をした応力（保証設計②）以上であることとした．具体的内容は 6.5 節に示す．

（4） 柱梁接合部

梁接合部の保証設計は，①接合部降伏破壊の防止，②柱梁接合部の釣合破壊の防止，③柱梁接合部を通過する主筋の付着劣化による変形の増大の防止，④梁，柱の主筋を柱梁接合部内に定着する場合は，主筋の定着破壊の防止，とした．具体的内容は 6.6 節に示す．

6.2 高次モードによる応力割増

高次モードによる応力割増は，9.3.1 項の次式（9.3.1）〜（9.3.4）により算定した．

$$Q_i = \sqrt{{}_1Q_i{}^2 + {}_hQ_i{}^2} \tag{9.3.1}$$

$${}_1Q_i = \sum_{j=i}^{N} m_j \cdot {}_1\beta \cdot {}_1u_j \cdot {}_1S_a \tag{9.3.2}$$

$${}_hQ_i = \sqrt{{}_2Q_i{}^2 + \left\{\sum_{j=i}^{N} m_j \left(1 - \sum_{s=1}^{2} {}_s\beta \cdot {}_su_j\right) \cdot \ddot{x}_{0\max}\right\}^2} \tag{9.3.3}$$

$${}_2Q_{xi} = \sum_{j=i}^{N} m_j \cdot {}_2\beta \cdot {}_2u_{xj} \cdot {}_2S_a \tag{9.3.4}$$

ここで，記号は（9.3.1）式〜（9.3.4）式による．

算定結果を以下に示す．

付 1．設 計 例 　－ 245 －

（1）　X 方向

付表 1.6.1　高次モードによる応力割増（X 方向）

	質量(t)	$_1\beta \cdot _1u_i$	$m_j \cdot _1\beta \cdot _1u_i \cdot _1S_a$	$_1Q_i$	$_2\beta \cdot _2u_i$	$_2Q_i$	Σ^*	$_hQ_i$	Q_i	$Q_i/_1Q_i$
R	1 501.6	1.3380	24 110	6 694	− 0.5058	− 9 114	1 209	9 194	11 373	1.699
12	1 085.0	1.2800	40 775	11322	− 0.3633	− 13 844	1 643	13 941	17 960	1.586
11	1 096.9	1.2090	56 689	15 741	− 0.1995	− 16 470	1 593	16 547	22 838	1.451
10	1 098.9	1.1230	71 498	19 853	− 0.0191	− 16 722	1 045	16 755	25 978	1.309
9	1 124.6	1.0230	85 304	23 686	0.1538	− 14 647	91	14 647	27 849	1.176
8	1 129.6	0.9132	97 682	27 123	0.2979	− 10 609	− 1 054	10 661	29 143	1.074
7	1 132.3	0.7916	108 439	30 110	0.4024	− 5 141	− 2 108	5 556	30 618	1.017
6	1 137.2	0.6615	117 466	32 616	0.4558	1 079	− 2 748	2 953	32 750	1.004
5	1 195.4	0.5309	125 082	34 731	0.4545	7 599	− 2 665	8 053	35 652	1.027
4	1 208.6	0.4050	130 956	36 362	0.4020	13 429	− 1 545	13 518	38 793	1.067
3	1 214.2	0.2771	134 993	37 483	0.3052	17 876	890	17 899	41 537	1.108
2	1 268.5	0.1489	137 260	38 112	0.1754	20 546	5 004	21 147	43 586	1.144

［注］固有周期　一次：0.8150 秒　二次：0.2843 秒

$$\Sigma^* = \sum_{j=1}^{N} m_j (1 - \sum_{s=1}^{2} {}_s\beta \cdot {}_s u_j) \cdot \ddot{x}_{0\mathrm{max}}$$

（2）　Y 方向

付表 1.6.2　高次モードによる応力割増（Y 方向）

	質量(t)	$_1\beta \cdot _1u_i$	$m_j \cdot _1\beta \cdot _1u_i \cdot _1S_a$	$_1Q_i$	$_2\beta \cdot _2u_i$	$_2Q_i$	Σ^*	$_hQ_i$	Q_i	$Q_i/_1Q_i$
R	1 501.6	1.3950	25 137	9 730	− 0.5901	− 10 633	1 406	10 726	14 482	1.488
12	1 085.0	1.2960	42 010	16 262	− 0.3781	− 4 923	1 834	5 253	17 090	1.051
11	1 096.9	1.1860	57 622	22 305	− 0.1438	− 1 893	1 612	2 486	22 444	1.006
10	1 098.9	1.0670	71 692	27 752	0.0866	1 142	801	1 395	27 787	1.001
9	1 124.6	0.9375	84 344	32 650	0.2906	3 922	− 430	3 945	32 887	1.007
8	1 129.6	0.8033	95 233	36 865	0.4389	5 949	− 1 743	6 199	37 382	1.014
7	1 132.3	0.6642	104 258	40 358	0.5242	7 123	− 2 767	7 641	41 075	1.018
6	1 137.2	0.5263	111 440	43 139	0.5399	7 368	− 3 129	8 005	43 875	1.017
5	1 195.4	0.3922	117 066	45 316	0.4910	7 043	− 2 458	7 460	45 926	1.013
4	1 208.6	0.2720	121 011	46 844	0.3985	5 780	− 547	5 806	47 202	1.008
3	1 214.2	0.1647	123 411	47 772	0.2751	4 008	2 718	4 843	48 017	1.005
2	1 268.5	0.0792	124 616	48 239	0.1506	2 292	7 408	7 754	48 858	1.013

［注］固有周期　一次：0.7628 秒　二次：0.2260 秒

$$\Sigma^* = \sum_{j=1}^{N} m_j (1 - \sum_{s=1}^{2} {}_s\beta \cdot {}_s u_j) \cdot \ddot{x}_{0\mathrm{max}}$$

6.3 大梁の保証設計

付表 1.6.3 大梁の保証設計（1）

階		G2（B 通り 3-4 間）		G5（4 通り A-B 間）	
		左端	右端	左端	右端
10	$B \times D$ (d) （mm）	600×900（805）		600×900（777）	
	上端筋，下端筋	6-D29　6-D29	6-D29　6-D29	8-D32　8-D32	8-D32　8-D32
	あばら筋	4-D13@200	4-D13@200	4-S13@200	4-S13@200
	保証設計点① M （kN·m）	1 539	1 693	2 381	2503
	ヒンジ状況	ヒンジ	ヒンジ	ヒンジ	ヒンジ
	保証設計点①変形角 R（rad）	0.0137	0.0137	0.0109	0.0109
	終局変形角 R_u （rad）	0.0284	0.0257	0.0292	0.0264
	保証設計点① Q （kN）	471	612	361	724
	設計せん断力 Q （kN）	518	673	397	796
	せん断強度 Q_u （kN）	1 095	1 095	2 255	2 255
	付着 τ_f （N/mm²）	1.665		1 段目：1.072　2 段目：0.804	
	付着 τ_{bu} （N/mm²）	2.624		1 段目：2.385　2 段目：4.515	
	判定	OK	OK	OK	OK
6	$B \times D$ (d) （mm）	700×900（777）		600×900（765）	
	上端筋，下端筋	8-D32　8-D32	8-D32　8-D32	8-D35　8-D35	8-D35　8-D35
	あばら筋	4-S13@200	4-S13@200	4-S13@200	4-S13@200
	保証設計点① M （kN·m）	2 600	2 721	2 823	2 925
	ヒンジ状況	ヒンジ	ヒンジ	ヒンジ	ヒンジ
	保証設計点①変形角 R（rad）	0.0172	0.0172	0.0122	0.0122
	終局変形角 R_u （rad）	0.0291	0.0273	0.0241	0.0222
	保証設計点① Q （kN）	814	964	457	820
	設計せん断力 Q （kN）	895	1060	503	902
	せん断強度 Q_u （kN）	2 194	2 194	2 197	2 197
	付着 τ_f （N/mm²）	1 段目：1.825　2 段目：1.369		1 段目：1.173　2 段目：0.880	
	付着 τ_{bu} （N/mm²）	1 段目：2.608　2 段目：4.917		1 段目：2.187　2 段目：4.132	
	判定	OK	OK	OK	OK

付表 1.6.4　大梁の保証設計（2）

階		G2（B 通り 3-4 間）		G5（4 通り A-B 間）	
		左端	右端	左端	右端
2	$B \times D$ (d) （mm）	800×900（765）		600×900（765）	
	上端筋，下端筋	8-D35　8-D35	8-D35　8-D35	8-D35　8-D35	8-D35　8-D35
	あばら筋	4-S13@200	4-S13@200	4-S13@200	4-S13@200
	保証設計点① M （kN·m）	3 048	3 137	2 808	2 913
	ヒンジ状況	ヒンジ	ヒンジ	ヒンジ	ヒンジ
	保証設計点①変形角 R（rad）	0.0101	0.0101	0.0088	0.0092
	終局変形角 R_u （rad）	0.0319	0.0302	0.0260	0.0239
	保証設計点① Q （kN）	952	1 114	451	820
	設計せん断力 Q （kN）	1 047	1 225	496	902
	せん断強度 Q_u （kN）	2 729	2 729	2 658	2 637
	付着 τ_f （N/mm²）	1 段目：1.997	2 段目：1.497	1 段目：1.171	2 段目：0.878
	付着 τ_{bu} （N/mm²）	1 段目：2.781	2 段目：5.197	1 段目：2.332	2 段目：4.389
	判定	OK	OK	OK	OK

6.4 柱の保証設計

（1） X 方向

付表 1.6.5 柱の保証設計（1）

階			C2 （B-4）		C3 （A-1）	
			柱脚	柱頭	柱脚	柱頭
	$B \times D$ （mm）		950×950		950×950	
	鉄筋		8-D35	8-D35	8-D29	8-D29
	帯筋		4-D13@100	4-D13@100	4-D13@100	4-D13@100
12	安全限界時応答点	軸力 N （kN）	767		85	
		節点 M （kN·m）	−20	−1 589	521	−533
		フェイス M_F （kN·m）	161	−1 408	522	−532
		せん断力 （kN）	402		3	
	保証設計点①	軸力 N （kN）	767		76	
		節点 M （kN·m）	−2	−1 608	537	−547
		フェイス M_F （kN·m）	179	−1 427	539	−546
		せん断力 Q （kN）	402 （503）		2 （3）	
	高次モード割増		1.699			
	保証設計点②	軸力 N （kN）	767		85	
		節点 M （kN·m）	−34	−2 700	912	−929
		フェイス M_F （kN·m）	304	−2 425	916	−928
		せん断力 Q （kN）	683		3	
	保証設計用応力	軸力 N （kN）	767		87	
		節点 M （kN·m）	−34	−2 700	912	−929
		フェイス M_F （kN·m）	304	−2 425	916	−928
		せん断力 Q （kN）	683		3	
	曲げ終局強度 M_u （kN·m）		−4 619	−4 626	3 079	−3 057
	判定		OK	OK	OK	OK
	せん断強度 Q_u （kN）		2 977		2 977	
	判定		OK		OK	
	付着 τ_f （N/mm²）		1 段目：3.047　2 段目：2.285		1 段目：2.434　2 段目：1.826	
	付着 τ_{bu} （N/mm²）		1 段目：3.263　2 段目：8.773		1 段目：3.919　2 段目：10.570	
	判定		OK		OK	
	柱梁強度比柱頭	${}_cM_u$ （${}_cM_{uF}$） （kN·m）	5 968 （4 626）		3 948 （3 057）	
		${}_bM_u$ （${}_bM_{uF}$） （kN·m）	904 （774）	738 （608）	564 （468）	
		$\Sigma {}_cM_u / \Sigma {}_bM_u$	3.635		7.001	
		判定	OK		OK	

［注］保証設計点①せん断力 Q の（　）内は保証設計点①せん断力 Q の 1.25 倍の値　軸力 N は圧縮が正.

付表 1.6.6　柱の保証設計（2）

階			C2（B-4）		C3（A-1）	
			柱脚	柱頭	柱脚	柱頭
	$B \times D$（mm）		950×950		950×950	
	鉄筋		8-D35	8-D35	8-D32	8-D32
	帯筋		4-S13@100	4-S13@100	4-S13@100	4-S13@100
	安全限界時応答点	軸力 N（kN）	4 020		−740	
		節点 M（kN·m）	−3 354	−2 613	−1 529	−928
		フェイス M_F（kN·m）	−2 683	−1 941	−1 253	−651
		せん断力（kN）	1 492		614	
	保証設計点①	軸力 N（kN）	4 017		−778	
		節点 M（kN·m）	−3 538	−2 511	−1 671	−839
		フェイス M_F（kN·m）	−2 857	−1 831	−1 389	−557
		せん断力 Q（kN）	1 512（1 890）		628（785）	
	高次モード割増		1.027			
	保証設計点②	軸力 N（kN）	4 020		740	
		節点 M（kN·m）	−3 445	−2 684	−1 570	−953
		フェイス M_F（kN·m）	−2 755	−1 993	−1 287	−669
5		せん断力 Q（kN）	1 532		631	
	保証設計用応力	軸力 N（kN）	4 020		−780	
		節点 M（kN·m）	−3 538	−2 684	−1 671	−953
		フェイス M_F（kN·m）	−2 857	−1 993	−1 389	−669
		せん断力 Q（kN）	1 890		785	
	曲げ終局強度 M_u（kN·m）		−5 458	−5 457	−3 415	−3 367
	判定		OK	OK	OK	OK
	せん断強度 Q_u（kN）		5 040		5 040	
	判定		OK		OK	
	付着 τ_f（N/mm²）		1 段目：2.938　2 段目：2.204		1 段目：2.686　2 段目：2.015	
	付着 τ_{bu}（N/mm²）		1 段目：3.263　2 段目：8.773		1 段目：3.560　2 段目：9.587	
	判定		OK		OK	
	柱梁強度比柱頭	$_cM_u$（$_cM_{uF}$）（kN·m）	7041（5457）	6925（5367）	4351（3367）	3549（3526）
		$_bM_u$（$_bM_{uF}$）（kN·m）	2 567（2 173）	2 411（2 017）	1 817（1 523）	
		Σ_cM_u/Σ_bM_u	2.806		4.898	
		判定	OK		OK	

［注］保証設計点①せん断力 Q の（　）内は保証設計点①せん断力 Q の 1.25 倍の値　軸力 N は圧縮が正.

付表 1.6.7　柱の保証設計（3）

階			C2（B-4） 柱脚	C2（B-4） 柱頭	C3（A-1） 柱脚	C3（A-1） 柱頭
		$B \times D$（mm）	950×950		950×950	
		鉄筋	8-D35	8-D35	8-D38	8-D38
		帯筋	4-S13@75	4-S13@75	4-S13@75	4-S13@75
	安全限界時応答点	軸力 N（kN）	6 006		−2 922	
		節点 M（kN·m）	−7 706	−1 656	−4 923	−227
		フェイス M_F（kN·m）	−5 385	−959	−3 646	156
		せん断力 Q（kN）	1 547		851	
	保証設計点①	軸力 N（kN）	6 002		−2 987	
		節点 M（kN·m）	−8 033 ●	−1 351	−5 157 ●	−39
		フェイス M_F（kN·m）	−5 706 ●	−653	−3 869 ●	347
		せん断力 Q（kN）	1 551（1 939）		859（1 074）	
		高次モード割増	1.144			
	保証設計点②	軸力 N（kN）	6 006		−2 922	
		節点 M（kN·m）	−8 816	−1 894	−5 632	−260
		フェイス M_F（kN·m）	−6 160	−1 097	−4 171	178
		せん断力 Q（kN）	1 770		974	
		釣合軸力 N_b	13 460		13 460	
1		軸力による補正	無		無	
	保証設計用応力	軸力 N（kN）	6 006≦0.35N_u=16 900		2 987≦0.35N_u=17 590	
		節点 M（kN·m）	（−8 033 ●）	−1 894	（−5 157 ●）	−260
		フェイス M_F（kN·m）	（−5 706 ●）	−1 097	（−3 869 ●）	347
		せん断力 Q（kN）	1 939		1 074	
		曲げ終局強度 M_u（kN·m）	（−6 034）	6 014	（−4 136）	41 347
		判定	—	OK	—	OK
		せん断強度 Q_u（kN）	5 453		5 456	
		判定	OK		OK	
		付着 τ_f（N/mm²）	1 段目：2.311　2 段目：1.797		1 段目：2.500　2 段目：1.944	
		付着 τ_{bu}（N/mm²）	1 段目：3.889　2 段目：10.612		1 段目：3.590　2 段目：9.781	
		判定	OK		OK	
		保証設計点①変形角 R（rad）	0.00731	—	0.00728	—
		終局変形角 R_u（rad）	0.02659	—	0.08085	—
		判定	OK		OK	
	柱梁強度比 柱頭	$_cM_u$（$_cM_{uF}$）（kN·m）	7 336（6 014）	7 644（5 924）	5 045（4 137）	5 518（4 316）
		$_bM_u$（$_bM_{uF}$）（kN·m）	3 034（2 566）	2 882（2 414）	2 528（2 122）	
		Σ_cM_u/Σ_bM_u	2.532		4.178	
		判定	OK		OK	

[注] 保証設計点①せん断力 Q の（　）内は保証設計点①せん断力 Q の 1.25 倍の値，●印は曲げ降伏を示す．軸力 N は圧縮が正．

付1. 設計例 －251－

付表1.6.8 柱の保証設計（4）

階			C4（B-7）		C3（A-7）	
			柱脚	柱頭	柱脚	柱頭
		$B \times D$ (mm)	950×950		950×950	
		鉄筋	8-D35	8-D35	8-D38	8-D38
		帯筋	4-S13@75	4-S13@75	4-S13@75	4-S13@75
1	安全限界時応答点	軸力 N (kN)	10 502		10 033	
		節点 M (kN·m)	−7 594	−78	−7 697	163
		フェイス M_F (kN·m)	−5 692	493	−5 829	723
		せん断力 Q (kN)	1 268		1 245	
	保証設計点①	軸力 N (kN)	10 681		10 143	
		節点 M (kN·m)	−8 255	309	−8 659	542
		フェイス M_F (kN·m)	−6 285	900	−6 647	1 146
		せん断力 Q (kN)	1 313（1 641）		1 342（1 678）	
		高次モード割増	1.144			
	保証設計点②	軸力 N (kN)	10 502		10 033	
		節点 M (kN·m)	−8 688	−86	−8 805	186
		フェイス M_F (kN·m)	−6 512	564	−6 668	827
		せん断力 Q (kN)	1 451		1 424	
		釣合軸力 N_b	13 460		13 460	
		軸力による補正	無		無	
	保証設計用応力	軸力 N (kN)	10 681≦0.35N_u＝16 900		10 143≦0.35N_u＝17 590	
		節点 M (kN·m)	−8 688	309	−8 805	542
		フェイス M_F (kN·m)	−6 512	900	−6 668	1 146
		せん断力 Q (kN)	1 641		1 678	
		曲げ終局強度 M_u (kN·m)	−6 961	6 961	−7 310	7 284
		判定	OK	OK	OK	OK
		せん断強度 Q_u (kN)	5 514		5 529	
		判定	OK		OK	
		付着 τ_f (N/mm²)	1段目：2.311　2段目：1.797		1段目：2.500　2段目：1.944	
		付着 τ_{bu} (N/mm²)	1段目：3.889　2段目：10.612		1段目：3.590　2段目：9.781	
		判定	OK		OK	
		保証設計点①変形角 R (rad)	0.00666	—	0.00651	—
		終局変形角 R_u (rad)	0.01748	—	0.01812	—
		判定	OK	—	OK	—
	柱梁強度比柱頭	$_cM_u$ $(_cM_{uF})$ (kN·m)	8 489（6 961）	8 381（6 495）	8 886（7 284）	9 230（7 154）
		$_bM_u$ $(_bM_{uF})$ (kN·m)	3 034（2 566）		2 605（2 199）	
		Σ_cM_u/Σ_bM_u	5.559		6.953	
		判定	OK		OK	

［注］保証設計点①せん断力 Q の（　）内は保証設計点①せん断力 Q の1.25倍の値，●印は曲げ降伏
を示す．　軸力 N は圧縮が正．

（2） Y方向

付表 1.6.9　柱の保証設計（5）

階			C2（B-4）		C3（A-1）	
			柱脚	柱頭	柱脚	柱頭
	$B \times D$（mm）		950×950		950×950	
	鉄筋		8-D35	8-D35	8-D29	8-D29
	帯筋		4-D13@100	4-D13@100	4-D13@100	4-D13@100
	安全限界時応答点	軸力 N（kN）	621		−31	
		節点 M（kN·m）	−1 491	−2 347	−529	−1 186
		フェイス M_F（kN·m）	−1 059	−1 915	−336	−993
		せん断力 Q（kN）	960		429	
	保証設計点①	軸力 N（kN）	609		−33	
		節点 M（kN·m）	−1 491	−2 360	−526	−1 196
		フェイス M_F（kN·m）	−1 058	−1 927	−332	−1 002
		せん断力 Q（kN）	963（1 204）		430（538）	
	高次モード割増		1.488			
	保証設計点②	軸力 N（kN）	621		−31	
		節点 M（kN·m）	−2 219	−3 492	−787	−1 765
		フェイス M_F（kN·m）	−1 576	−2 850	−500	−1 478
12		せん断力 Q（kN）	1 428		638	
	保証設計用応力	軸力 N（kN）	621		−33	
		節点 M（kN·m）	−2 219	−3 492	−787	−1 765
		フェイス M_F（kN·m）	−1 576	−2 850	−500	−1 478
		せん断力 Q（kN）	1 428		638	
	曲げ終局強度 M_u（kN·m）		−4 587	−4 586	−3 076	−3 082
	判定		OK	OK	OK	OK
	せん断強度 Q_u（kN）		2 977		2 977	
	判定		OK		OK	
	付着 τ_f（N/mm²）		1段目：3.047　2段目：2.285		1段目：2.434　2段目：1.826	
	付着 τ_{bu}（N/mm²）		1段目：3.263　2段目：8.773		1段目：3.919　2段目：10.570	
	判定		OK		OK	
	柱梁強度比 柱頭	$_cM_u$（$_cM_{uF}$）（kN·m）	5 918（4 586）		39 76（3 082）	
		$_bM_u$（$_bM_{uF}$）（kN·m）	1 589（1 430）　805（671）		1 201（1 070）	
		Σ_cM_u/Σ_bM_u	2.472		3.311	
		判定	OK		OK	

［注］保証設計点①せん断力 Q の（　）内は保証設計点①せん断力 Q の1.25倍の値　軸力 N は圧縮が正.

付1. 設計例 — 253 —

付表 1.6.10 柱の保証設計（6）

階			C2（B-4）		C3（A-1）	
			柱脚	柱頭	柱脚	柱頭
		$B \times D$（mm）	950×950		950×950	
		鉄筋	8-D35	8-D35	8-D32	8-D32
		帯筋	4-S13@100	4-S13@100	4-S13@100	4-S13@100
	安全限界時応答点	軸力 N（kN）	1 795		− 1 644	
		節点 M（kN·m）	− 2 889	− 2 341	− 1 613	− 1 160
		フェイス M_F（kN·m）	− 2 301	− 1 752	− 1 301	− 849
		せん断力 Q（kN）	1 307		693	
	保証設計点①	軸力 N（kN）	1 611		− 1 686	
		節点 M（kN·m）	− 2 919	− 2 334	− 1 655	− 1 165
		フェイス M_F（kN·m）	− 2 328	− 1 743	− 1 338	− 848
		せん断力 Q（kN）	1 313（1 641）		705（881）	
		高次モード割増	1.013			
5	保証設計点②	軸力 N（kN）	1 795		− 1 644	
		節点 M（kN·m）	− 2 927	− 2 371	− 1 634	− 1 175
		フェイス M_F（kN·m）	− 2 331	− 1 775	− 1 318	− 860
		せん断力 Q（kN）	1 324		702	
	保証設計用応力	軸力 N（kN）	1 795		− 1 686	
		節点 M（kN·m）	− 2 927	− 2 371	− 1 655	− 1 175
		フェイス M_F（kN·m）	− 2 331	− 1 775	− 1 338	− 860
		せん断力 Q（kN）	1 641		881	
		曲げ終局強度 M_u（kN·m）	− 4 759	− 4 758	− 3 105	− 3 101
		判定	OK	OK	OK	OK
		せん断強度 Q_u（kN）	5 040		5 040	
		判定	OK		OK	
		付着 τ_f（N/mm²）	1 段目：2.938　2 段目：2.204		1 段目：2.686　2 段目：2.015	
		付着 τ_{bu}（N/mm²）	1 段目：3.263　2 段目：8.773		1 段目：3.560　2 段目：9.587	
		判定	OK		OK	
	柱梁強度比柱頭	$_cM_u$（$_cM_{uF}$）（kN·m）	6 140（4 758）	6 153（4 769）	4 002（3 101）	4 159（3 223）
		$_bM_u$（$_bM_{uF}$）（kN·m）	2 780（2 495）	1 814（1 521）	2 310（2 062）	
		Σ_cM_u/Σ_bM_u	2.676		3.533	
		判定	OK		OK	

［注］保証設計点①せん断力 Q の（　）内は保証設計点①せん断力 Q の 1.25 倍の値　軸力 N は圧縮が正.

－254－　付　　録

付表 1.6.11　柱の保証設計（7）

階			C2（B-4）		C3（A-1）	
			柱脚	柱頭	柱脚	柱頭
		$B \times D$（mm）	950×950		950×950	
		鉄筋	8-D35	8-D35	8-D38	8-D38
		帯筋	4-S13@75	4-S13@75	4-S13@75	4-S13@75
1	安全限界時応答点	軸力 N（kN）	3 052		－ 2 755	
		節点 M（kN·m）	－ 7 523	－ 2 719	－ 5 288	－ 1 298
		フェイス M_F（kN·m）	－ 4 984	－ 1 957	－ 3 646	－ 806
		せん断力 Q（kN）	1 693		1 088	
	保証設計点①	軸力 N（kN）	2 637		－ 2 831	
		節点 M（kN·m）	－ 7 704 ●	－ 2 824	－ 5 779 ●	－ 1 426
		フェイス M_F（kN·m）	－ 5 094 ●	－ 2 041	－ 3 993 ●	－ 890
		せん断力 Q（kN）	1 740（2 175）		1 191（1 489）	
		高次モード割増	1.013			
	保証設計点②	軸力 N（kN）	3 052		－ 2 755	
		節点 M（kN·m）	－ 7 621	－ 2 754	－ 5 357	－ 1 315
		フェイス M_F（kN·m）	－ 5 049	－ 1 982	－ 3 693	－ 816
		せん断力 Q（kN）	1 715		1 102	
		釣合軸力 N_b	13 460		13 460	
		軸力による補正	無		無	
	保証設計用応力	軸力 N（kN）	3 052≦0.35N_u＝16 900		－ 2 831≦0.35N_u＝17 590	
		節点 M（kN·m）	（－ 7 704 ●）	－ 2 824	（－ 5 779 ●）	－ 1 426
		フェイス M_F（kN·m）	（－ 5 094 ●）	－ 2 041	（－ 3 993 ●）	－ 890
		せん断力 Q（kN）	2 175		1 489	
		曲げ終局強度 M_u（kN·m）	（－ 4 885）	－ 4 885	（－ 4 202）	－ 4 192
		判定	OK	OK	OK	OK
		せん断強度 Q_u（kN）	5 343		5 388	
		判定	OK		OK	
		付着 τ_f（N/mm²）	1 段目：2.311　2 段目：1.797		1 段目：2.500　2 段目：1.944	
		付着 τ_{bu}（N/mm²）	1 段目：3.889　2 段目：10.612		1 段目：3.590　2 段目：9.781	
		判定	OK		OK	
		保証設計点①変形角 R（rad）	0.00847	－	0.00800	－
		終局変形角 R_u（rad）	0.03734	－	0.04896	－
		判定	OK		OK	
	柱梁強度比 柱頭	$_cM_u$（$_cM_{uF}$）（kN·m）	5 957（4 885）	6 199（4 804）	5 113（4 192）	5 510（4 270）
		$_bM_u$（$_bM_{uF}$）（kN·m）	2 801（2 513）	1 839（1 542）	2 333（2 083）	
		Σ_cM_u/Σ_bM_u	2.620		4.553	
		判定	OK		OK	

［注］保証設計点①せん断力 Q の（　）内は保証設計点①せん断力 Q の 1.25 倍の値，●印は曲げ降伏
　　を示す．　軸力 N は圧縮が正.

付表 1.6.12　柱の保証設計（8）

階			C1（D-4）		C3（D-1）	
			柱脚	柱頭	柱脚	柱頭
		$B \times D$（mm）	950×950		950×950	
		鉄筋	8-D35	8-D35	8-D38	8-D38
		帯筋	4-S13@75	4-S13@75	4-S13@75	4-S13@75
	安全限界点時応答	軸力 N（kN）	11 641		9 660	
		節点 M（kN·m）	− 8 369	− 2 135	− 8 218	− 1 915
		フェイス M_F（kN·m）	− 5 765	− 1 354	− 5 692	− 1 158
		せん断力 Q（kN）	1 736		1 675	
	保証設計点①	軸力 N（kN）	11 681		9 856	
		節点 M（kN·m）	− 9 386 ●	− 2 412	− 9 916	− 2 273
		フェイス M_F（kN·m）	− 6 461 ●	− 1 534	− 6 894	− 1 366
		せん断力 Q（kN）	1 950（2 438）		2 015（2 519）	
		高次モード割増	1.013			
	保証設計点②	軸力 N（kN）	1 1641		9 660	
		節点 M（kN·m）	− 8 478	− 2 163	− 8 325	− 1 940
		フェイス M_F（kN·m）	− 5 840	− 1 372	− 5 766	− 1 173
		せん断力 Q（kN）	1 759		1 697	
1		釣合軸力 N_b	13 460		13 460	
		軸力による補正	無		無	
	保証設計用応力	軸力 N（kN）	11 681≦0.35N_u=16 900		9 856≦0.35N_u=17 590	
		節点 M（kN·m）	（− 9 386 ●）	− 2 412	− 9 916	− 2 273
		フェイス M_F（kN·m）	（− 6 461 ●）	− 1 534	− 6 894	− 1 366
		せん断力 Q（kN）	2 438		2 519	
		曲げ終局強度 M_u（kN·m）	（− 6 853）	− 6 849	− 7 270	− 7 250
		判定	OK	OK	OK	OK
		せん断強度 Q_u（kN）	5 460		5 489	
		判定	OK		OK	
		付着 τ_f（N/mm²）	1 段目：2.311　2 段目：1.797		1 段目：2.500　2 段目：1.944	
		付着 τ_{bu}（N/mm²）	1 段目：3.889　2 段目：10.612		1 段目：3.590　2 段目：9.781	
		判定	OK		OK	
		保証設計点①変形 R（rad）	0.00724	—	0.00693	—
		終局変形角 R_u（rad）	0.01676	—	0.01805	—
		判定	OK		OK	
	柱梁強度比 柱頭	$_cM_u$（$_cM_{uF}$）（kN·m）	8 353（6 849）	8 671（6 723）	8 687（7 250）	8 326（7 006）
		$_bM_u$（$_bM_{uF}$）（kN·m）	2 801（2 513）		2 408（2 158）	
		Σ_cM_u/Σ_bM_u	6.078		7.129	
		判定	OK		OK	

［注］保証設計点①せん断力 Q の（　）内は保証設計点①せん断力 Q の 1.25 倍の値，●印は曲げ降伏を示す．軸力 N は圧縮が正．

— 256 — 付　　　録

（3）　X・Y 方向軸力組合せ

1C3（7-D）

　長期軸力　3 392 kN

　安全限界時応答点軸力

　　　　X 方向　　10 028 kN

　　　　Y 方向　　　9 626 kN

　X・Y 方向組合せ軸力

　　　$N = 3 392 + (10 028 - 3 392) + (9 626 - 3 392) = 16 262$ kN

　　　$0.55 \cdot Nu = 27 640$ kN $\geq 16 262$ kN　　OK

6.5　耐震壁の保証設計

　連層耐震壁の保証設計は，せん断に対しては，せん断強度が保証設計①せん断力の 1.25 倍，かつ安全限界応答点応力に高次モードによる応力割増をしたせん断力以上であることとした．せん断強度は，（解 6.2.2.3.13）によった．

$$Q_2 = Q_{su} = \left\{ \frac{0.068 p_{cg}{}^{0.23}(F_c + 18)}{\sqrt{M/(Ql_{aw})} + 0.12} + 0.85\sqrt{p_{whe}\sigma_{why}} + 0.1\sigma_0 \right\} b_e j \qquad (\text{解 } 6.2.2.3.13)$$

　曲げに対しては，1 階壁脚について，曲げ降伏後のせん断強度の低下に依存する終局変形，および曲げ降伏後の曲げ圧縮コンクリートの圧壊に依存する終局変形について検討した．

　曲げ降伏後のせん断強度の低下に依存する終局変形の検討は，保証設計点①の部材角に対応する（解 6.2.2.3.19）に（解 6.2.2.3.20）のコンクリート有効圧縮強度係数 ν を用いたときのせん断強度が，保証設計①せん断力以上であることとした．

$$Q_2 = t_w \lambda_{wb} p_{sx} \sigma_y \cot \phi + \tan \theta (1-\beta) t_{wl} l_{wa} \nu \sigma_B / 2 \qquad (\text{解 } 6.2.2.3.19)$$

$$\nu_0 = \begin{cases} 0.8 - \sigma_B/200 & \sigma_B \leq 70 \text{ N/mm}^2 \\ 1.907\sigma_B{}^{-0.34} & \sigma_B \leq 70 \text{ N/mm}^2 \end{cases} \qquad (\text{解 } 6.2.2.3.20)$$

$$\begin{aligned} \nu &= \nu_0 & R_u &< 0.005 \\ \nu &= (1.2 - 40R_u)\nu_0 & 0.005 &\leq R_u < 0.02 \\ \nu &= 0.4\nu_0 & 0.02 &\leq R_u \end{aligned}$$

　曲げ降伏後の曲げ圧縮コンクリートの圧壊に依存する終局変形の検討は，次式（解 6.2.2.3.22）の曲げ降伏後の曲げ圧縮コンクリートの圧壊に依存する終局曲率 ϕ_u を基に終局変形角 R_u を計算し，保証設計点①変形角 R 以上であることとした．

$$\phi_u = \begin{cases} \dfrac{c\varepsilon_B}{x_{ne}} & (x_{ne} \leq J_D) \\[2mm] \min\left(\dfrac{c\varepsilon_B}{X_n + D}, \dfrac{w\varepsilon_B}{X_n} \right) & (x_{ne} > J_D) \end{cases} \qquad (\text{解 } 6.2.2.3.22)$$

$$x_{ne} = \frac{N_{cc}}{0.9_e\sigma_{cB}J_B} \qquad\qquad X_n = \frac{N_{cc} - C_c}{\sigma_B t_w}$$

$$N_{cc} = \frac{T^2 + {}_bV_u{}^2}{T} - \Sigma_c a_{yc}\sigma_y \qquad T = \Sigma a_{ww}\sigma_y + N + \Sigma a_{yt}\sigma_y \qquad C_c = 0.9_c\sigma_{cB}J_B J_D$$

（1）　せん断に対する検討

付表 1.6.13　耐震壁のせん断に対する検討（1）

階 壁符号			1 通り　B-C 間
12 EW18	厚さ t×長さ L（mm）配筋		180×6 000　D10D13@200
	付帯柱		C4（950×950）＋C4（950×950）
	安全限界時応答点	軸力 N（kN）	1 218
		せん断力 Q（kN）	－1 630
	保証設計点①	軸力 N（kN）	1 227
		せん断力 Q（kN）	－1 691（－2 114）
	高次モード割増		1.448
	保証設計点② Q_A	軸力 N（kN）	1 218
		せん断力 Q（kN）	－2 425
	保証設計応力	軸力 N（kN）	1 218
		せん断力 Q（kN）	－2 425
	せん断強度		6 764
	判定		OK
5 EW30	厚さ t×長さ L（mm）配筋		300×6 000　D16@200
	付帯柱		C4（950×950）＋C4（950×950）
	安全限界時応答点	軸力 N（kN）	8 232
		せん断力 Q（kN）	6 116
	保証設計点①	軸力 N（kN）	8 365
		せん断力 Q（kN）	6 257（7 821）
	高次モード割増		1.013
	保証設計点② Q_A	軸力 N（kN）	8 232
		せん断力 Q（kN）	6 196
	保証設計応力	軸力 N（kN）	8 365
		せん断力 Q（kN）	7 821
	せん断強度		10 930
	判定		OK

［注］保証設計点①せん断力 Q の（　）内は保証設計点①せん断力 Q の 1.25 倍の値
　　　軸力 N は圧縮が正.

－258－　付　　録

付表 1.6.14　耐震壁のせん断に対する検討（2）

	厚さ t×長さ L（mm）配筋		500×6 000　D25@200
1 EW50	付帯柱		C4（950×950）＋C4（950×950）
	安全限界時応答点	軸力 N（kN）	1 2029
		せん断力 Q（kN）	3 297
	保証設計点①	軸力 N（kN）	12 010
		せん断力 Q（kN）	3 030（3 788）
	高次モード割増		1.013
	保証設計点② Q_A	軸力 N（kN）	12 029
		せん断力 Q（kN）	3 340
	保証設計応力	軸力 N（kN）	12 010
		せん断力 Q（kN）	3 788
	せん断強度		13 427
	判定		OK

[注] 保証設計点①せん断力 Q の（　）内は保証設計点①せん断力 Q の 1.25 倍の値
　　　軸力 N は圧力が正.

（2）　曲げ降伏後のせん断強度の低下に依存する終局変形の検討

EW50（1 通り B-C 間）　　　　　$t=500$　D25 @ 200　（$P_{sx}=0.01014$）

保証設計①せん断力　　　　　$Q=3\,030$（kN）

保証設計点①の変形　　　　　$\delta_u=41.63$（mm）

保証設計点①の部材角　　　　$R_u=41.63/5\,000=0.008326$

コンクリート有効圧縮強度係数　$\nu=(1.2-40\cdot R_u)\cdot\nu_0$

　　　　　　　　　　　　　　　$=(1.2-40\cdot0.008326)\cdot(0.8-42/200)$

　　　　　　　　　　　　　　　$=0.8670\cdot0.59=0.5115$

トラス機構の負担比　　　　　$\beta=(1+\cot^2\phi)\,p_{sx}\cdot\sigma_y/(\nu_0\cdot\sigma_B)$

　　　　　　　　　　　　　　　$=(1+1)\cdot0.01014\cdot345/(0.59\cdot42)$

　　　　　　　　　　　　　　　$=0.2823$

アーチ機構の角度 θ

　　$\tan 2\theta_1=\sum\limits_{j=i}^{N}(\alpha_j\cdot\sin 2\phi_j/\tan 2\phi_j)/\sum\limits_{j=i}^{N}(\alpha_j\cdot\cos 2\phi_j/\tan 2\phi_j)$

　　$\tan 2\theta_1=22940/97840=0.2345$

　　$\tan\theta=0.1157$

せん断強度 Q_u

　　$Q_u=t_w\cdot l_{wb}\cdot p_{sx}\cdot\sigma_y\cdot\cot\phi+\tan\theta(1-\beta)\cdot t_w\cdot l_{wa}\cdot\nu\cdot\sigma_B/2$

　　　$=500\cdot6\,000\cdot0.01014\cdot345\cdot1+0.1157\cdot(1-0.2823)\cdot500\cdot6\,960\cdot0.5115\cdot42/2$

$$=10\,490\,000+31\,000\,000=13\,590\,000\ \text{(N)}=13\,590\ \text{(kN)}>3\,030\ \text{(kN)}\quad\text{OK}$$

（3）　曲げ降伏後の曲げ圧縮コンクリートの圧壊に依存する終局変形の検討

$$T=\sum a_w\cdot{}_w\sigma_y+N+\sum{}_t a_y\cdot{}_c\sigma_y$$

$$=(507\cdot50)\cdot(345\cdot1.1)+12\,010\,000+(957\cdot28)\cdot(390\cdot1.1)$$

$$=9\,620\,000+12\,010\,000+11\,500\,000=33\,130\,000\ \text{(N)}$$

$$N_{cc}=(T^2+{}_bV_u{}^2)/T-\sum{}_c a_y\cdot{}_c\sigma_y$$

$$=(33\,130\,000^2+3\,030\,000^2)/33\,130\,000-(957\cdot28)\cdot(390\cdot1.1)$$

$$=33\,410\,000-11\,500\,000=21\,910\,000\ \text{(N)}$$

$${}_c\sigma_{cB}={}_c\sigma_B+k_e\cdot(1/2)\cdot(d_w/C)(1-0.5\cdot s/j_e)\cdot\rho_{wh}\cdot\sigma_{wy}$$

$$=42+11.5\cdot\{13/(850/3)\}\cdot(1-0.5\cdot75/850)\cdot0.00797\cdot685$$

$$=42+2.75=44.75\ \text{(N/mm}^2)\ (K={}_c\sigma_{cB}/{}_c\sigma_B=1.065)$$

$$C_C=0.9\cdot{}_c\sigma_{cB}\cdot J_B\cdot J_D=0.9\cdot44.75\cdot850\cdot850=29\,100\,000\ \text{(N)}$$

$$x_{ne}=N_{cc}/(0.9\cdot{}_c\sigma_{cB}\cdot J_B)=21\,900\,000/(0.9\cdot44.75\cdot850)=640\ \text{(mm)}$$

$$x_n=(N_{cc}-C_C)/(\sigma_B\cdot t_w)=(21\,910\,000-29\,100\,000)/(42\cdot500)$$

$$=-342\ \text{(mm)}$$

$$\varepsilon_c=0.93\cdot\sigma_B{}^{1/4}\cdot10^{-3}=0.93\cdot42^{1/4}\cdot10^{-3}=0.00237$$

$$\varepsilon_{c0}=1+4.7(K-1)=1+4.7(1.065-1)=0.00310$$

応力度比 $(\sigma_c/\sigma_{cB})=0.9$ の時のひずみ ${}_c\varepsilon_B$ は，日本建築学会「高強度コンクリートの技術の現状」に示されている式 $(\sigma_c/\sigma_{cB})=\{A\cdot X+(D+1)X^2\}/\{1+(A-2)+D\cdot X^2\}$ より，$1.69\cdot\varepsilon_{c0}$ とした．

$${}_c\varepsilon_B=1.69\cdot\varepsilon_{c0}=1.69\cdot0.00310=0.00524$$

$$\phi_u={}_c\varepsilon_B/x_{ne}=0.00524/640=0.00000819\ \text{(1/mm)}$$

引張鉄筋位置のひずみ　$\varepsilon_s=0.00000819\cdot(6\,825-640)=0.0507\leqq0.16/2=0.08$

$$h_{pc}=1.5B_c=1.5\cdot950=1\,425\ \text{(mm)}$$

ヒンジ部以外は，初期剛性として層間変形を算定する．

$$E_c\cdot I_c=2.852\times10^4\times2.17\times10^{13}=6.19\times10^{17}\ \text{(N·mm}^2)$$

$$\delta=0.00000819\cdot1\,425\cdot(5\,000-1\,425/2)$$

$$+(127\,500-119\,200)\times10^6/6.19\times10^{17}\times3\,575^2/3$$

$$+119\,200\times10^6/6.19\times10^{17}\times3\,575^2/2$$

$$=50.04+0.06+1.23=51.33\ \text{(mm)}>41.29\ \text{(mm)}\quad\text{OK}$$

6.6　柱梁接合部の保証設計

　柱梁接合部の保証設計は，（1）接合部降伏破壊の防止，（2）柱梁接合部の釣合破壊の防止，（3）柱梁接合部を通過する主筋の付着劣化による変形の増大の防止，（4）梁，柱の主筋を柱梁接合部内に定着する場合は主筋の定着破壊の防止とした．

（1）　接合部降伏破壊の防止

接合部降伏破壊の防止は，（a）柱梁接合部の終局強度の確保，（b）柱梁強度比の確保，（c）柱梁接合部の変形を拘束するための接合部横補強筋量の確保とした．

（a）　柱梁接合部の終局強度の確保

安全限界時応答点の層間変形角が1/75以下なので，柱梁接合部の終局強度が，保証設計点①において，その柱梁接合部に作用するモーメントに対して1.0以上の余裕度を確保することとした．具体的には，次式（解 9.4.4.1a），（解 9.4.4.1b），（解 9.4.4.1c）の柱梁接合部降伏による強度低下率 β_j が1.0を下回らないことを確認した．

十字形柱梁接合部の場合

$$
\beta_j = \left\{ 1 - \frac{\sum A_t f_y}{b_j D_b \sigma_B} + \frac{1}{2}\left(\frac{\widetilde{M}_{cu} + \widetilde{M}'_{cu}}{\widetilde{M}_{bu} + \widetilde{M}'_{bu}} - 1\right) + \frac{1}{4}\left(\frac{\sum A_{jw} f_{jy}}{\sum A_t f_y}\right) \right\} \xi_r
$$ 　（解 9.4.4.1a）

ト形柱梁接合部の場合

$$
\beta_j = \left\{ 0.85 - \frac{\sum A_t f_y}{b_j D_b \sigma_B} + \frac{1}{4}\left(\frac{\widetilde{M}_{cu} + \widetilde{M}'_{cu}}{\widetilde{M}_{bu}}\xi_a - 1\right) + \frac{1}{2}\left(\frac{\sum A_{jw} f_{jy}}{\sum A_t f_y}\right) \right\} \xi_r
$$ 　（解 9.4.4.1b）

L形柱梁接合部（開く方向）の場合

$$
\beta_j = \left\{ 1 - \frac{\sum A_t f_y}{b_j D_b \sigma_B} + \frac{1}{2}\left(\frac{\widetilde{M}_{cu}}{\widetilde{M}_{bu}}\xi_a - 1\right) + \frac{1}{4}\left(\frac{\sum A_{jw} f_{jy}}{\sum A_t f_y}\right) \right\} \xi_r
$$ 　（解 9.4.4.1c）

ここで，記号は，（解 9.4.4.1a）式，（解 9.4.4.1b）式，（解 9.4.4.1c）式による．

（b）　柱梁強度比の確保

柱梁接合部内で柱主筋が降伏することを防ぐために，次式（解 9.4.4.2）の柱梁強度比を確保することとした．

$$
\frac{\sum \widetilde{M}_{cu}}{\sum \widetilde{M}_{bu}} \geq \kappa \left(1.25 + 0.25\frac{1}{\xi} \right)\frac{1}{\xi_a}
$$ 　（解 9.4.4.2）

ここで，記号は（解 9.4.4.2）式による．

（c）　接合部横補強筋量の確保

柱梁接合部の変形を拘束するための接合部横補強筋量を確保することとした．

柱梁強度比が1より大きく接続する梁の主筋が降伏するので，柱梁接合部の横補強筋量は，下式（解 9.4.4.3）を満足することを確認する．ただし，右辺が0.64を超える場合は $T_{hy}/T_{by} \geq 0.64$ とする．

$$
\frac{T_{hy}}{T_{by}} \geq 6\frac{1+\xi^2}{2}q_b
$$ 　（解 9.4.4.3）

ただし，外部柱梁接合部で，転倒モーメントにより柱に生じる軸力が引張軸力になる方向の加力時に前項の柱梁強度比の確保を行わなかった場合は，次式（解 9.4.4.4）（解 9.4.4.5）とする．

$$
\frac{T_{hy}}{T_{by}} \geq 6\frac{1+\xi^2}{2}q_b + 2\left\{ 1.5\left(1.25 + 0.25\frac{1}{\xi}\right)\frac{1}{\xi_a} - \frac{\sum \widetilde{M}_{cu}}{\widetilde{M}_{bu}} \right\}
$$ 　（解 9.4.4.4）

$$
q_b = \frac{_b p_t \cdot {_b}\sigma_y}{\sigma_B}
$$ 　（解 9.4.4.5）

ここで，記号は（解 9.4.4.3）式，（解 9.4.4.4）式，（解 9.4.4.5）式による．

（2）　柱梁接合部の釣合破壊の防止

柱梁接合部の釣合破壊の防止の検討は，次式（解 9.4.4.8a）（解 9.4.4.8b）（解 9.4.4.8c）で確認した．

十字形接合部の場合

$$\frac{(M_{bu}/j_b)+(M'_{bu}/j'_b)+0.5(N_b+N'_b)-0.5(V_c+V'_c)}{b_j D_{jc}} \leqq \frac{0.8\xi_R}{(1+\varepsilon_y/\varepsilon_u)}\beta_1\beta_3\sigma_B \qquad \text{（解 9.4.4.8a）}$$

ト形接合部の場合

$$\frac{(M_{bu}/j_b)+0.5N_b-0.5(V_c+V'_c)}{b_j D_{jc}} \leqq \frac{0.8\xi_R}{(1+\varepsilon_y/\varepsilon_u)}\beta_1\beta_3\sigma_B \qquad \text{（解 9.4.4.8b）}$$

L 形接合部の場合

$$\frac{(M_{bu}/j_b)+0.5N_b-0.5V_c}{b_j D_{jc}} \leqq \frac{0.8\xi_R}{(1+\varepsilon_y/\varepsilon_u)}\beta_1\beta_3\sigma_B \qquad \text{（解 9.4.4.8c）}$$

ここで，記号は（解 9.4.4.8a）式，（解 9.4.4.8b）式，（解 9.4.4.8c）式による．

（3）　柱梁接合部を通過する主筋の付着劣化による変形の増大の防止

柱梁接合部を通過する主筋の付着劣化による変形の増大の防止は，次式（解 9.4.4.9）で確認した．

$$\frac{d_b}{D} \leqq \frac{3.5}{1+\gamma}\left(1+\frac{\sigma_0}{\sigma_B}\right)\frac{\sigma_B^{2/3}}{\sigma_y} \qquad \text{（解 9.4.4.9）}$$

ここで，記号は（解 9.4.4.9）式による．

（4）　梁，柱の主筋を柱梁接合部内に定着する場合の主筋の定着破壊の防止

梁，柱の主筋を柱梁接合部内に定着する場合の主筋の定着破壊の防止は，次式（解 9.4.4.10）で確認した．

$$f_u = 210\cdot k_c\cdot k_j\cdot k_d\cdot k_s\cdot \sigma_B^{0.4} \qquad \text{（解 9.4.4.10）}$$

ただし，

$$k_s = 0.4+\frac{0.1C_0}{d_b} \quad (\leqq 1.0)$$

$$k_j = 0.6+\frac{0.4l_{dh}}{j} \quad (\leqq 1.0)$$

$$k_d = 0.5+\frac{l_{dh}}{30d_b} \quad (\leqq 1.0)$$

$$k_s = 0.7+\frac{0.1d_s^2}{d_b^2} \quad (\leqq 1.0)$$

ここで，記号は（解 9.4.4.10）式による．

付表 1.6.15　柱梁接合部の保証設計（1）

R 階　C2（B-4）	X 方向	Y 方向
接合部タイプ	T 字形（十字形を準用）	T 字形（十字形を準用）
b_j, D_c, D_b（mm）	725　950　900	775　950　900
ξ（$=D_{jb}/D_{jc}$）	0.842	0.842
ξ_r	0.993	0.993
ξ_a（$=D_{jc}/D_c$）	1.000	1.000
M_{bu}, M'_{bu}（kN·m）	774　608	1 430　671
V_c, V'_c（kN·m）	402　0	963　0
$\widetilde{M}_{cu}, \widetilde{M}'_{cu}$（kN·m）	5 783　0	5 733　0
$\widetilde{M}_{bu}, \widetilde{M}'_{bu}$（kN·m）	920　722	1 599　750
ΣA_{jw}（mm），f_{jy}（N/mm^2）	4 064　295	4 064　295
ΣA_t（mm），f_y（N/mm^2）	2 028　345	3 852　390
$_bp_t$	0.0045	0.0071
σ_B（N/mm^2）	36	36
β_1, β_3	0.798　0.85	0.798　0.85
σ_0（N/mm^2）	0.85	0.63
（1）接合部降伏破壊の防止		
（a）接合部終局強度の確保		
β_j	2.64	1.85
判定（$\beta_j \geqq 1.0$）	OK	OK
（b）柱梁強度比の確保		
（解 9.4.4.2）左辺，右辺	3.52　1.55	2.44　1.55
判定（左辺 ≧ 右辺）	OK	OK
（c）接合部横補強筋量の確保	8-（4-D13） p_w=0.48 %	8-（4-D13） p_w=0.48 %
（解 9.4.4.3）左辺，右辺	1.714　0.221	0.798　0.396
判定（左辺 ≧ 右辺）	OK	OK
（2）柱梁接合部の釣合破壊の防止		
（解 9.4.4.8）左辺，右辺	2.42　12.33	3.23　11.78
判定（左辺 ≦ 右辺）	OK	OK
（3）通し主筋の付着劣化の防止		
（解 9.4.4.9）左辺，右辺	0.0263　0.0453	0.0305　0.0399
判定（左辺 ≦ 右辺）	OK	OK
（4）主筋の定着破壊の防止		
f_u, σ_s	379　223	379　329
判定（$f_u \geqq \sigma_s$）	OK	OK

付1. 設 計 例 — 263 —

付表 1.6.16 柱梁接合部の保証設計（2）

7階　C2（B-4）	X 方向	Y 方向
接合部タイプ	十字形	十字形
b_j, D_c, D_b（mm）	825　950　900	775　950　900
ξ（$=D_{jb}/D_{jc}$）	0.947	0.947
ξ_r	0.999	0.999
ξ_a（$=D_{jc}/D_c$）	1.000	1.000
M_{bu}, M'_{bu}（kN·m）	2 173　2 017	2 945　1 521
V_c, V'_c（kN）	1 401　1 327	1 213　1 213
$\widetilde{M}_{cu}, \widetilde{M}'_{cu}$（kN·m）	6 925　6 777	6 152　6 165
$\widetilde{M}_{bu}, \widetilde{M}'_{bu}$（kN·m）	2 582　2 396	2 789　1 700
ΣA_{jw}（mm）, f_{jy}（N/mm²）	4 064　785	4 064　785
ΣA_t（mm）, f_y（N/mm²）	6 352　390	7 656　390
$_bp_t$	0.0101	0.0142
σ_B（N/mm²）	36	36
β_1, β_3	0.798　0.85	0.798　0.85
σ_0（N/mm²）	3.41	1.66
（1）接合部降伏破壊の防止		
（a）接合部終局強度の確保		
β_j	2.10	2.02
判定（$\beta_j \geqq 1.0$）	OK	OK
（b）柱梁強度比の確保		
（解 9.4.4.2）左辺，右辺	2.75　1.51	2.74　1.51
判定（左辺≧右辺）	OK	OK
（c）接合部横補強筋量の確保	8-(4-S13)→Y に合わせ 10- p_w=0.48 %→0.59 %	10-(4-S13) p_w=0.59 %
（解 9.4.4.3）左辺，右辺	0.640　0.622	0.664　0.64
判定（左辺≧右辺）	OK	OK
（2）柱梁接合部の釣合破壊の防止		
（解 9.4.4.8）左辺，右辺	5.46　11.94	5.75　11.94
判定（左辺≦右辺）	OK	OK
（3）通し主筋の付着劣化の防止		
（解 9.4.4.9）左辺，右辺	0.0337　0.0429	0.0368　0.0409
判定（左辺≦右辺）	OK	OK
（4）主筋の定着破壊の防止		
f_u, σ_s	—	—
判定（$f_u \geqq \sigma_s$）	—	—

付表 1.6.17　柱梁接合部の保証設計（3）

2階　C2 (B-4)	X 方向	Y 方向
接合部タイプ	十字形	十字形
b_j, D_c, D_b (mm)	875　950　900	775　950　900
$\xi\ (=D_{jb}/D_{jc})$	0.947	0.947
ξ_r	0.999	0.999
$\xi_a\ (=D_{jc}/D_c)$	1.000	1.000
M_{bu}, M'_{bu} (kN·m)	2 566　2 414	2 513　1 542
V_c, V'_c (kN·m)	1 551　1 734	1 740　981
$\widetilde{M}_{cu}, \widetilde{M}'_{cu}$ (kN·m)	7 334　7 644	5 957　6 199
$\widetilde{M}_{bu}, \widetilde{M}'_{bu}$ (kN·m)	3 049　2 868	2 810　1 724
ΣA_{jw} (mm), f_{jy} (N/mm²)	4 572　785	5 080　785
ΣA_t (mm), f_y (N/mm²)	7 656　390	7 656　390
$_bp_t$	0.0106	0.0142
σ_B (N/mm²)	42	42
β_1, β_3	0.756, 0.85	0.756, 0.85
σ_0 (N/mm²)	6.06	2.34
（1）接合部降伏破壊の防止		
（a）接合部終局強度の確保		
β_j	1.87	2.07
判定（$\beta_j \geqq 1.0$）	OK	OK
（b）柱梁強度比の確保		
（解 9.4.4.2）左辺，右辺	2.53　1.51	2.68　1.51
判定（左辺≧右辺）	OK	OK
（c）接合部横補強筋量の確保	9-(4-S13)→Y に合わせ 10- p_w=0.53 %→0.59 %	10-(4-S13) p_w=0.59 %
（解 9.4.4.3）左辺，右辺	0.597　0.562	0.664　0.640
判定（左辺≧右辺）	OK	OK
（2）柱梁接合部の釣合破壊の防止		
（解 9.4.4.8）左辺，右辺	6.09　13.20	5.62　13.20
判定（左辺≦右辺）	OK	OK
（3）通し主筋の付着劣化の防止		
（解 9.4.4.9）左辺，右辺	0.0368　0.0496	0.0368　0.0458
判定（左辺≦右辺）	OK	OK
（4）主筋の定着破壊の防止		
f_u, σ_s	―	―
判定（$f_u \geqq \sigma_s$）	―	―

6.7 架構の保証設計

　純ラーメン架構である X 方向について，層せん断力余裕率 f_t が 0.3 以上であることを確認する．層崩壊層せん断力は，各層で層崩壊すると仮定した場合の層せん断力とする．

　付表 1.6.18 に結果を示す．

付表 1.6.18　層せん断余裕率 f_t の検討

	Q_u 層崩壊 (kN)	保証設計点① (kN)	層せん断余裕率 f_t	判定
12F	55 814	6 980	6.996	OK
11F	58 976	11 805	3.996	OK
10F	59 927	16 412	2.651	OK
9F	60 809	20 699	1.938	OK
8F	61 932	24 696	1.508	OK
7F	63 366	28 280	1.241	OK
6F	89 011	31 394	1.835	OK
5F	88 725	34 007	1.609	OK
4F	91 438	36 212	1.525	OK
3F	90 879	37 913	1.397	OK
2F	92 968	39 082	1.379	OK
1F	79 731	39 738	1.006	OK

付 2. 設計目標を満足する復元力特性の簡易算定法

1. はじめに

本指針で記した建築物の性能評価は，設計された建築物を対象として行う．したがって，性能評価の結果が規定値を満足しなければ，設計変更が必要となるのはいうまでもない．また，たとえ規定値を満足しても，構造計画そのものが適切でなければ，経済的に不合理的な場合や，規定値を超えるような荷重に対して著しくロバストネスの乏しい構造となるような場合も考えられる．

本指針では，適切な構造計画を行うための一つの手段として，建物の応答変形角を設計の指標値とした建築物の復元力特性の簡易算定法を示す．ここでの建築物の復元力特性は，建築物と等価な1質点系の復元力特性のことを指し，部材などの個々の設計・断面算定には言及していない．

2. 復元力特性の簡易算定法

ここでは，建築物に要求される復元力特性の簡易的な構造設計フローを示す．また，建築物の復元力特性設定のための建物水平耐力と地震時応答の関係式（以下，応答算定式という）の一覧を示す．

2.1 算定フロー

付図 2.2.1 に目標変形角を許容変形角とした応答算定式を用いた建物の復元力特性の簡易算定の算定フローを示す．フローの中の矢印は本算定法の流れを示す．フローの概要を以下に記す．

① まず，算定を行う建築物の建物高さや質量，降伏変形角 R_y，中地震時および大地震時の目標変形ならびに目標変形角を設定する．ここで，降伏変形角 R_y としては，一般の梁部材の実験では降伏変形角が 1/150〜1/80 程度が多く見られる[例えば文献1]こと，日本建築防災協会の耐震診断基準[2]では，曲げ降伏時の柱部材の既往の実験結果から層の降伏変形角が 1/150 とされていること，近年材料の高強度化が進み，降伏変形角が大きくなっていること等を勘案すると，純ラーメン構造では 1/150〜1/100 程度，有壁ラーメン構造では R_y=1/250〜1/150 程度が一応の目安となろう．また，中地震時の設計変形角 R_d は，建築基準法施行令に規定される中地震時の層間変形角 1/200 が上限値の目安となろう．さらに大地震時の設計変形角 R_s は，本設計手法が等価線形化法によっていることから，大きな塑性率を設定すると変形の片ぶれが生じるため，建物全体としての塑性率は2以下程度の値，建物変形角にして 1/75 程度が一応の目安となろう．

② 次に略算一次固有周期 T を算出する．次にその略算一次固有周期 T を基にして，付表 2.2.2〜2.2.6 中の対応する応答算定式を選定し，必要耐力を算定する．

③ 求めた必要耐力を（付 2.2.5）式に代入し，応答時の等価周期 T_e を求める．また，この T_e が

応答算定式の適用範囲内の周期であるかを確認する．適用範囲と異なった場合は，再度応答算定式の選定を行い，T_e が適用範囲内になるまでこれを繰り返す．

④中地震時の必要耐力，大地震時の必要耐力および先に設定した降伏変形角と初期剛性を用いることで，等価一自由度系モデルの建物の復元力特性を設定する．

⑤建物の簡易設計は，この復元力特性を満足するように部材の設計を行うことで，地震時の応答を所定の変形以内に収めることが可能となる．

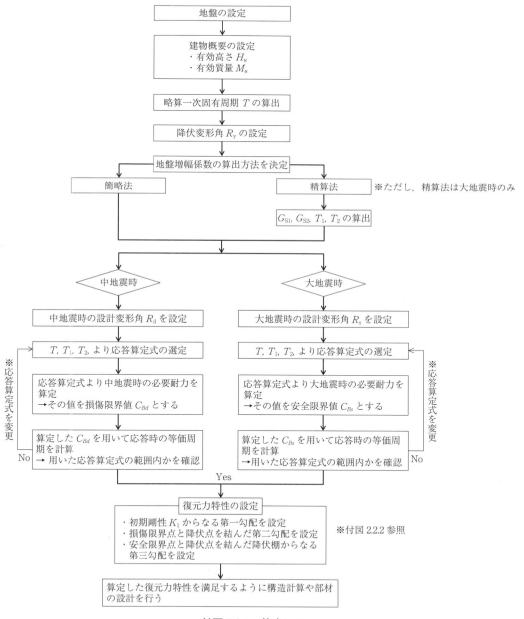

付図 2.2.1　算定フロー

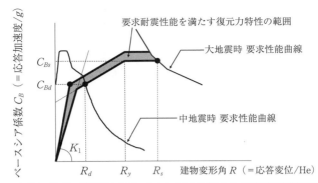

＊ただし、R_s 時の設計耐力が C_{Bs} を大きく上回る場合は、応答時の等価周期が短くなり、その等価周期に応じた必要耐力を下回る事象が生じる可能性があることから、設計耐力は設定耐力に近い値とすることが望ましい.

付図 2.2.2　目標とする復元力特性

2.2 応答算定式の導出

ここでは、応答算定式の導出のための諸係数について示す. 2.3 節に示す要求される復元力特性の算定に用いる係数等の定義および意義については、本項を参照されたい. なお、応答算定式の導出にあたっては、限界耐力計算法をベースとして上部構造を等価—自由度モデルとしている.

2.2.1 導出の準備

限界耐力計算では、本来は多質点系である建物を等価—自由度系へと置き換え、その応答を評価することにより建物の応答を評価している. 付図 2.2.3 に等価—自由度モデルを、付図 2.2.4 に荷重—変形関係を示す. また、地震時の等価剛性は（付 2.2.1）式で表される.

$$K_e = \frac{Q}{\delta} \qquad \text{(付 2.2.1)}$$

ここで、Q：地震時応答せん断力、δ：地震時の水平変位、K_e：地震時の等価剛性

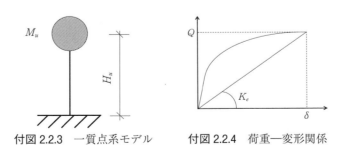

付図 2.2.3　一質点系モデル　　付図 2.2.4　荷重—変形関係

本指針においては、建物高さを H、その有効高さ、すなわち質点の高さを H_u とする. また、質量についても建物質量は M、一質点化した際の有効質量を M_u とする.

なお、復元力特性の簡易算定において、地震時の水平変位 δ は、算定の指針値として 2.1 ① で

付2. 設計目標を満足する復元力特性の簡易算定法 — 269 —

設定した応答水平変位とする（以下，この水平変位を目標変形という．また，この目標変形による建物変形角を目標変形角という）．

地震時のベースシア係数 C_B，建物変形角 R，等価な固有周期 T_e は，それぞれ（付2.2.2）式～（付2.2.4）式で与えられる．

$$C_B = \frac{Q}{M_u g} \tag{付 2.2.2}$$

$$R = \frac{\delta}{H_u} \tag{付 2.2.3}$$

$$T_e = 2\pi \sqrt{\frac{M_u}{K_e}} \tag{付 2.2.4}$$

（付2.2.4）式に（付2.2.1）式，（付2.2.3）式を代入すると（付2.2.5）式が得られる．

$$T_e = \frac{2\pi}{\sqrt{g}} \sqrt{\frac{R H_u}{C_B}} \tag{付 2.2.5}$$

2.2.2 標準加速度応答スペクトル

要求性能曲線は，加速度応答スペクトル，変位応答スペクトルより設定するが，ここでは，その応答スペクトルを次の標準加速度応答スペクトルより算定する．

標準加速度応答スペクトルは，解放工学的基盤における地震波の応答スペクトルのことであり，S_0 と表す．建築基準法施行令第82条の6第三号，第五号では中地震時の標準加速度応答スペクトルを（付2.2.6）式～（付2.2.8）式で，大地震時の標準加速度応答スペクトルを（付2.2.9）式～（付2.2.11）式で与えている．

【中地震時】

$(T_e < 0.16)$	$S_0 = 0.64 + 6T_e$	(付 2.2.6)
$(0.16 \leq T_e < 0.64)$	$S_0 = 1.6$	(付 2.2.7)
$(0.64 \leq T_e)$	$S_0 = \dfrac{1.024}{T_e}$	(付 2.2.8)

【大地震時】

$(T_e < 0.16)$	$S_0 = 3.2 + 30T_e$	(付 2.2.9)
$(0.16 \leq T_e < 0.64)$	$S_0 = 8.0$	(付 2.2.10)
$(0.64 \leq T_e)$	$S_0 = \dfrac{5.12}{T_e}$	(付 2.2.11)

2.2.3 地盤増幅係数

平成12年建設省告示第1457号第10より，地盤増幅係数は，地盤を表層地盤と工学的基盤からなる等価二層地盤に置換し，置換された地盤の密度やせん断剛性などに基づいて算出される．地盤増幅係数の算定においては，平成12年建設省告示第1457号第10に規定するものとし，第一項の規定による従来の地盤種別を用いた簡便な算定方法を簡略法とし，第二項の規定による地盤調査に基づいた算定方法を精算法とする．地盤種別に関しては，昭和55年建設省告示第1793

号第2の表中によるものとする.

（ⅰ）　簡略法

【第一種地盤に該当する区域の表層地盤増幅係数】

$$(T_e < 0.576) \qquad G_S = 1.5 \tag{付 2.2.12}$$

$$(0.576 \leq T_e < 0.64) \qquad G_S = \frac{0.864}{T_e} \tag{付 2.2.13}$$

$$(0.64 \leq T_e) \qquad G_S = 1.35 \tag{付 2.2.14}$$

【第二種地盤に該当する区域の表層地盤増幅係数】

$$(T_e < 0.64) \qquad G_S = 1.5 \tag{付 2.2.15}$$

$$(0.64 \leq T_e < 0.864) \qquad G_S = 1.5\left(\frac{T_e}{0.64}\right) \tag{付 2.2.16}$$

$$(0.864 \leq T_e) \qquad G_S = 2.025 \tag{付 2.2.17}$$

【第三種地盤に該当する区域の表層地盤増幅係数】

$$(T_e < 0.64) \qquad G_S = 1.5 \tag{付 2.2.18}$$

$$(0.64 \leq T_e < 1.152) \qquad G_S = 1.5\left(\frac{T_e}{0.64}\right) \tag{付 2.2.19}$$

$$(1.152 \leq T_e) \qquad G_S = 2.7 \tag{付 2.2.20}$$

（ⅱ）　精算法

$$(T_e \leq 0.8T_2) \qquad G_S = \alpha_1 T_e \tag{付 2.2.21}$$

$$(0.8T_2 < T_e \leq 0.8T_1) \qquad G_S = \alpha_2 T_e + C_1 \tag{付 2.2.22}$$

$$(0.8T_1 < T_e \leq 1.2T_1) \qquad G_S = C_2 \tag{付 2.2.23}$$

$$(1.2T_1 < T_e) \qquad G_S = \frac{\alpha_3}{T_e} + C_3 \tag{付 2.2.24}$$

ただし，

$$\alpha_1 = \frac{G_{S2}}{0.8T_2} \qquad C_1 = G_{S2} - 0.8 \cdot \frac{G_{S1} - G_{S2}}{0.8(T_1 - T_2)} T_2$$

$$\alpha_2 = \frac{G_{S1} - G_{S2}}{0.8(T_1 - T_2)} \qquad C_2 = G_{S1}$$

$$\alpha_3 = \frac{G_{S1} - 1}{\dfrac{1}{1.2T_1} - 0.1} \qquad C_3 = G_{S1} - \frac{G_{S1} - 1}{\dfrac{1}{1.2T_1} - 0.1} \cdot \frac{1}{1.2T_1}$$

ここで，G_{si}，T_i の算出については付表 2.4 に記載した．また，建築物の安全限界時の G_s が 1.23 を下回るときは 1.23 とする．

2.2.4　加速度低減率

平成 12 年建設省告示第 1457 号第 6 により，加速度低減率 F_h は（付 2.2.25）式で与えられる．

$$F_h = \frac{1.5}{1 + 10h} \tag{付 2.2.25}$$

付2. 設計目標を満足する復元力特性の簡易算定法 — 271 —

付表 2.2.1 部材の構造形式に応じた減衰特性を表す係数（γ_1）

構造形式	γ_1
部材を構成する材料および隣接する部材との接合部が緊結された部材	0.25
その他の部材または地震力が作用するときに座屈による耐力低下を生ずる圧縮力を負担する筋かい部材	0.2

　建物を構成している部材の減衰特性が全て等しい建物の場合，部材の構造形式に応じた減衰特性を表す係数を γ_1，建物の塑性率を μ，初期状態での減衰定数を 0.05 とすると，建物の等価な減衰定数 h は（付 2.2.26）式で与えられる．

$$h = \gamma_1\left(1 - \frac{1}{\sqrt{\mu}}\right) + 0.05 \tag{付 2.2.26}$$

　ここで，建物の塑性率 μ は，地震時の水平変位 δ と 2.1 ①で設定した建物の降伏変位より定める．また，建物の復元力特性の簡易算定においては，目標変形と建物の降伏変位より定める．
　部材の構造形式に応じた減衰特性を表す係数 γ_1 を付表 2.2.1 に示す．
　$\gamma_1 = 0.25$ とすると（付 2.2.26）式より（付 2.2.27）式が，$\gamma_1 = 0.2$ とすると（付 2.2.28）式が得られる．

$$h = 0.25\left(1 - \frac{1}{\sqrt{\mu}}\right) + 0.05 \tag{付 2.2.27}$$

$$h = 0.2\left(1 - \frac{1}{\sqrt{\mu}}\right) + 0.05 \tag{付 2.2.28}$$

　（付 2.2.25）式に（付 2.2.27）式を代入すると（付 2.2.29）式が，（付 2.2.28）式を代入すると（付 2.2.30）式が得られる．

$$F_h = \frac{1.5\sqrt{\mu}}{4\sqrt{\mu} - 2.5} \tag{付 2.2.29}$$

$$F_h = \frac{1.5\sqrt{\mu}}{3.5\sqrt{\mu} - 2} \tag{付 2.2.30}$$

　また，塑性率を応答変形角 R（建物の復元力特性の簡易算定においては目標変形角）と建物の降伏変形角 R_y で表すと，（付 2.2.31）式が得られる．

$$\mu = \frac{R}{R_y} \tag{付 2.2.31}$$

　（付 2.2.31）式を（付 2.2.29）式に代入すると（付 2.2.32）式が，（付 2.2.30）式に代入すると（付 2.2.33）式が得られる．

$$F_h = \frac{1.5\sqrt{R}}{4\sqrt{R} - 2.5\sqrt{R_y}} \tag{付 2.2.32}$$

$$F_h = \frac{1.5\sqrt{R}}{3.5\sqrt{R} - 2\sqrt{R_y}} \tag{付 2.2.33}$$

－272－　付　　録

ただし，特別な検討がある場合を除き，中地震時においては $h=0.05$，したがって，$F_h=1.0$ として簡略的に求める.

2.3　応答算定式

建築基準法施行令では，2.2.2「標準加速度応答スペクトル」S_0 に 2.2.3「地盤増幅係数」G_S と 2.2.4「加速度低減率」F_h を乗じた値を重力加速度 g で除したものが，一質点系の建物のベースシア係数 C_B として（付 2.2.34）式で与えられている.

$$C_B=\frac{1}{g}\cdot S_0\cdot G_S\cdot F_h \tag{付 2.2.34}$$

（付 2.2.5）式を標準加速度応答スペクトル S_0 と地盤増幅係数 G_S の式に代入することで，一質点系の建物のベースシア係数 C_B を応答変形角 R を変数とした関数で表した応答算定式を得ることができる．応答算定式の導出にあたり，F_h は応答変形角 R の関数であるので，式の簡略化のため展開はせず，F_h のまま表記する．また，一部の式に関しては簡略化のため，分割した形で表記する.

また，本指針では，損傷限界時に近い応答を検討するためには実用性が低く，式が複雑である周期 0.16（s）以下の範囲については以下の本文中ではなく，最後に記載することとした〔付表 2.5～2.7 参照〕.

（ i ）　中地震時

ここでは，中地震時の応答算定式を示す．付表 2.2.2 に地盤増幅係数の算出法として簡略法を用いた場合の応答算定式の一覧を示す.

【簡略法】

付表 2.2.2　中地震時応答算定式（$F_h=1.0$）

【第一種地盤】			
$(0.16\leqq T_e<0.576)$		$(0.576\leqq T_e)$	
$C_B=\dfrac{1}{g}\cdot 2.4F_h$	(a-1)	$C_B=\dfrac{1}{g}\cdot\left(\dfrac{1.3824F_h}{2\pi\sqrt{RH_u}}\right)^2$	(a-2)
【第二種地盤】			
$(0.16\leqq T_e<0.864)$		$(0.864\leqq T_e)$	
$C_B=\dfrac{1}{g}\cdot 2.4F_h$	(a-3)	$C_B=\dfrac{1}{g}\cdot\left(\dfrac{2.0736F_h}{2\pi\sqrt{RH_u}}\right)^2$	(a-4)
【第三種地盤】			
$(0.16\leqq T_e<1.152)$		$(1.152\leqq T_e)$	
$C_B=\dfrac{1}{g}\cdot 2.4F_h$	(a-5)	$C_B=\dfrac{1}{g}\cdot\left(\dfrac{2.7648F_h}{2\pi\sqrt{RH_u}}\right)^2$	(a-6)

付2. 設計目標を満足する復元力特性の簡易算定法　— 273 —

（ⅱ）　大地震時

大地震時の応答算定式を示す．付表 2.2.3 に地盤増幅係数の算出法として簡略法を用いた場合の応答算定式を，付表 2.2.4，2.2.5 に精算法を用いた場合の応答算定式の一覧を示す．また，精算法の場合に G_S が下限値 1.23 を下回るときの応答算定式を付表 2.2.6 に示す．

【簡略法】

付表 2.2.3　大地震時応答算定式

【第一種地盤】	
$(0.16 \leqq T_e < 0.576)$	$(0.576 \leqq T_e)$
$C_B = \dfrac{1}{g} \cdot 12 F_h$ ………(A-1)	$C_B = \dfrac{1}{g} \cdot \left(\dfrac{6.912 F_h}{2\pi \sqrt{RH_u}} \right)^2$ ………(A-2)
【第二種地盤】	
$(0.16 \leqq T_e < 0.864)$	$(0.864 \leqq T_e)$
$C_B = \dfrac{1}{g} \cdot 12 F_h$ ………(A-3)	$C_B = \dfrac{1}{g} \cdot \left(\dfrac{10.368 F_h}{2\pi \sqrt{RH_u}} \right)^2$ ………(A-4)
【第三種地盤】	
$(0.16 \leqq T_e < 1.152)$	$(1.152 \leqq T_e)$
$C_B = \dfrac{1}{g} \cdot 12 F_h$ ………(A-5)	$C_B = \dfrac{1}{g} \cdot \left(\dfrac{13.824 F_h}{2\pi \sqrt{RH_u}} \right)^2$ ………(A-6)

【精算法】

付表 2.2.4　大地震時応答算定式　$(0.16 \leqq T_e < 0.64)$

$(0.16 \leqq T_e < 0.64)$，かつ　$(T_e \leqq 0.8 T_2)$	
$C_B = \dfrac{1}{g} \cdot \left(\sqrt[3]{8\alpha_1 F_h \cdot 2\pi \sqrt{RH_u}} \right)^2$	(B-1)

$(0.16 \leqq T_e < 0.64)$，かつ　$(0.8 T_2 < T_e \leqq 0.8 T_1)$

$$C_B = \dfrac{1}{g} \cdot \left(\sqrt[3]{\dfrac{1}{2} \cdot 8\alpha_2 F_h \cdot 2\pi \sqrt{RH_u} + \sqrt{\left(\dfrac{1}{2} \cdot 8\alpha_2 F_h \cdot 2\pi \sqrt{RH_u}\right)^2 - \left(\dfrac{1}{3} \cdot 8 C_1 F_h\right)^3}} \right.$$
$$\left. + \sqrt[3]{\dfrac{1}{2} \cdot 8\alpha_2 F_h \cdot 2\pi \sqrt{RH_u} - \sqrt{\left(\dfrac{1}{2} \cdot 8\alpha_2 F_h \cdot 2\pi \sqrt{RH_u}\right)^2 - \left(\dfrac{1}{3} \cdot 8 C_1 F_h\right)^3}} \right)^2 \quad \text{(B-2)}$$

$(0.16 \leqq T_e < 0.64)$，かつ　$(0.8 T_1 < T_e \leqq 1.2 T_1)$	
$C_B = \dfrac{1}{g} \cdot 8 C_2 F_h$	(B-3)

$(0.16 \leqq T_e < 0.64)$，かつ　$(1.2 T_1 < T_e)$	
$C_B = \dfrac{1}{g} \cdot \dfrac{1}{4} \cdot \left(\dfrac{8\alpha_3 F_h}{2\pi \sqrt{RH_u}} + \sqrt{\left(\dfrac{8\alpha_3 F_h}{2\pi \sqrt{RH_u}}\right)^2 + 4.8 C_3 F_h} \right)^3$	(B-4)

－274－　付　　　録

付表 2.2.5　大地震時応答算定式（$0.64 \leq T_e$）

$(0.64 \leq T_e)$, かつ $(T_e \leq 0.8T_2)$

$$C_B = \frac{1}{g} \cdot 5.12\alpha_1 F_h \tag{B-5}$$

$(0.64 \leq T_e)$, かつ $(0.8T_2 < T_e \leq 0.8T_1)$

$$C_B = \frac{1}{g} \cdot \frac{1}{4} \cdot \left(\frac{5.12C_1 F_h}{2\pi\sqrt{RH_u}} + \sqrt{\left(\frac{5.12C_1 F_h}{2\pi\sqrt{RH_u}}\right)^2 + 4 \cdot 5.12\alpha_2 F_h} \right)^2 \tag{B-6}$$

$(0.64 \leq T_e)$, かつ $(0.8T_1 < T_e \leq 1.2T_1)$

$$C_B = \frac{1}{g} \cdot \left(\frac{5.12C_2 F_h}{2\pi\sqrt{RH_u}} \right)^2 \tag{B-7}$$

$(0.64 \leq T_e)$, かつ $(1.2T_1 < T_e)$

$$C_B = \frac{1}{g} \cdot \left(\frac{5.12C_3 F_h \cdot 2\pi\sqrt{RH_u}}{5.12\alpha_3 F_h - (2\pi\sqrt{RH_u})^2} \right)^2 \tag{B-8}$$

付表 2.2.6　大地震時応答算定式（$G_S < 1.23$ のとき）

$(0.16 \leq T_e < 0.64)$, かつ $(G_S < 1.23)$		$(0.64 \leq T_e)$, かつ $(G_S < 1.23)$	
$C_B = \dfrac{1}{g} \cdot 9.84 F_h$	(B-9)	$C_B = \left(\dfrac{2.56 F_h}{\pi\sqrt{g \cdot RH_u}}\right)^2 \cdot 1.23^2$	(B-10)

3.　算　定　例

3.1　一　般　事　項

3.1.1　対象建物概要

（1）　上部構造：鉄筋コンクリート造無限均等ラーメン（直接基礎）

（2）　柱一本あたりの支配面積：36 m²

（3）　単位面積あたりの重量：12 kN

（4）　階高：3.5 m

（5）　階数：10 階

付図 2.3.1，2.3.2 に解析対象平面図および上部構造と解析モデルの模式図を示す.

付2. 設計目標を満足する復元力特性の簡易算定法 —275—

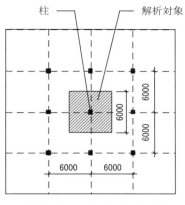

付図 2.3.1　解析対象平面図

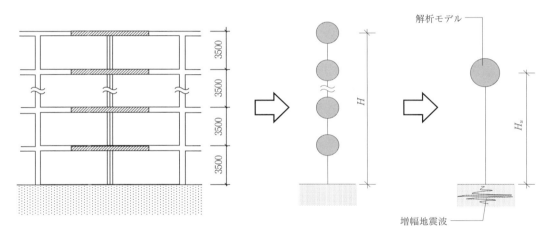

付図 2.3.2　上部構造・解析モデル模式図

3.1.2　地盤概要

　本算定例では，実在する地盤に近い地盤を用いて算定および解析を行う．ここでは，第二種地盤に相当する佐倉地盤を用いた．表層地盤の情報は，防災科学技術研究所・強震ネットワーク（K-NET）の観測点における地盤データを用いているが，表層地盤各層の土質については，砂質土と粘性土の2種類に改めて分類した．付表 2.3.1 に本算定例で用いる表層地盤特性を，付表 2.3.2 に $G_{S1}・G_{S2}・T_1・T_2$ を示す．せん断波速度についてはN値より推定した値を用い，$G_{S1}・G_{S2}・T_1・T_2$ を算定する際には，文献 2) を参考として，成層地盤地震応答解析プログラム k-SHAKE（構造計画研究所）を用いて算定した．

付表 2.3.1　表層地盤特性（佐倉）

深度（m）	V_S（m/s）	N 値	密度（ton/m³）	土質
0～1	215	10	1.6	
1～2	200	8	1.5	
2～3	191	7	1.5	
3～4	191	7	1.6	粘性土
4～5	200	8	1.7	
5～6	191	7	1.7	
6～7	171	5	1.6	
7～8	172	10	1.6	
8～9	183	12	1.7	
9～10	188	13	1.7	
10～11	197	15	1.7	
11～12	202	16	1.7	
12～13	202	16	1.7	
13～14	210	18	1.7	砂質土
14～15	217	20	1.7	
15～16	234	25	1.8	
16～17	271	39	1.8	
17～18	269	38	1.8	
18～19	269	38	1.8	
19～20	295	50	1.8	

付表 2.3.2　表層地盤諸元（佐倉）

	G_{S1}	G_{S2}	T_1（s）	T_2（s）
中地震時	1.946	1.665	0.4	0.13
大地震時	1.913	1.325	0.46	0.15

3.1.3　入力地震動

　本算定例では，20（m）以深を工学的基盤とし，工学的基盤とその上に載る複数層からなる表層地盤と，その上に建つ直接基礎の鉄筋コンクリート構造建物を解析対象としている．解析における入力地震動は，工学的基盤より告示波を入力し，表層地盤によって増幅された表層の地震波を計算し，その計算された表層の地震波を上部構造へと入力する．なお，解放工学的基盤に入力する地震動の位相特性は，文献 9）より，乱数位相とした．また，地盤の非線形モデルには，

Hardin-Drnevich model[10]を用いた.

算出した表層の地震動波形を付図 2.3.3, 2.3.4 に示す.

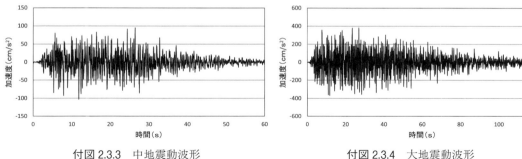

付図 2.3.3　中地震動波形　　　　　　　付図 2.3.4　大地震動波形

3.2　算定および解析

目標復元力特性を設定するにあたり，地盤増幅係数の算出法の組合せ方で以下の 2 種類について設定および地震応答解析を行い，その比較を行う.

　　［Case 1］　中地震時：簡略法，大地震時：簡略法……3.2.1
　　［Case 2］　中地震時：簡略法，大地震時：精算法……3.2.2

また，付表 2.3.3 に各ケースの設計変形角を示す.

付表 2.3.3　設計変形角

	中地震時の設計変形角 $=R_d$	降伏変形角 $=R_y$	大地震時の設計変形角 $=R_s$
Case 1	1/420	1/120	1/75
Case 2	1/210	1/120	1/75

地震応答解析については RESP-F3T（構造計画研究所）を用い，減衰は，瞬間剛性比例型で弾性一次モードに対して 3 % とした．また，履歴モデルは武田モデル[3]を用いた.

3.2.1　［Case 1］中地震時に簡略法，大地震時に簡略法を用いた場合

（1）　有効高さ H_u，有効質量 M_u，略算一次固有周期 T の算出

付図 2.3.5 にモデル化の模式図を示す.

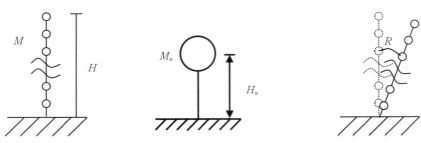

付図 2.3.5 モデル化模式図　　　付図 2.3.6 多質点系モデルの変形

n 層の多質点系モデルにおいて，各層の質量および各層の高さが等しいとすると，各層の質量および各層の高さは，建物全質量 M (ton) と建物高さ H (m) を用いて（付 2.3.1）式，（付 2.3.2）式のように表される．また，多質点系モデルの変形を付図 2.3.6 のように仮定すると，層間変位 δ_i は（付 2.3.3）式で得られる．

$$m_i = \frac{M}{n} \tag{付 2.3.1}$$

$$h_i = \frac{H}{n} \tag{付 2.3.2}$$

$$\delta_i = R \frac{H}{n} \tag{付 2.3.3}$$

平成 12 年建設省告示第 1457 号において，一質点系モデルの有効質量 M_u (ton)，代表変位 Δ (m) は（付 2.3.4）式，（付 2.3.5）式で求めることができる．

$$M_u = \frac{(\sum(m_i \cdot \delta_i))^2}{\sum(m_i \cdot \delta_i^2)} \tag{付 2.3.4}$$

$$\Delta = \frac{\sum(m_i \cdot \delta_i^2)}{\sum(m_i \cdot \delta_i)} \tag{付 2.3.5}$$

（付 2.3.4）式，（付 2.3.5）式に（付 2.3.1）式，（付 2.3.2）式を代入すると，（付 2.3.6）式，（付 2.3.7）式が得られる．

$$M_u = \frac{3}{2} \cdot \frac{n+1}{2n+1} \cdot M \tag{付 2.3.6}$$

$$\Delta = \frac{1}{3} \cdot \frac{2n+1}{n} \cdot RH \tag{付 2.3.7}$$

層間変形角が R であることを考慮すると，（付 2.3.7）式から有効高さ H_u (m) が（付 2.3.8）式で得られる．

$$H_u = \frac{1}{3} \cdot \frac{2n+1}{n} \cdot H \tag{付 2.3.8}$$

これらを用いて有効高さ H_u，有効質量 M_u は，以下のように求められる．

$$H_u = \frac{1}{3} \cdot \frac{2 \cdot 10 + 1}{10} \cdot 3.5 \cdot 10 = 24.5 \text{ (m)}$$

$$M_u = \frac{3}{2} \cdot \frac{10+1}{2 \cdot 10 + 1} \cdot 12 \cdot 36 \cdot 10 \cdot \frac{1}{9.8} = 346.356 \text{ (ton)}$$

付2. 設計目標を満足する復元力特性の簡易算定法 — 279 —

また，略算一次固有周期 T(s) は，建築基準法施行令より，以下の式を用いて算出する．

$$T = 0.02 \cdot H = 0.02 \cdot 3.5 \cdot 10 = 0.70 \ \text{(s)}$$

（2） 加速度低減係数 F_h の算出

中地震時では $h = 0.05$ を用いて，（付 2.2.25）式より算出する．

$$F_{hd} = \frac{1.5}{1 + 10 \cdot 0.05} = 1.0$$

大地震時では，付表 2.3.3 の設計変形角 R_s と降伏変形角 R_y を（付 2.2.32）式に代入して算出する．

$$F_{hs} = \frac{1.5\sqrt{1/75}}{4\sqrt{1/75} - 2.5\sqrt{1/120}} = 0.741$$

（3） 損傷限界時ベースシア係数 C_{Bd} の算定

中地震時の必要ベースシア係数を算出する．等価周期 T_e の確認をして最終的に選定された応答算定式より，算出された値を示す．

付表 2.2.2 中の a-4 より，必要ベースシア係数は以下のように求められる．

$$C_B = \frac{1}{9.8} \cdot \left(\frac{2.0736 \cdot 1}{2\pi\sqrt{1/420 \cdot 24.5}} \right)^2 = 0.191$$

この C_B を（付 2.2.5）式に代入し中地震時の等価周期 T_e を求め，a-4 の適用範囲 $0.864 \leq T_e$ であることを確認する．

$$T_e = \frac{2\pi}{\sqrt{9.8}} \sqrt{\frac{1/420 \cdot 24.5}{0.191}} = 1.11 \ \text{(s)}$$

となり，a-4 の適用範囲 $0.864 \leq T_e$ と一致する．したがって，損傷限界値 $C_{Bd} = 0.191$ となる．

（4） 安全限界時ベースシア係数 C_{Bs} の算定

大地震時の必要ベースシア係数を算定する．同様に等価周期 T_e の確認をして，最終的に選定された応答算定式より算出された値を示す．

付表 2.2.3 中の A-4 より，必要ベースシア係数は以下のように求められる．

$$C_B = \frac{1}{9.8} \cdot \left(\frac{10.368 \cdot 0.741}{2\pi\sqrt{1/75 \cdot 24.5}} \right)^2 = 0.467$$

同様に T_e を求め，T_e が A-4 の適用範囲内であることを確認する．

$$T_e = \frac{2\pi}{\sqrt{9.8}} \sqrt{\frac{1/75 \cdot 24.5}{0.467}} = 1.68 \ \text{(s)}$$

となり，A-4 の適用範囲 $0.864 \leq T_e$ と一致する．したがって，安全限界値 $C_{Bs} = 0.467$ となる．

（5） 目標復元力特性の設定

一般的に，復元力特性は付図 2.3.7 のようにひび割れ強度 Q_{cr} を降伏強度 Q_y の 1/3 とし，ひび割れ後の剛性 K_2 は初期剛性 K_1 の 0.4 倍，降伏後の剛性 K_3 は K_1 の 1/1000 となるように設定する．本付録で提案する算定法では，応答算定式により設計変形角と必要強度の関係が求められているので復元力特性の自由な設定が可能となるが，設計する建物の安全性を考慮し，本設定例では，上記の一般的手法に近くなるように復元力特性を設定する．

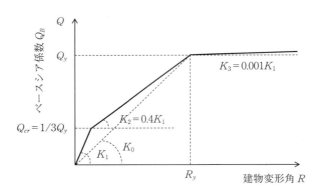

付図 2.3.7　復元力特性の設定

　$K_2=0.4K_1$，$Q_{cr}=1/3Q_y$ となるような復元力特性の初期剛性 K_1 は，降伏時の剛性 K_0 の α 倍と仮定すると，(付 2.3.9) 式より，K_1 は K_0 の 2 倍となる．

$$\frac{1/3Q_y}{\alpha K_0}+\frac{2/3Q_y}{0.4\alpha K_0}=\frac{Q_y}{K_0} \tag{付 2.3.9}$$

　このように求めた初期剛性 K_1 からなる第一勾配，損傷限界時応答点と降伏点を結んだ第二勾配，安全限界時応答点と降伏点を結んだ降伏棚からなる第三勾配より，地震時の応答を設計変形角以内に収めるために必要な目標復元力特性が得られる．

　付図 2.3.8 に，設定した目標復元力特性を示す．

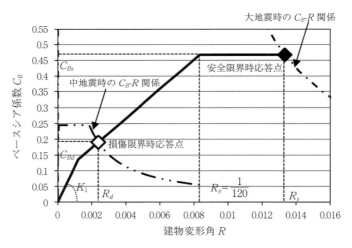

付図 2.3.8　[Case 1] 目標復元力特性

（6）　設定した目標復元力特性を持つ一質点系モデルの地震応答解析結果

　地震応答解析結果として，付図 2.3.9 に目標復元力特性上における地震応答解析値をプロットした図を示す．これらより，地震時の建物応答変形角を設定建物変形角にほぼ等しい値，あるいはそれ以内に収めることができていることがわかる．なお，大地震時において両者に大き

な差が認められるのは，地盤増幅の差異に起因する．

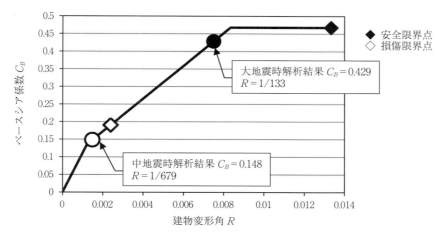

付図 2.3.9 ［Case 1］目標復元力特性と地震応答解析値

3.2.2 ［Case 2］中地震時に簡略法，大地震時に精算法を用いた場合

（1） 有効高さ H_u，有効質量 M_u，略算一次固有周期 T の算出

有効高さ，有効質量，略算一次固有周期は，3.2.1 項と同様である．

$$H_u = 24.5 \text{ (m)} \quad M_u = 346.356 \text{ (ton)} \quad T = 0.70 \text{ (s)}$$

（2） 加速度低減係数 F_h の算出

中地震時では，$h = 0.05$ を用いて（付 2.2.25）式より算出する．

$$F_{hd} = \frac{1.5}{1 + 10 \cdot 0.05} = 1.0$$

大地震時では，付表 2.3.3 の設計変形角 R_s と降伏変形角 R_y を（付 2.2.32）式に代入して算出する．

$$F_{hs} = \frac{1.5\sqrt{1/75}}{4\sqrt{1/75} - 2.5\sqrt{1/120}} = 0.741$$

（3） 損傷限界時ベースシア係数 C_{Bd} の算定

中地震時の必要ベースシア係数を算定する．$T = 0.7$ (s) より，付表 2.2.2 中の a-3 を用いて算出する．

$$C_B = \frac{1}{9.8} \cdot 2.4 \cdot 1 = 0.245$$

この C_B を（付 2.2.5）式に代入し，中地震時の等価周期 T_e を求め，T_e が a-3 の適用範囲内であることを確認する．

$$T_e = \frac{2\pi}{\sqrt{9.8}} \sqrt{\frac{1/210 \cdot 24.5}{0.245}} = 1.39 \text{ (s)}$$

となり，a-3 の適用範囲 $0.16 \leq T_e < 0.864$ とは異なる．そのため，再度応答算定式の選定を行う．

付表 2.2.2 中の a-4 より，必要ベースシア係数は，以下のように求められる．

$$C_B = \frac{1}{9.8} \cdot \left(\frac{2.0736 \cdot 1}{2\pi\sqrt{1/210 \cdot 24.5}} \right)^2 = 0.0953$$

同様に，T_e を求め，T_e が a-4 の適用範囲内であることを確認する．

$$T_e = \frac{2\pi}{\sqrt{9.8}} \sqrt{\frac{1/210 \cdot 24.5}{0.0953}} = 2.22 \text{ (s)}$$

となり，a-4 の適用範囲 $0.864 \leq T_e$ と一致する．したがって，損傷限界値 $C_{Bd} = 0.0953$ となる．

（4） 安全限界時ベースシア係数 C_{Bs} の算定

中地震時と同様に，大地震時の必要ベースシア係数を算定する．$T = 0.7$ (s)，$T_1 = 0.46$ (s)，$T_2 = 0.15$ (s) であるから，付表 2.2.5 中の B-8 より算出する．

$$C_B = \frac{1}{9.8} \cdot \left(\frac{5.12 \cdot 0.947 \cdot 0.741 \cdot 2\pi\sqrt{1/75 \cdot 24.5}}{5.12 \cdot 0.533 \cdot 0.741 - (2\pi\sqrt{1/75 \cdot 24.5})^2} \right)^2 = 0.144$$

ただし，

$$\alpha_3 = \frac{1.913 - 1}{\frac{1}{1.2 \cdot 0.46} - 0.1} = 0.533$$

$$C_3 = 1.913 - \frac{1.913 - 1}{\frac{1}{1.2 \cdot 0.46} - 0.1} \cdot \frac{1}{1.2 \cdot 0.46} = 0.947$$

この C_B を（付 2.2.5）式に代入し大地震時の等価周期 T_e を求め，T_e が B-8 の適用範囲内（$T = 1.88$ 以上で $C_B = 1.23$）であることを確認する．

$$T_e = \frac{2\pi}{\sqrt{9.8}} \sqrt{\frac{1/75 \cdot 24.5}{0.144}} = 3.03 \text{ (s)}$$

となり，B-8 の適用範囲 $0.64 \leq T_e$ かつ $1.2T_1 < T_e$ と一致する．したがって，安全限界値 $C_{Bs} = 0.144$ となる．付図 2.3.10 に算出された損傷限界点，安全限界点を示す．

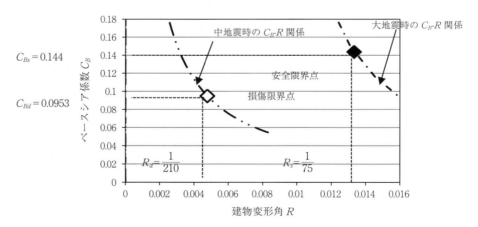

付図 2.3.10 損傷限界点と安全限界点の算出（Case 2）

（5） 目標復元力特性の設定

3.2.1［Case 1］と同様の手法で，［Case 2］の目標復元力特性を設定する〔付図 2.3.11〕

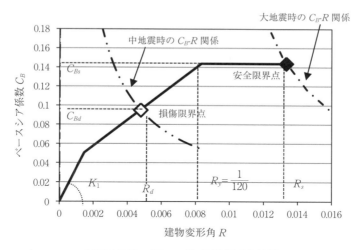

付図 2.3.11 ［Case 2］目標復元力特性

（6） 設定した目標復元力特性をもつ一質点系モデル地震応答解析結果

地震応答解析結果として，付図 2.3.12，2.3.13 に中地震時および大地震時の上部構造の履歴を，付図 2.3.14 に目標復元力特性上における解析値をプロットした図を示す．これらより，地震時の建物応答変形角は，設定建物変形角よりも小さい値に収まっていることがわかる．

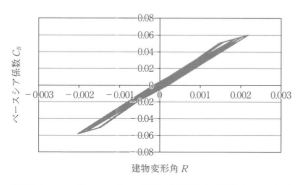

付図 2.3.12 ［Case 2］上部構造地震応答履歴（中地震時）

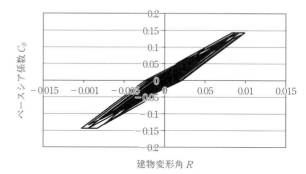

付図 2.3.13 ［Case 2］上部構造地震応答履歴（大地震時）

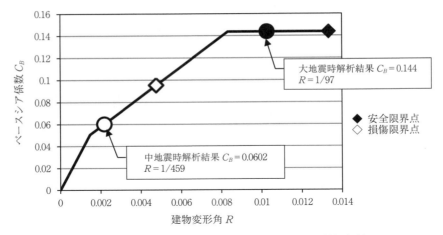

付図 2.3.14 ［Case 2］目標復元力特性と地震応答解析値

　本事例 Case 2 では，初期剛性を，降伏点剛性の 2 倍と設定しているので，損傷限界点，降伏点，安全限界点の剛性，周期から，いわゆる初期周期は 1.69 秒となる．これは通常の RC 建築物の初期周期 0.02H＝0.7 秒，鉄骨構造の 0.03H＝1.05 秒よりかなり長い．通常の RC 建築物の剛性の約 1/6 となっている．これを実現するには，柱の長期軸力の制限から柱断面を極端に小さくすることはできないので，梁断面小さくし，柱の反曲点を上げて剛性を調整することになろう．梁断面を小さくすることは，柱梁耐力比の確保や梁崩壊形の確保の観点からは望ましいとも言える．しかし，通常の RC 構造の設計では扱ったことがない小さな断面における長期の設計（クリープ，たわみ，振動），鉄筋定着，接合部，高次モードの影響，風荷重対応など，これまで大きな断面と剛性により保障されてきた（隠れていた）種々の設計項目に十分注意を払う必要がある．Case 2 のような RC 建築物を実現するために上記項目に対する研究・開発を行う必要がある．

Case 2 の剛性，周期に関する補足

　降伏点は，$\delta_y=1/120$，$C_b=0.144$，損傷限界点は，$\Delta_c=1/210$，$C_b=0.0953$．これより，損傷限界点の剛性は，$K_d=0.0953/(1/210)=20.013$，周期は 2.22 秒である．降伏点の剛性は，$K_y=0.144/(1/120)=17.28$，周期は，2.39 秒，安全限界点の剛性は，$K_s=0.144/(1/75)=10.8$，周期は，3.03 秒となる．

　初期剛性は降伏点剛性の 2 倍と設定しているので，$K_e=34.56$，周期は $T_1=1.69$ 秒である．

参考文献
1) 前田匡樹，有薗祐介，幸村信行：鉄筋コンクリート梁部材の変形評価法に関する実験的研究，コンクリート工学年次論文報告集，Vol. 19, No. 2, pp. 861-866, 1997
2) 国土交通省住宅局建築指導課：2001 年改訂版　既存鉄筋コンクリート造建築物の耐震診断基準・同解説，日本建築防災協会，2005.2

付 2. 設計目標を満足する復元力特性の簡易算定法 — 285 —

3) 平石久廣, 小橋祐人：中地震時における建築物の地震応答予測法とその応用に関する研究, 日本建築学会構造系論文集, No. 689, pp. 1299-1305, 2013.7

4) 国土交通省建築研究所：改正建築基準法の構造関係規定の技術的背景, ぎょうせい, 2001

5) Takeda, Sozen and Nielsen : Reinforced Concrete Response to Simulated Earthquakes, Journal Structural Division, ASCE, vol. 96, No. ST12, pp. 2557-2573, 1970

6) 平石久廣, 稲井栄一, 和田寿一, 福島 徹：鉄筋コンクリート造建築物の地震応答と耐震性能評価に関する研究, 日本建築学会構造系論文集, No. 613, pp. 105-112, 2007.3

7) 平石久廣, 金子雅之, 平塚高弘：地盤特性の影響を考慮した建築物の地震応答予測法に関する研究, 日本建築学会構造系論文集, No. 641, pp. 45-52, 2009.7

8) 高橋加南, 平石久廣, 大出大輔, 小橋祐人, 稲井栄一：変形規定型設計法に関する研究, 日本建築学会技術報告集, Vol. 20, No. 45, pp. 551-556 2014.6

9) 建設省建築研究所, 日本建築センター：設計用入力地震動作成手法技術指針（案）, 1992

10) Hardin, B.O. and Drnevich, V.P. : Shear Modulus and Damping in Soils : Design Equations and Curves, Proc. ASCE, SM7, pp. 667-692, 1972

地盤増幅係数についての補足式

地盤増幅係数を算出する際に必要となる, G_{S1}, G_{S2}, T_1, T_2 について付表 2.4 に示す.

付表 2.4　地盤増幅係数の算出に関わる諸係数

$T_1 = \dfrac{4 \sum\limits_{i=1}^{N-1} H_i}{V_{SE}}$	$T_2 = \dfrac{T_1}{3}$
$G_{S1} = \dfrac{1}{1.57h + \alpha}$	$G_{S2} = \dfrac{1}{4.71h + \alpha}$
$V_{SE} = \dfrac{\sum\limits_{i=1}^{N-1} V_{Si} H_i}{\sum\limits_{i=1}^{N-1} H_i}$	$h = \dfrac{\sum\limits_{i=1}^{N-1} h_i \cdot \dfrac{G_i}{2H_i} (u_{i+1} - u_i)^2}{\sum\limits_{i=1}^{N-1} \dfrac{G_i}{2H_i} (u_{i+1} - u_i)^2}$
$\alpha = \dfrac{\rho_E V_{SE}}{\rho_B V_B}$　　$\rho_E = \dfrac{\sum\limits_{i=1}^{N-1} \rho_i H_i}{\sum\limits_{i=1}^{N-1} H_i}$　　$V_{Si} = \sqrt{\dfrac{G_i}{\rho_i}}$	

［注］
H_i：地盤調査によって求められた地盤の各層の層厚（m）
G_i：地震時における各層のせん断剛性（kN/m²）
ρ_i：地盤調査によって求められた地盤の各層の密度（ton/m³）
α：簡略二層地盤における表層地盤と工学的基盤との波動インピーダンス比
ρ_B：地盤調査によって求められた工学的基盤の密度（ton/m³）
V_B：地盤調査によって求められた工学的基盤のせん断波速度（m/s）

$0 \leqq T_e < 0.16$ における応答算定式

周期 0.16 秒以下の応答算定式を以下に示す. 簡略法を用いた応答算定式を付表 2.5, 2.6 に, 精算法を用いた応答算定式を付表 2.7 に示す.

【簡略法】

付表 2.5 中地震動時応答算定式

第一種地盤 $(0 \leqq T_e < 0.16)$

$$C_B = \frac{1}{g} \cdot \left(\left(\frac{1}{2} \cdot 9F_h \cdot 2\pi\sqrt{RH_u} + \sqrt{\left(\frac{1}{2} \cdot 9F_h \cdot 2\pi\sqrt{RH_u} \right)^2 - \left(\frac{1}{3} \cdot 0.96F_h \right)^3} \right)^{\frac{1}{3}} \right.$$
$$\left. + \left(\frac{1}{2} \cdot 9F_h \cdot 2\pi\sqrt{RH_u} + \sqrt{\left(\frac{1}{2} \cdot 9F_h \cdot 2\pi\sqrt{RH_u} \right)^2 - \left(\frac{1}{3} \cdot 0.96F_h \right)^3} \right)^{\frac{1}{3}} \right)^2$$

第二種地盤 $(0 \leqq T_e < 0.16)$

$$C_B = \frac{1}{g} \cdot \left(\left(\frac{1}{2} \cdot 9F_h \cdot 2\pi\sqrt{RH_u} + \sqrt{\left(\frac{1}{2} \cdot 9F_h \cdot 2\pi\sqrt{RH_u} \right)^2 - \left(\frac{1}{3} \cdot 0.96F_h \right)^3} \right)^{\frac{1}{3}} \right.$$
$$\left. + \left(\frac{1}{2} \cdot 9F_h \cdot 2\pi\sqrt{RH_u} + \sqrt{\left(\frac{1}{2} \cdot 9F_h \cdot 2\pi\sqrt{RH_u} \right)^2 - \left(\frac{1}{3} \cdot 0.96F_h \right)^3} \right)^{\frac{1}{3}} \right)^2$$

第三種地盤 $(0 \leqq T_e < 0.16)$

$$C_B = \frac{1}{g} \cdot \left(\left(\frac{1}{2} \cdot 9F_h \cdot 2\pi\sqrt{RH_u} + \sqrt{\left(\frac{1}{2} \cdot 9F_h \cdot 2\pi\sqrt{RH_u} \right)^2 - \left(\frac{1}{3} \cdot 0.96F_h \right)^3} \right)^{\frac{1}{3}} \right.$$
$$\left. + \left(\frac{1}{2} \cdot 9F_h \cdot 2\pi\sqrt{RH_u} + \sqrt{\left(\frac{1}{2} \cdot 9F_h \cdot 2\pi\sqrt{RH_u} \right)^2 - \left(\frac{1}{3} \cdot 0.96F_h \right)^3} \right)^{\frac{1}{3}} \right)^2$$

付表 2.6 大地震動時応答算定式

第一種地盤 $(0 \leqq T_e < 0.16)$

$$C_B = \frac{1}{g} \cdot \left(\left(\frac{1}{2} \cdot 45F_h \cdot 2\pi\sqrt{RH_u} + \sqrt{\left(\frac{1}{2} \cdot 45F_h \cdot 2\pi\sqrt{RH_u} \right)^2 - \left(\frac{1}{3} \cdot 4.8F_h \right)^3} \right)^{\frac{1}{3}} \right.$$
$$\left. + \left(\frac{1}{2} \cdot 45F_h \cdot 2\pi\sqrt{RH_u} - \sqrt{\left(\frac{1}{2} \cdot 45F_h \cdot 2\pi\sqrt{RH_u} \right)^2 - \left(\frac{1}{3} \cdot 4.8F_h \right)^3} \right)^{\frac{1}{3}} \right)^2$$

第二種地盤 $(0 \leqq T_e < 0.16)$

$$C_B = \frac{1}{g} \cdot \left(\left(\frac{1}{2} \cdot 45F_h \cdot 2\pi\sqrt{RH_u} + \sqrt{\left(\frac{1}{2} \cdot 45F_h \cdot 2\pi\sqrt{RH_u} \right)^2 - \left(\frac{1}{3} \cdot 4.8F_h \right)^3} \right)^{\frac{1}{3}} \right.$$
$$\left. + \left(\frac{1}{2} \cdot 45F_h \cdot 2\pi\sqrt{RH_u} - \sqrt{\left(\frac{1}{2} \cdot 45F_h \cdot 2\pi\sqrt{RH_u} \right)^2 - \left(\frac{1}{3} \cdot 4.8F_h \right)^3} \right)^{\frac{1}{3}} \right)^2$$

第三種地盤 $(0 \leqq T_e < 0.16)$

$$C_B = \frac{1}{g} \cdot \left(\left(\frac{1}{2} \cdot 45F_h \cdot 2\pi\sqrt{RH_u} + \sqrt{\left(\frac{1}{2} \cdot 45F_h \cdot 2\pi\sqrt{RH_u} \right)^2 - \left(\frac{1}{3} \cdot 4.8F_h \right)^3} \right)^{\frac{1}{3}} \right.$$
$$\left. + \left(\frac{1}{2} \cdot 45F_h \cdot 2\pi\sqrt{RH_u} - \sqrt{\left(\frac{1}{2} \cdot 45F_h \cdot 2\pi\sqrt{RH_u} \right)^2 - \left(\frac{1}{3} \cdot 4.8F_h \right)^3} \right)^{\frac{1}{3}} \right)^2$$

付2. 設計目標を満足する復元力特性の簡易算定法 — 287 —

【精算法】

付表 2.7 　大地震動時応答算定式

$(0 \leq T_e < 0.16)$, かつ $(T_e \leq 0.8T_2)$

$$C_B = \frac{1}{g} \cdot \frac{1}{4} \cdot \left(\sqrt{y_1} + \sqrt{-y_1 + 2\sqrt{y_1^2 + 4 \cdot 30\alpha_1 F_h \cdot (2\pi\sqrt{RH_u})^2}} \right)^2$$

ここで,

$$y_1 = (Y + \sqrt{Y^2 + X^3})^{\frac{1}{3}} + (Y - \sqrt{Y^2 + X^3})^{\frac{1}{3}}$$

$$X = \frac{1}{9} \cdot (12 \cdot 30\alpha_1 F_h \cdot (2\pi\sqrt{RH_u})^2)$$

$$Y = \frac{1}{54} \cdot (27 \cdot (3.2\alpha_1 F_h \cdot 2\pi\sqrt{RH_u})^2)$$

$(0 \leq T_e < 0.16)$, かつ $(0.8T_2 < T_e \leq 0.8T_1)$

$$C_B = \frac{1}{g} \cdot \frac{1}{4} \cdot \left(\sqrt{y_1 + 3.2C_1 F_h} + \sqrt{-y_1 + 3.2C_1 F_h + 2\sqrt{y_1^2 + 4 \cdot 30\alpha_2 F_h \cdot (2\pi\sqrt{RH_u})^2}} \right)^2$$

ここで,

$$y_1 = (Y + \sqrt{Y^2 + X^3})^{\frac{1}{3}} + (Y - \sqrt{Y^2 + X^3})^{\frac{1}{3}} - \frac{1}{3} \cdot 3.2C_1 F_h$$

$$X = \frac{1}{9} \cdot (12 \cdot 30\alpha_2 F_h \cdot (2\pi\sqrt{RH_u})^2 - (3.2C_1 F_h)^2)$$

$$Y = \frac{1}{54} \cdot (-72 \cdot 3.2C_1 F_h \cdot 30\alpha_2 F_h \cdot (2\pi\sqrt{RH_u})^2 + 27((3.2\alpha_2 + 30C_1)F_h \cdot 2\pi\sqrt{RH_u})^2 - 2(3.2C_1 F_h)^3)$$

$(0 \leq T_e < 0.16)$, かつ $(0.8T_1 < T_e \leq 1.2T_1)$

$$C_B = \frac{1}{g} \cdot y_1^2$$

ここで,

$$y_1 = (Y + \sqrt{Y^2 + X^3})^{\frac{1}{3}} + (Y - \sqrt{Y^2 + X^3})^{\frac{1}{3}}$$

$$X = \frac{1}{3} \cdot (3.2C_2 F_h)$$

$$Y = \frac{1}{2} \cdot (30C_2 F_h \cdot 2\pi\sqrt{RH_u})$$

$(0 \leq T_e < 0.16)$, かつ $(1.2T_1 < T_e)$

$$C_B = \frac{1}{g} \cdot y_1^2$$

ここで,

$$y_1 = (Y + \sqrt{Y^2 + X^3})^{\frac{1}{3}} + (Y - \sqrt{Y^2 + X^3})^{\frac{1}{3}} + \frac{1}{3} \cdot \frac{3.2\alpha_3 F_h}{2\pi\sqrt{RH_u}}$$

$$X = \frac{1}{54} \cdot \left(27 \cdot (30C_3 F_h \cdot 2\pi\sqrt{RH_u}) + 2 \cdot \left(\frac{3.2\alpha_3 F_h}{2\pi\sqrt{RH_u}} \right)^3 + 9 \cdot \left(\frac{3.2\alpha_3 F_h}{2\pi\sqrt{RH_u}} \right) \cdot (3.2C_3 + 30\alpha_3)F_h \right)$$

$$Y = -\frac{1}{9} \cdot \left(3 \cdot (3.2C_3 + 30\alpha_3)F_h + \left(\frac{3.2\alpha_3 F_h}{2\pi\sqrt{RH_u}} \right)^2 \right)$$

付3. 等価粘性減衰と加速度低減率 F_h

3.1 調和定常外力での等価粘性減衰定数

付図3.1に示すような完全バイリニアモデルでは，等価粘性減衰定数 h_{eq} は，（付3.1）式のように計算できる．一方，RC構造等の構造物では，構造物の除荷剛性は損傷に応じて低下することが考えられる．例えば付図3.2では，初期剛性 k に対して，構造物の塑性率 μ に応じて除荷剛性を $k/\sqrt{\mu}$ と低減した場合である．この場合，等価粘性減衰定数 h_{eq} は，（付3.2）式のように計算できる．

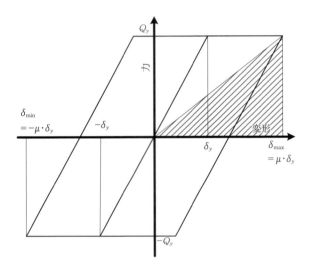

付図3.1　バイリニアモデルの等価粘性減衰定数

$$h_{eq} = \frac{1}{4\pi}\frac{\Delta W}{W} = \frac{1}{4\pi}\frac{4(\mu-1)\cdot Q_y \cdot \delta_y}{\frac{1}{2}Q_y \cdot \mu \cdot \delta_y} = \frac{2}{\pi}(1-1/\mu) \qquad (付3.1)$$

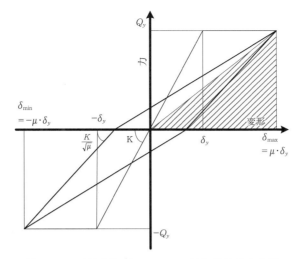

付図 3.2　剛性劣化型モデルでの等価粘性減衰定数

等価減衰定数：$h_{eq} = \dfrac{1}{4\pi}\dfrac{\Delta W}{W} = \dfrac{1}{4\pi}\dfrac{2(\mu-\sqrt{\mu})\cdot Q_y \cdot \delta_y}{\dfrac{1}{2}Q_y\cdot\mu\cdot\delta_y} = \dfrac{1}{\pi}(1-1/\sqrt{\mu})$　　　　（付 3.2）

　（付 3.1）式，（付 3.2）式で計算される履歴減衰の等価粘性減衰定数は，あくまで調和定常外力に対してである．したがって，実地震動下での応答では，履歴消費エネルギーが調和定常応答時に比べて小さくなるため，（付 3.1）式，（付 3.2）式では，等価粘性減衰定数を大きく見積もりすぎることとなる．これまでの非線形地震応答解析を用いた検討等[1),2)]から，文献 3）では（付 3.4）式により推定することを提案している．また，平成 12 年国土交通省告示 1457 号第 9 では，「部材を構成する材料及び隣接する部材との接合部が緊結された部材」では（付 3.3）式，それ以外では（付 3.4）式により推定するとしている．それぞれの式に応じた等価粘性減衰定数計算値を付図 3.3 に示す．

$\qquad h_{eq} = 0.25\cdot(1-1/\sqrt{\mu})$　　　　　　　　　　　　　　　　　　　　　　　　（付 3.3）

$\qquad h_{eq} = 0.20\cdot(1-1/\sqrt{\mu})$　　　　　　　　　　　　　　　　　　　　　　　　（付 3.4）

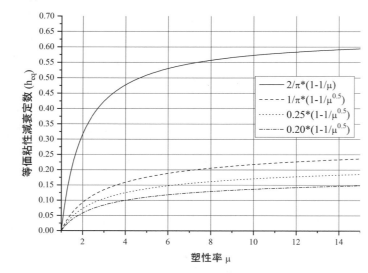

付図 3.3 等価粘性減衰定数

また,減衰定数に応じた要求曲線の低減率 F_h は,同じく平成 12 年国土交通省告示 1457 号第 9 では(付 3.5)式のように定義されている.ここで,h は構造物の等価粘性減衰定数であり,弾性時の粘性減衰定数を 5% と仮定して,(付 3.6)式で計算している.

$$F_h = \frac{1.5}{1+10h} \qquad (付 3.5)$$

$$h = h_{eq} + 0.05 \qquad (付 3.6)$$

3.2 検討手順と解析パラメータ

検討手順を付図 3.4 に示す.なお,解析では弾性時の粘性減衰定数を 5% と仮定し,瞬間剛性比例型モデルを用いた.

(a) 各履歴モデルに対して,弾塑性地震応答解析を用い,所定の塑性率を生じさせるように入力地震動レベル L_1 を収束計算により求める.この時の最大代表復元力は $A_{\max}$ である.

(b) 最大応答点から等価周期 $T_{\mathrm{Target}\mu}$ を計算し,5% 減衰での $T_{\mathrm{Target}\mu}$ での弾性地震応答解析を実施する.この時の最大代表復元力は $A_{5\%}$ である.$A_{\max}$ および $A_{5\%}$ から,$F_{h1} = A_{\max}/A_{5\%}$ を計算する.さらに,弾性地震応答解析時の最大代表復元力が $A_{\max}$ と一致する等価粘性減衰定数 h_{eq1} を収束計算により求める.

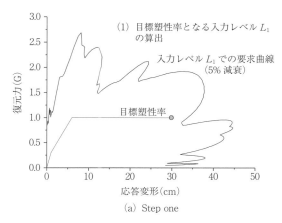
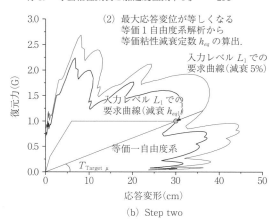

付図 3.4　検討手順

　解析に用いた履歴モデルは，バイリニアモデル，鉄筋コンクリート造の特性を模擬した Takeda モデル，および履歴消費エネルギーの少ない構造を模擬した Takeda-Slip モデルの 3 種類である．各モデルを付図 3.5 に示す．モデルパラメータは付図 3.6 で，降伏点剛性低下率 α_y は 0.5, 0.6, 0.7, 0.8, 0.9 の 5 ケース，第 1 折れ点での復元力 Q_c の降伏点での復元力 Q_y に対する比 $_{Fc}R$ は 0.3, 0.5, 0.75 の 3 ケースとした．モデルの周期は 0.3 秒から 1.3 秒まで 0.1 秒刻みの 10 ケースとした．本震で生じる最大塑性率 μ_{max} は，1, 2, 3, 4, 5 の 5 ケースとした．地震動は，El Centro, Taft, JMA Kobe, Hachinohe の EW および NS 成分と，第 2 種地盤を想定した人工地震波 10 波（WG60〜WG69）の計 18 波を用いた．入力地震動波形を付図 3.7 に示す．解析ケース数は全体で，3×5×3×10×5×18＝40 500 ケースである．

　折れ点で生じる復元力の不釣合力および折れ点での剛性変化により生じる減衰力の不釣合力は，これらを合わせて外力として次ステップで解除した．解析時間刻みは 0.01 秒とした．等価周期の算出法は，付図 3.8 に示すように，応答の絶対値の最大点と原点を結ぶ方法（図中 K_1）と，正側および負側の最大点を結ぶ方法（図中 K_2）が考えられるが，ここでは後者（K_2）を用いる．

　地震動の加速度応答倍率スペクトルを付図 3.9 に既応波と人工地震波に分けて示す．人工地震波は，ほぼ共通のスペクトル形状となっていることがわかる．また，付図 3.10 に基準化した要求曲線を示す．これは，縦軸は各地震動の最大地動加速度で，横軸は応答変位スペクトルの最大値で基準化したものである．人工地震波は全てがほぼ同一の性状を示しているのに対して，既応波は大きくばらついていることがわかる．

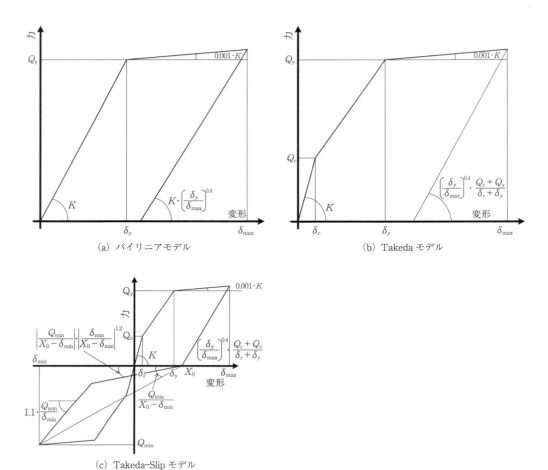

付図 3.5　検討に用いた復元力モデル

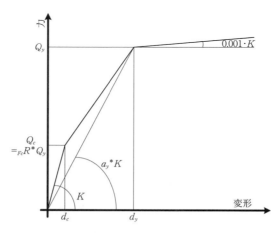

付図 3.6　本検討での解析パラメータ

付3. 等価粘性減衰と加速度低減率 F_h

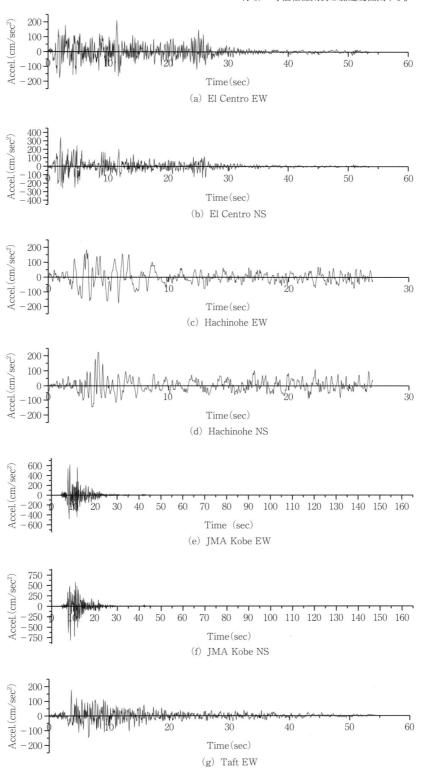

付図 3.7 検討に用いた入力地震動

— 294 — 付　録

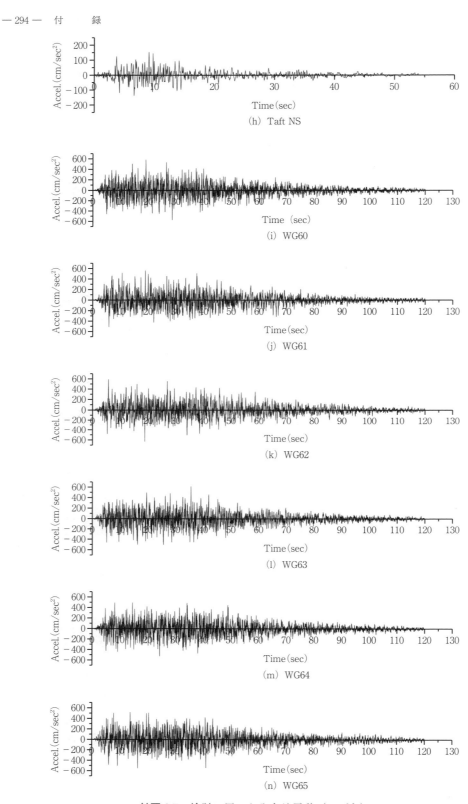

付図 3.7　検討に用いた入力地震動（つづき）

付3. 等価粘性減衰と加速度低減率 F_h — 295 —

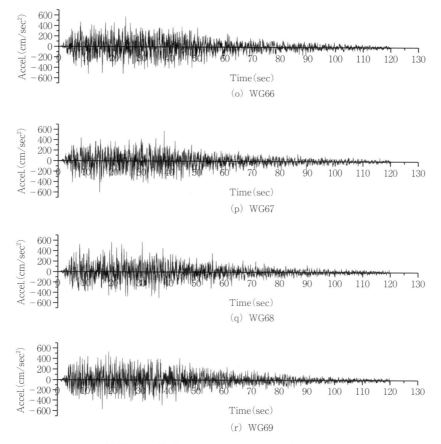

付図 3.7 検討に用いた入力地震動（つづき）

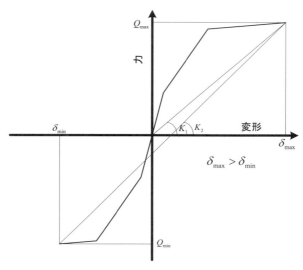

付図 3.8 等価周期

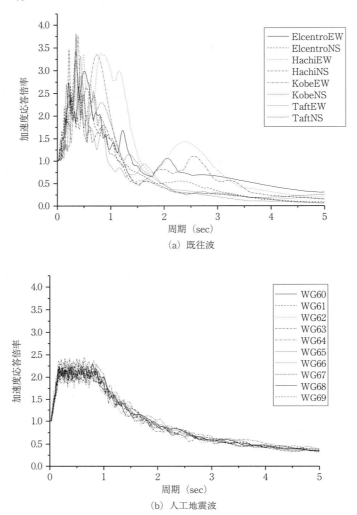

付図 3.9 入力地震動の加速度応答スペクトル

付 3. 等価粘性減衰と加速度低減率 F_h

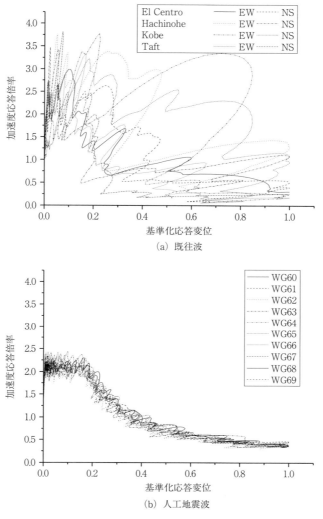

付図 3.10 基準化要求曲線

3.3 解析結果および結果の検討

　本検討手法では，3.2 節で示したとおり，計 2 回の収束計算を行う．いずれの場合も，目標値と計算値の差と目標値の比，すなわち（付 3.7）式を収束検討用の誤差 ε としている．また，許容誤差の値は，計算の発散を防ぐため，収束計算回数の関数としている．本検討では，計算結果のうち，2 回の収束計算の ε がいずれも 5 % を下回る計 40 207（全ケース 40 500）ケースを用いる．全ケースの 99.3 % は，いずれの誤差も 5 % を下回ったこととなる．

$$\varepsilon = \frac{|(目標値)-(計算値)|}{|目標値|} \tag{付 3.7}$$

　付図 3.11 にバイリニアモデル時の等価粘性減衰定数 h_{eq1} と最大塑性率の関係を，人工地震波と既応波別に示す．また，図中には，（付 3.3）式および（付 3.4）式で計算される等価粘性減衰

定数に，内部粘性減衰定数として 5 ％を考慮した場合を併せて示している．

付図 3.11 より，塑性率が 1 では，弾性のため，h_{eq1} はほぼ 0.05 となっている．h_{eq} に関しては，塑性率が 1 を超えるものでは，係数が 0.25（付 3.3）式および 0.20（付 3.4）式ともに，計算値が解析結果を上回る場合が多い．付表 3.1 に各式の係数に対して，式による計算値が解析結果を上回るケースにおける全ケース数に対する比（以下，誤差率という）を示す．係数 0.25（表中（1）欄）および 0.20（表中（2）欄）の場合は，ともに既応波の方が人工地震波よりも誤差率は小さいものの，19.5〜52.7 ％で解析結果が計算値を下回っている．

付図 3.11 において，等価粘性減衰定数が内部粘性減衰定数（5 ％）を下回っているケースがいくつかある．これは，付図 3.12 に示すように，性能曲線が 5 ％減衰での要求曲線との交点（図中（B））で止まらずに図中（A）が最大応答となったため，等価周期での弾性最大応答が点（A）となるためには，点（C）を超える必要があり，その結果，減衰定数が 5 ％を下回ったと考えられる．これは，等価周期が両方向の最大値から求めた周期（付図 3.8 中の K_2 による周期）とは厳密には異なることに起因する．特に既応波に対する結果で，5 ％を大きく下回る等価粘性減衰定数が得られているのは，付図 3.10 に示したように，既応波の要求曲線が大きくばらついており，相対的に付図 3.12 中の点（C）と点（A）が大きく異なることが多いためと考えられる．

付表 3.1　誤差率

モデル	入力地震動	ケース数	比率			
			（1） 付 3.3 式	（2） 付 3.4 式	（3） F_h	（4） $F_h\,w/\,h_{eq}$（付 3.3 式）
バイリニア	人工	5925	0.527	0.334	0.405	0.281
	既往波	4695	0.339	0.195	0.837	0.367
Takeda	人工	7493	0.123	0.025	0.449	0.022
	既往波	5973	0.188	0.128	0.791	0.257
Takeda-Slip	人工	7458	0.432	0.156	0.409	0.112
	既往波	5963	0.281	0.183	0.760	0.314
合計	人工	20876	0.348	0.160	0.422	0.128
	既往波	16631	0.264	0.166	0.793	0.309
	All	37507	0.311	0.163	0.582	0.206

付3. 等価粘性減衰と加速度低減率 F_h

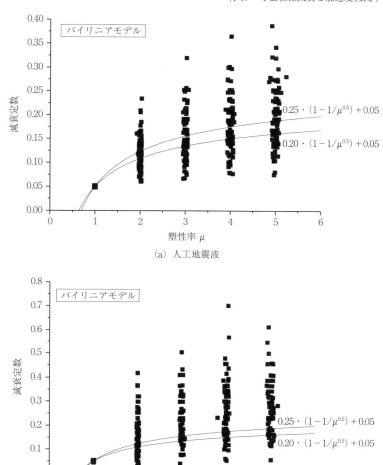

(a) 人工地震波

(b) 既往波

付図 3.11 塑性率と等価粘性減衰定数（バイリニアモデル）

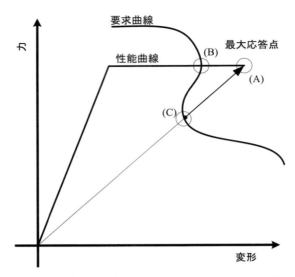

付図 3.12 内部粘性減衰定数を下回る等価粘性減衰定数が算出される理由

　同様に，付図 3.13，3.14 に Takeda モデルおよび Takeda-Slip モデル時の等価粘性減衰定数 h_{eq} と最大塑性率の関係を人工地震波と既応波別に示す．付表 3.1 は，係数別に誤差比を示している．h_{eq} に関しては，バイリニアモデルに比べて誤差率は小さく，係数 0.20（表中（2）欄）では両モデルでも誤差率は 20 % 以下であり，特に Takeda モデルの人工地震波を入力したケースでは，実に誤差率は 2.5 % であった．

付3. 等価粘性減衰と加速度低減率 F_h

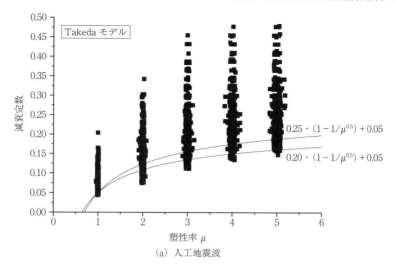

(a) 人工地震波

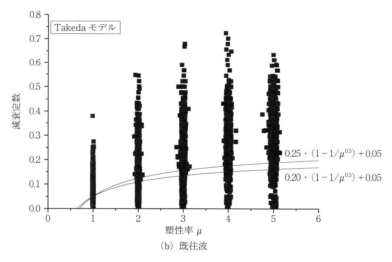

(b) 既往波

付図 3.13 塑性率と等価粘性減衰定数（Takeda モデル）

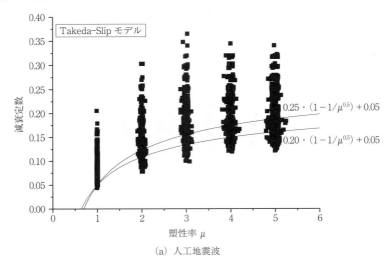

(a) 人工地震波

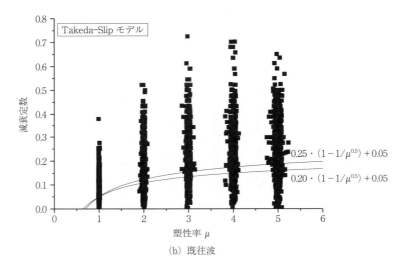

(b) 既往波

付図 3.14　塑性率と等価粘性減衰定数（Takeda-Slip モデル）

付図 3.15〜3.17 に，本震および本震と余震を一連で入力した場合の構造物モデルの応答加速度最大値 $A_{\text{nonlinear}}$ について，等価周期での 5 ％減衰時の弾性解析による応答加速度最大値 A_{linear} に対する比（F_h）と，等価粘性減衰定数の関係を示す．図中には，(付 3.5) 式により計算した曲線を併せて示している．また，付表 3.1 には，(付 3.5) 式による計算値が解析結果を下回る場合の全ケース数に対する比率（誤差率）を示している．ここで，F_h が 1 を超えたケースおよびバイリニアモデルで目標塑性率が 1 のケースは除外した．表中（3）欄は，等価粘性減衰定数として付図 3.11〜3.14 中に■で示した収束計算による値を用いて求めた．付図 3.15〜3.17 および付表 3.1 中（3）欄は，(付 3.5) 式の精度を示している．これらの図から，加速度低減率 F_h と等価粘性減衰定数の関係は，(付 3.5) 式が両者の関係をおおよそ表現していることがわかる．しかし，付表 3.1 中（3）欄に示すように，計算値が実際の値を下回る，つまり危険側の評価となった例

が F_h に対しては 40 % 以上であり，特に既応波の場合にその割合が高い．バイリニアモデルに既応波を入力した場合に最大で，83.7 % が危険側の評価となった．全てを総合的に見ると 58.2 % が危険側となっており，（付 3.5）式は中央値よりも若干危険側の評価となっている．

付図 3.18～3.20 および付表 3.1 中（4）欄に，等価粘性減衰定数として，推定式による値を用いた場合の結果を示す．なお，ここで推定式による値とは，応答最大塑性率から（付 3.3）式に 0.05 を加えた値により算出した値である．

F_h に関しては，付表 3.1 中（1）欄に示すように，（付 3.3）式が等価粘性減衰定数を解析結果の中央値よりも安全側に評価するため，同表（4）欄に示す結果は，（3）欄に示す結果に比べて誤差率は小さくなっている．その値は，バイリニアモデルの既応波を入力した場合が一番大きく 36.7 %，Takeda モデルの人工地震波入力で一番小さく 2.2 % であり，全体でも 20.6 % の誤差率であった．

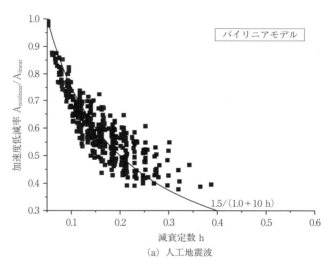

(a) 人工地震波

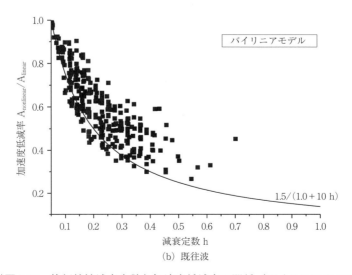

(b) 既往波

付図 3.15　等価粘性減衰定数と加速度低減率の関係（バイリニアモデル）

— 304 — 付　　録

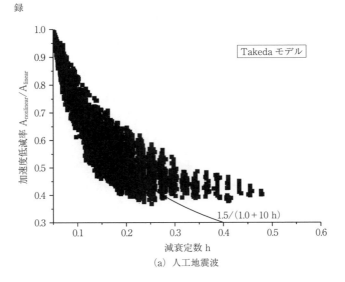

(a) 人工地震波

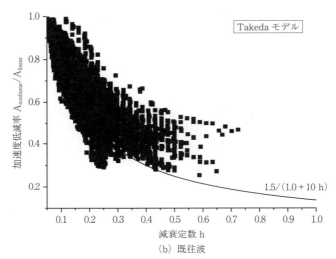

(b) 既往波

付図 3.16　等価粘性減衰定数と加速度低減率の関係（Takeda モデル）

付3. 等価粘性減衰と加速度低減率 F_h — 305 —

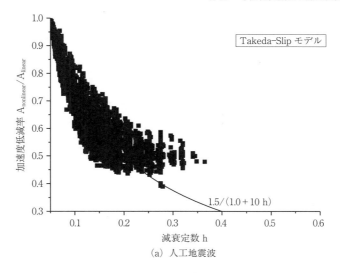

(a) 人工地震波

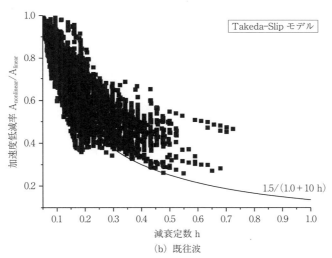

(b) 既往波

付図 3.17 等価粘性減衰定数と加速度低減率の関係（Takeda-Slip モデル）

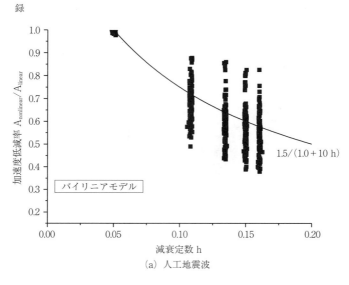
(a) 人工地震波

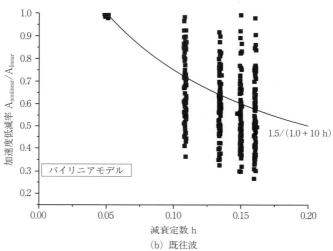
(b) 既往波

付図 3.18 等価粘性減衰定数計算値と加速度低減率の関係（バイリニアモデル）

付3. 等価粘性減衰と加速度低減率 F_h　— 307 —

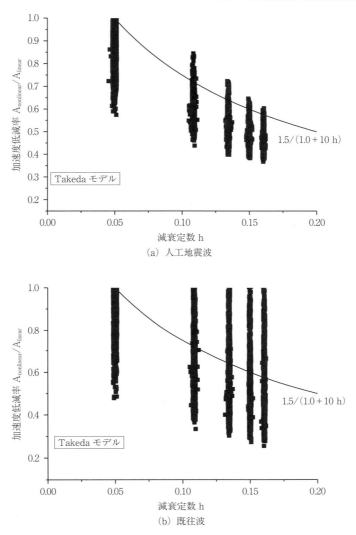

付図 3.19　等価粘性減衰定数計算値と加速度低減率の関係（Takeda モデル）

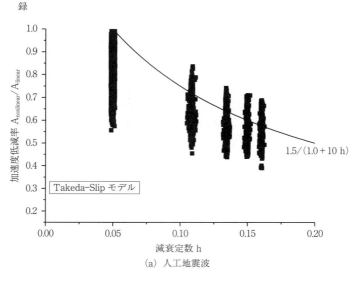
(a) 人工地震波

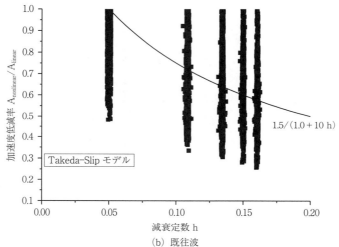
(b) 既往波

付図 3.20　等価粘性減衰定数計算値と加速度低減率の関係（Takeda-Slip モデル）

3.4　ま と め

1質点系モデルを対象に，履歴モデルと入力地震動をパラメータとした弾塑性地震応答解析および最大応答点での等価周期を用いた弾性地震応答解析を実施することにより，等価粘性減衰定数の推定式および減衰定数に応じた要求曲線の低減率に関して，その精度を検討した．得られた知見を以下に示す．

① 以下に示す現行の等価粘性減衰定数推定式2式は，構造物のモデルや入力地震動の性質によって，解析ケース全体の中で3〜53％程度のケースが過大評価される精度で推定が可能であった．特にバイリニアモデルでその精度が悪いが，これは，バイリニアモデルでは調和定常応答と大きく異なるためと考えられる．

$$h_{eq} = 0.25 \cdot (1 - 1/\sqrt{\mu}) + 0.05$$

$$h_{eq}=0.20\cdot(1-1/\sqrt{\mu})+0.05$$

② 次式に示す等価粘性減衰による加速度低減率（F_h）の推定精度は，やや中央値よりも危険側の評価であった.

$$F_h=\frac{1.5}{1+10h}$$

③ F_h を計算する際の等価粘性減衰定数の値として，次式による推定式を用いた場合は，全体で 79.4 ％ の解析結果を安全側に評価することができた.

$$h_{eq}=0.20\cdot(1-1/\sqrt{\mu})+0.05$$

参 考 文 献

1) 柴田明徳：最新　耐震構造解析，森北出版，1991

2) Shibata, A. and M.A. Sozen : Substitute Structure Method for Seismic Design in R/C, Proc. ASCE, Vol. 102, No. ST1, 1976, 1

3) Shibata, A. : Equivalent Linear Models to Determine Maximum Inelastic response of Nonlinear Structures for Earthquake Motions, 第 4 回日本地震工学シンポジウム，1975

4) 楠　浩一，勅使川原正臣：余震に対する等価粘性減衰定数評価に関する解析的研究，コンクリート工学年次論文集，Vol. 28, No. 2, pp. 1057-1062, 2006

鉄筋コンクリート造建物の等価線形化法に基づく
耐震性能評価型設計指針・同解説

2019 年 3 月 1 日　第 1 版第 1 刷
2023 年 11 月 15 日　第 2 版第 1 刷

編　集
著作人　一般社団法人　日本建築学会

印刷所　三美印刷株式会社

発行所　一般社団法人　日本建築学会

108-8414　東京都港区芝 5—26—20
電　話・(03) 3 4 5 6—2 0 5 1
ＦＡＸ・(03) 3 4 5 6—2 0 5 8
http://www.aij.or.jp/

発売所　丸善出版株式会社

101-0051　東京都千代田区神田神保町2-17
神田神保町ビル
電　話・(03) 3 5 1 2—3 2 5 6

© 日本建築学会 2023

ISBN978-4-8189-0675-4 C3052